ELEFANTPASSERNES BØRN

Af samme forfatter

Forestilling om det tyvende århundrede, roman, 1988

Fortællinger om natten, 1990

Frøken Smillas fornemmelse for sne, roman 1992

De måske egnede, roman, 1993

Kvinden og aben, roman, 1996

Den stille pige, roman, 2006

PETER HØEG

Elefantpassernes børn

ROMAN

ROSINANTE

Elefantpassernes børn

© Peter Høeg og Rosinante / ROSINANTE&CO, København 2010

2. udgave, 1. oplag, 2011

Omslag: Harvey Macaulay / Imperiet

Typografisk tilrettelægning: Dorte Cappelen

Sat med Minion og trykt hos CPI – Clausen & Bosse, Leck

ISBN: 978-87-638-1783-7

Printed in Germany 2011

BLANDEDE
Papir fra
ansvarlige kilder
FSC® C083411

Bogen er trykt på FSC- mærket papir.
Flere oplysninger på www.FSC.dk

Rosinante er et forlag i ROSINANTE&CO

Købmagergade 62, 4. | Postboks 2252 | DK-1019 København K

www.rosinante-co.dk

Til Awiti, Adoyo, Ajuang, Apiyo, Akinyi og Karsten.

Til Stine og Daniel.

Vil du være ven med en elefantpasser?
Så forvis dig om at du har plads til elefanten.

GAMMELT INDISK ORDSPROG

FINØ

Jeg har fundet en dør ud af fængslet, den åbner ud til friheden, jeg skriver dette for at vise dig døren.

Nu vil du måske sige, at hvor meget frihed tror han, han kan forlange, jeg, der er født på Finø, der kaldes Danmarks Gran Canaria, endda i præstegården, som har tolv værelser og en have, der er stor som en park. Og omgivet af far og mor og storesøster og storebror og bedsteforældre og oldemor og en hund, der alle sammen ligner en reklame for noget, der er dyrt, men godt for hele familien.

Og selv om det selvfølgelig ikke er så meget, jeg ser, når jeg ser mig selv i spejlet, fordi jeg er den næstmindste i syvende klasse på Finø By Skole, og lidt til den splejsede side, så er der mange både ældre og tungere spillere, der på Finø Stadion må se mig svæve forbi som en surfer på vinden, og som bagefter mærker håret rejse sig, når jeg affyrer det giftige højreben.

Så hvad klager han over, vil du måske sige, hvordan tror han andre drenge på 14 har det, og til det er der to svar.

Det første er, at du har ret, jeg skulle ikke klage. Men da far og mor forsvandt og det hele blev meget vanskeligt og svært at forklare, så opdagede jeg, at der var noget, jeg havde glemt. Jeg havde glemt, mens det hele var lyst, at prøve at finde ud af, hvad der kan holde, hvad man virkelig kan regne med, når det begynder at blive mørkt.

Det andet svar er det hårde: Prøv at se dig omkring, hvor mange mennesker er rigtig glade? Selv når man har en far med en Maserati og en mor med en minkpels, hvad vi havde i præstegården på et tidspunkt, hvor mange har så i virkeligheden noget at råbe hurra for? Og er det så ikke okay at spørge, hvad der kan gøre et menneske frit?

Nu vil du måske sige, at så langt øjet rækker, er verden fyldt med folk, der vil fortælle én, hvor man skal gå hen, og hvordan man skal forholde sig, og jeg er altså en til, og på en måde har du ret, og på en måde er det her anderledes.

Hvis du havde hørt min far prædike i Finø By Kirke, inden han forsvandt, så ville du have hørt ham sige, at Jesus er vejen, og jeg siger dig, min far kan sige det så smukt og naturligt som om det er vejen ned til havnen, vi snakker om, og vi er alle fremme om et øjeblik.

Hvis du havde hørt gudstjenesten fra en taburet ved siden af orglet, som min mor spillede på, og var du blevet siddende lidt bagefter, så havde hun fortalt, at det er musikken, der er fremtiden, og hun spiller og siger det på en måde, så du allerede nu ville have bestilt de første klavertimer og være på vej ud for at prøve at købe et flygel for din børneopsparing.

Var du efter gudstjenesten gået med hjem til kirkekaffe en af de dage, hvor vi havde besøg af min yndlingsonkel Jonas, der går på bjørnejagt i det Ydre Mongoli og har en udstoppet bjørn stående i sin entré og er blevet fagforeningsformand, så kunne du have hørt ham, i en enetale på ikke under tyve minutter, fortælle om, at det, der virkelig får proppen af flasken, det er, hvis man har fysisk selvtillid og vier sit liv til organisering af arbejderklassen, og han siger det ikke kun for at drille min far, han mener det også i fuldt alvor.

Hvis du spørger mine klassekammerater, vil de fortælle dig, at det rigtige liv begynder efter niende klasse, for da flytter de fleste børn på Finø hjemmefra for at gå på kostgymnasiet eller på teknisk skole i Grenå.

Og til sidst, for at gå et helt andet sted hen, hvis du spurgte klienterne på Store Bjerg, som er et behandlingshjem, der ligger lige vest for Finø By, og som alle sammen har været misbrugere, inden de blev 16, hvis du spørger dem helt ærligt, og det er på tomandshånd, så vil de sige, at selv om de er helt *clean* og dybt taknemmelige for behandlingen og ser frem til at starte et nyt liv,

12

så er der ikke noget der kommer op på siden af den lange, blide optur, der følger, når du har røget opium eller taget heroin.

Og jeg siger dig: Jeg er sikker på, at alle de mennesker har ret, også klienterne på Store Bjerg.

Det er noget, jeg har lært af min storesøster Tilte. Et af Tiltes talenter er, at hun på én gang kan mene, at alle mennesker har ret, samtidig med at hun er fuldstændig overbevist om, at hun er den eneste inden for en meget stor omkreds, der ved, hvad hun snakker om.

Alle de mennesker, jeg har nævnt, de peger på det, der er døren ind til deres yndlingsværelse, og inde i det værelse er Jesus eller Schuberts sange eller den statskontrollerede prøve efter niende klasse eller en udstoppet bjørn eller fast arbejde eller et rosende klap bagi, og selvfølgelig er mange af de værelser fantastiske.

Men så længe du er i et værelse, er du inde, og så længe du er inde, er du fanget.

Den dør, jeg vil prøve at vise dig, den er anderledes. Den fører ikke ind i et nyt rum. Den fører ud af bygningen.

Det var ikke mig, der fandt døren, jeg har ikke den selvtillid, der skal til, det var min storesøster Tilte.

Jeg var til stede, da det skete, det er to år siden, det var lige inden mor og far forsvandt første gang, jeg var 12 år, og Tilte var 14, og selv om jeg husker det, som var det i går, så vidste jeg ikke, at det var det, hun opdagede.

Vi havde vores oldemor på besøg, hun stod og lavede kærnemælkssuppe.

Når oldemor laver kærnemælkssuppe, så står hun på to taburetter, der er stillet oven på hinanden, for at nå op og røre i gryden, og det gør hun, fordi hun er født lille og derefter har haft seks sammenskridninger i rygsøjlen og er blevet så pukkelrygget, at hvis hun skal med på den familiereklame, jeg snakkede om før,

13

så skal de være påpasselige med, hvor de tager billedet fra, for puklen er stor som et paraplystativ.

Til gengæld er der mange af dem, der har mødt oldemor, som mener, at hvis Jesus kommer igen, så kunne det godt gå hen og blive som en dame på 93, for oldemor er det, der hedder alkærlig. Det betyder, at hun har en venlighed, der er så stor, at der er plads til alle, også til typer som Kaj Molester og ministeriets udsendte til Finø, Alexander Bister Finkeblod, der leder Finø By Skole, og som man ellers skal være hans egen mor for at elske, og selv det er måske ikke engang nok, for én gang har jeg set ham hente sin mor ved færgen, og det så ud, som om det var for meget også for hende.

Samtidig skal man ikke tage fejl af vores oldemor. Man bliver ikke 93 og overlever flere af sine egne børn og seks sammenskridninger i rygsøjlen og Anden Verdenskrig og kan huske slutningen på Første, uden at der er noget særligt, der holder én i gang. Jeg vil sige det på den måde, at hvis oldemor var en bil, så har karrosseriet været ved at falde fra hinanden lige så længe nogen kan huske. Men motoren spinder, som om den lige er kommet fra fabrikken.

Men med hensyn til ord, så er hun ret tilbageholdende, hun deler dem ud som bolsjer, som om hun ikke har ret mange tilbage, og det har man måske heller ikke, når man er 93.

Så da hun pludselig, uden at vende hovedet, siger: »Der er noget, jeg gerne vil sige,« så bliver vi helt stille.

'Vi' er min mor og far, min storebror Hans, Tilte og mig og vores hund, Basker III, det er en foxterrier, der er opkaldt efter bogen om Baskervilles hund, og den hedder 'III', fordi den er den tredje af den slags hund, vi har haft i Tiltes levetid, og hun har forlangt, at hver gang en hund dør og vi får en ny, skal den hedde det samme, bare med et højere nummer. Hver gang Tilte fortæller mennesker, som ikke før har haft den store glæde at træffe os, hvad hunden hedder, så giver hun dem hånden og ... så giver det et lille ryk i folk, måske fordi det minder dem om de hunde, der er døde før Basker, og det er, tror jeg, derfor Tilte har forlangt det navn, for hun har altid været interesseret i døden, mere end børn normalt er.

Nu, hvor oldemor skal til at sige noget og sætter sig i kørestolen, så læner Tilte sig ind over køkkenbordet og hæver benene fra gulvet, og oldemor kører ind under hende. Tilte vil altid sidde på skødet af oldemor, når der er noget, hun vil sige, men oldemor er blevet svagere, og Tilte er blevet tungere, så nu ordner de det på den her måde, Tilte løfter sig op, og verden lægger sig til rette under hende, og så ruller hun sig sammen på skødet af oldemor, der på det her tidspunkt er blevet mindre end Tilte.

– Min mor og far, siger oldemor, – jeres tipoldeforældre, de var ikke helt unge, da de blev gift, de var i slutningen af 30'erne. Alligevel fik de syv børn. Lige da de havde fået det syvende, døde min mors bror og hans kone, min onkel og tante, de blev smittet med den samme slags influenza, den spanske syge, og døde næsten samtidig. De efterlod 12 børn. Min far tog til begravelsen i Nordhavn. Efter begravelsen skulle der være et møde, og dér skulle familien dele de 12 børn imellem sig, det var sådan, man gjorde dengang, det er 90 år siden, det drejede sig om at overleve. Det tog to timer i hestevogn fra Finø By til Nordhavn, min far var først tilbage om aftenen. Han kom ind i køkkenet, hvor min mor stod ved komfuret, så sagde han:

»Jeg tog dem alle sammen.«

Min mor så op, fuld af glæde, så sagde hun:

»Tak for tilliden, Anders.«

Da oldemor havde fortalt det her, blev der stille i køkkenet. Jeg ved ikke, hvor længe stilheden varede, for tiden var gået i stå, der var for meget at forstå, til at man kunne tænke, man havde ligesom givet op. Man skulle forstå, hvad der er foregået inde i oldemors far, da han har set de 12 børn til begravelsen og ikke har kunnet nænne, at de skulle skilles ad. Og mest skulle man forstå hans kone, da han kommer hjem og siger: »Jeg tog dem alle sammen«. Der er ikke et sekunds tøven, ikke noget med at bryde

15

sammen og hulke ved tanken om, at nu er der ikke bare ens egne syv børn, hvad der kan være slemt nok, når man tænker på os tre i præstegården, og vi har endda to toiletter plus et gæstetoilet, nu er der pludselig 19 børn.

På et tidspunkt, da der har været stille i jeg ved ikke hvor længe, men i hvert fald i lang tid, så siger Tilte:

– Sådan vil jeg også være!

Vi troede alle sammen, vi forstod, hvad hun mente, og på en måde gjorde vi. Vi troede, at hun ville være ligesom faren, eller ligesom moren, eller ligesom dem begge to, og kunne sige ja til 19 børn, hvis det blev nødvendigt.

Og det er rigtigt, det var det, hun mente. Men hun mente også noget andet.

Inden hun sagde det, under den lange stilhed, har Tilte opdaget døren. Eller er blevet helt sikker på, at den er der.

Inden jeg begynder, kommer jeg til at spørge dig om noget. Jeg kommer til at spørge dig, om du kan huske nogle øjeblikke i dit liv, hvor du har været lykkelig. Ikke bare glad. Ikke bare tilfreds. Men så lykkelig, at alt var fuldstændig totalt hundrede procent perfekt.

Hvis du ikke kan huske bare ét eneste af sådan nogle øjeblikke, så er det ikke så godt, men så er det bare endnu vigtigere, at jeg når dig med det her.

Hvis du kan huske bare ét, eller bedre, nogle stykker, så vil jeg bede dig tænke på dem. Det er vigtigt. For omkring sådan nogle øjeblikke er døren ved at gå op.

Jeg vil fortælle dig om et par af mine. De er ikke noget særligt. Jeg fortæller dem for at gøre det lettere for dig at finde dem i dit eget liv.

Der var sådan et øjeblik, da jeg første gang blev udtaget til Finø AllStars, der i juli spiller kamp mod landliggerne. Listen blev læst op af forstanderinden Ilonar, som vi kalder Fakiren, fordi han er skaldet og tynd som en piberenser, og fordi hans humør året rundt er, som om han lige er stået ud af sengen efter at have sovet på glasskår.

Der havde aldrig været udtaget nogen under 15, så det kom helt uforberedt, han læste listen højt, og så kom mit navn.

I et ganske kort øjeblik var det svært at sige, hvor man var, var man uden for kroppen eller inden i kroppen eller begge dele på én gang.

Et andet glimt var, da Conny spurgte, om vi skulle være kærester. Hun spurgte ikke selv, hun sendte en af sine hofdamer, Sonja. Jeg var på vej hjem fra skole, Sonja kom op på siden af mig, »jeg skulle spørge fra Conny, om I skal være kærester«.

I et kort øjeblik er det, ligesom nogen har taget bundproppen ud, svæver man, eller står man på jorden, man ved det ikke. Og følelsen af svæv er ikke indbildning, hele den verden, man kan tage og føle på, er fuldstændig anderledes.

Der er én til situation med Conny, den går langt tilbage, til vi begge to var omkring seks og gik i børnehave sammen. I hele Finø By er der kun i alt tre hundrede børn og kun én skole og én børnehave, så vi har alle sammen gået i skole og børnehave med hinanden.

Børnehaven havde fået nogle kæmpe øltønder af træ af Finø Bryggeri, og dem havde de lagt ned og klodset op og lagt gulv i og lavet små døre og vinduer, så de kunne bruges som legehuse. Inde i en af tønderne spurgte jeg Conny, om hun ville tage tøjet af foran mig.

Nu vil du måske sige, at hvordan fik jeg mod til det, jeg, der virker, som om jeg er for hæmmet til at spørge om vej til bageren, og jeg må også sige, at det virkelig er en af de gange, hvor jeg har overrasket mig selv.

Men hvis du engang møder Conny, så vil du forstå, at der er kvinder, der kan bringe det ekstraordinære frem i en mand, selv om de kun lige er fyldt seks år.

Hun svarede ikke noget. Hun begyndte bare ganske langsomt at klæde sig af. Og da hun var helt nøgen, løftede hun armene og drejede sig ganske langsomt foran mig. Jeg kunne se de små lyse dun på hendes hud, rundt om os var tønden rund som et skib eller en kirke, og der var lugten af alt det øl, som i hundrede år var sivet ind i træet. Og jeg mærkede, at det, der skete mellem Conny og mig, havde noget at gøre med hele resten af verden.

Det sidste øjeblik er det mest stilfærdige. Jeg er lille, måske tre år, for vi har lige fået Basker II, og den er kravlet op i mors og fars seng, hvor jeg også har sovet. Derfra lader jeg mig glide ned på gulvet og skubber de franske døre op og går ud i haven. Jeg tror, det må være tidligt efterår, der er lav sol, og græsset er iskoldt og brændende under fødderne. Mellem træerne er der store spindelvæv, i trådene hænger dugdråber, som en million bittesmå diamanter, der alle sammen spejler hinanden. Det er meget tidligt, og morgenen er så frisk og ny og umulig at efterligne, som om der aldrig har været nogen morgen inden denne, og heller ikke behøver at komme en kopi, for denne her varer evigt.

I det øjeblik er verden fuldstændig perfekt. Der er ikke noget, der mangler at blive gjort, og der er heller ikke nogen til at gøre det, for der er ingen mennesker, ikke engang mig, glæden fylder det hele. Og det varer meget kort, og så er det forbi.

Jeg ved, der er sådan nogle øjeblikke i dit eget liv. Ikke de samme, men nogle der ligner.

Det, jeg prøver at få dig til at lægge mærke til, det er sekunderne, inden det går op for én, hvor særlig situationen er, og man begynder at tænke.

For så snart tankerne kommer, så er man inde i buret igen.

Det er noget af det dystre ved det fængsel, som det her handler om. Det er ikke kun lavet af sten og beton og tremmer for vinduerne.

Var det det, havde det været enklere. Var vi spærret inde på den almindelige måde, så skulle vi nok have fundet en løsning, selv to tilbageholdende typer som dig og mig. Så skulle vi nok fra Greuå eller Århus have skullet et par hundrede gram af det lyse røde pulver, de bruger i jetmotorerne i modelflyene, når der er

18

Store Drage- og Svæveflyverdag på Finø. Og vi skulle nok have fundet et rustfrit rør med gevind i enderne og to skruer til gevindene og have boret et lille hul i røret og fyldt pulveret i og sat en lunte fra en nytårsraket i hullet og have blæst en ordentlig åbning i muren, og så kunne de have kigget langt efter os.

Men det ville ikke være nok. For det fængsel, som det her handler om, og som er vores alle sammens liv og den måde, vi lever det på, det fængsel er ikke kun muret af sten, det er også lavet af ord og tanker. Og vi er selv med til hele tiden at bygge det op og holde det ved lige, det er det, der er det værste.

Som nu dengang, da Sonja spurgte mig fra Conny. Lige efter det første sekund, lige efter at chokket havde forandret verden, så kom den tilbage igen. Den kom ved, at man tænkte: »Kan det være rigtigt, kan det være mig, er det ikke en anden Peter? Og hvorfor netop mig? Og hvis det virkelig er mig, er jeg så god nok til hende? Og hvor længe mon det varer? Og selv om det varer ved, hvad man tror og håber, så må det vel slutte en eller anden gang, er det ikke rigtigt?«

»De levede lykkeligt til deres dages ende.«

Den slutning var jeg aldrig tilfreds med.

Det var far, der læste godnathistorie for Tilte og mig og Basker. Når eventyret sluttede med »De levede lykkeligt til deres dages ende«, så følte jeg altid en uro, som jeg ikke kunne forklare.

Det blev Tilte, der fandt de rigtige ord. En dag, hun har højst været syv, og jeg har været fem, så sagde hun: – Hvad er »deres dages ende«?

– Det er, når de døde, sagde far.

Så sagde Tilte:

– Fik de en værdig død?

Far blev helt stille. Så sagde han:

– Det står der ikke noget om.

Så sagde Tilte:

– Og hvad så bagefter?

Jeg ved godt, hvor Tilte havde det med en værdig død fra. Det havde hun fra Bermuda Svartbag Jansson, der er både jordemoder og bedemand på Finø, sådan er det, fordi øen er så lille, er der mange, der er to eller tre ting på én gang, som mor, der både er organist og kirkekone og konsulent for maskinstationen.

Tilte havde tit talt med Bermuda og også hjulpet hende med at lægge lig i kister. Så fra hende havde hun det udtryk.

Men det forklarer alligevel ikke det hele. For tænk alligevel. Man sidder med en pige på syv år og har læst et eventyr, og meningen med at de levede lykkeligt til deres dages ende, det er, at det skal være en *happy end*, og børnene skal komme i en god stemning her ved sengetid og se sig rundt i familien og være sikre på, at deres far og mor og de selv og hunden også vil leve lykkeligt til deres dages ende, som er så langt væk, at man på en måde lige så godt kan sige »i al evighed«. Og så er der en pige på syv år, Tilte, der spørger, om de fik en værdig død.

Da Tilte sagde sådan, forstod jeg, hvorfor jeg aldrig havde været helt beroliget af de slutninger. Jeg havde ikke kunnet eller turdet tænke som Tilte. Men jeg havde ligesom mærket. At det kan godt være, de lever lykkeligt. Men hvad, når de kommer frem til slutningen, til dagenes ende?

Derhenne er det måske ikke så fedt mere.

Nu fortæller jeg, hvad der skete for os. I virkeligheden er det ikke for at fortælle om os. Det er, for at jeg selv kan prøve at huske, hvornår døren var åben og for at vise det til dig.

Jeg kan ikke hjælpe dig ud gennem døren, for jeg er ikke gået rigtig ud af den selv. Men hvis vi kan finde den og stå foran den nok gange, du og jeg, så ved jeg, at en dag vil vi sammen gå ud i friheden.

Det er aldrig for sent at få en lykkelig barndom.

Det var noget Tilte og jeg havde læst i en bog på biblioteket, jeg kunne altid godt lide sætningen. Men man skal ikke tænke for meget over den. Tænker man, går man i stå. Så vil man sige, at det giver

20

jo ingen mening, ens barndom er jo slut, og det, der er slut, blev, som det blev, det er det for sent at lave om på.

I stedet for skal man bare lade ordene blive inden i sig: Det er aldrig for sent at få en lykkelig barndom.

Jeg tror, det er rigtigt. Men nogle gange er det et problem.

Men Tilte siger, at der ikke findes problemer, kun interessante udfordringer.

Så jeg vil sige, at en af de interessante udfordringer med at få en lykkelig barndom, den begyndte langfredag, på Blågårds Plads, i København.

Vi holder på Blågårds Plads i København, vi, det er Basker, Tilte, mig og vores storebror Hans, og det, vi holder med, er en sortlakeret karet forspændt med fire heste, og at vi gør det, kan vi takke Hans for. Hvis vi altså mener, der er noget at takke for.

Der er store dele af Danmarks befolkning, i hvert fald blandt turisterne på Finø, som synes, at min storebror Hans ligner en dansk eventyrprins. Den mening bygger de blandt andet på, at han er en halvfems høj, og har lyst, krøllet hår og blå øjne og er stærk nok til, at han ville kunne spænde en af hestene fra kareten, vende den om på ryggen, lægge den op på et bord og kilde den på maven.

Men da Tilte og Basker og jeg kender Hans, så synes vi også, han ligner en voksenbaby.

Ganske vist har Finø AllStars aldrig haft farligere general på den strategiske midtbane. Men uden for banen, når han ikke mere har bolden at kigge efter, så har han blikket stift rettet mod stjernerne, og folk, der har det, har det med at falde over møblerne.

Nu er han taget til København for at studere astrofysik, som også er noget med stjerner, og her har han fået studenterjob med at køre hestevogn, og her er Tilte og Basker og jeg taget over for at besøge ham i påsken, mens der er afløser på i Finø By Kirke, fordi far og mor er på den årlige tur til La Gomera, som er en *wannabe* Finø blandt De Kanariske Øer.

Jeg ved ikke, om du kender Blågårds Plads. Rent personligt er det for mig første gang, jeg er her, og til at begynde med virker pladsen ret almindelig. Der er varmt i solen, og koldt i skyggen, der er nogle få snedriver og en kirke med en del mennesker foran, og som privatbarn er man altid glad for at se kunder i butikken. Her er også tre mænd på en bænk i solen og i deres bedste alder,

22

som de bruger til at drikke elefantøl. Bag vores karet er der en grøntforretning, uden for hvilken grønthandleren står og stirrer ned i en kasse citroner, som han har hjulpet til at overvintre ved at tage dem med i de fem daglige bønner mod Mekka, og foran os er en gammel dame på vej over gaden med en palle kattemad på sin rollator. Så det eneste usædvanlige er spørgsmålet om, hvorfor en turist, der er velhavende nok til at betale fem tusind kroner forud over nettet for fem kvarters rundtur i den indre by, har valgt at ville starte på Blågårds Plads, og hvor er han henne, for det er ti minutter over tiden, og han er ikke dukket op.

I det øjeblik ringer Hans' mobiltelefon, der bliver udvekslet fire sætninger. Og derefter er vores liv fuldstændig lavet om.

– Det er Bodil, siger stemmen i den anden ende. – Har du dine søskende hos dig?

Bodil Fisker, kaldet Bodil Flodhest, selv om hun er lille og spinkel, behøver ikke at præsentere sig. Hun er kommunaldirektør i Grenå kommune, som inkluderer Finø, Anholt og Læsø, og alle kender hende. Hans behøver heller ikke at stille telefonen på medhør, for at vi skal kunne høre, hvad hun siger, ikke fordi hun snakker højt, hun snakker ret almindeligt, men fordi hendes stemme er af den gennemtrængende slags, der når ud til klodens fjerneste egne. Og det er ikke bare hendes stemme, det er også hendes væsen, det med at Guds ånd svæver over vandene, det kunne være skrevet om Bodil Flodhest.

Men det, der er over det hele, det er Bodils opmærksomhed, det er ikke hende selv. En kommunaldirektør er ikke en person, man møder *live*, det er en, der har folk under sig, som igen har folk under sig, som igen har folk under sig, og det er dem, der ringer til en. Jeg har set Bodil Flodhest én gang, ved en lejlighed jeg helst ikke vil tænke på, men som jeg alligevel bliver nødt til at fortælle dig om om lidt. At det er hende, der ringer til os, viser, at den er helt gal.

– Jeg har Tilte, Peter og Basker med mig, siger Hans.

– Efterlod din far og mor en adresse?

– Kun mors mobilnummer.

– Hvornår er I tilbage?

– Vi har én tur, så afleverer jeg vognen.

– Ring til mig, når I er ved at være hjemme. På det her nummer.

Så lægger hun på.

I det øjeblik vender Tilte hovedet og ser mig ind i øjnene. Og jeg ved hvorfor. Hun vil minde mig om noget. Om at lige nu er der en chance.

Jeg har været et øjeblik om at fortælle dig det. Men nu siger jeg det ligeud.

Tilte og jeg har opdaget, at det ikke kun er i de lykkelige øjeblikke, at døren står åben. Det er også i de forfærdelige. Lige idet du får at vide, at nogen er død eller har fået kræft eller er forsvundet, eller at Kaj Molester Lander, kendt i vide kredse på Finø som den ottende af Egyptens syv plager, er stået op klokken fire i morges for at komme først ud til mågekolonierne, hvor vi samler æg i maj, hvad der er okay for mågerne, sølvmåger og sildemåger begynder først at ruge, når der er tre æg, så reder med tre æg rører vi ikke. Så i det øjeblik, du opdager, at Kaj har tømt rederne og verden gør klar til at ramle sammen omkring dig, i det øjeblik er der åbent.

Og nu siger jeg, hvad Tilte og jeg har fundet ud af man skal gøre: Man skal mærke ind mod sig selv. Lige i det øjeblik chokket rammer, er der en helt speciel og usædvanlig følelse inde i en, og uden omkring en, og den følelse skal man mærke ind i. Det er lige inden tårerne kommer, og fortvivlelsen og den almindelige depression og opgivelse og beslutningen om, at hvis Kaj kan komme op klokken fire, så kan du komme op klokken tre eller to eller lade være at gå i seng overhovedet for at være sikker på at komme først, i det korte øjeblik, hvor den almindelige måde at fungere på er væk og der ikke er kommet en ny, i det øjeblik er der hul.

Det husker jeg lige på Dyrlæge Plads, og jeg lytter jeg indad og mærker, hvordan chokket har fået døren til at begynde at gå op.

24

Derefter begynder der at ske ting så hurtigt, at vi har nok at gøre med bare at holde snorklen over vandet, og det gælder også Tilte.

Det første er, at Tilte siger det, vi alle sammen tænker.

– Far og mor er forsvundet!

Det næste er at Blågårds Plads begynder at forandre sig.

Jeg ved ikke, om du kender det med, at sådan som man har det ligesom smitter af på omgivelserne, på hvordan de ser ud? Det ene øjeblik er Blågårds Plads som sagt helt okay, uden at den nødvendigvis skal fredes af UNESCO og bliver dét, der lokker fem millioner turister til København. Det næste øjeblik ligner den et sted, hvor folk slæber sig hen for at dø. Menneskene foran kirken ligner et begravelsesfølge. De tre mænd på bænken vil lægge sig til at vente på at udånde, når de har drukket ud, og de kommer ikke til at vente længe. Grønthandlerens citroner viser sig nu at være langt henne i komposteringen, og damen med rollatoren og kattemaden ser på os, som om vi kører i sørgekaret og er kommet med et lig, og nu vil hun spørge, om hun må se den afdøde en sidste gang.

Så siger jeg: – Bodil er bange.

Vi har alle sammen hørt det, og på en måde er det det uhyggeligste. På Bodils stemme kunne vi alle sammen høre noget, der kun kan tydes i den retning, at hun er stødt på noget, der er større end hende selv.

Så begynder sangen.

Den kommer inde fra kirken, og det er en kvinde, der synger. Hun må have mikrofon og højtalere, og samtidig virker Blågårds Plads som en tragt, lyden forstærkes, det lyder som udenlandsk kirkemusik, og det svinger langsomt, som en blid gospel.

Man kan ikke høre ordene, men det gør ikke noget, når bare stemmen er der. Det er en stemme, der er stor nok til, at man ville kunne køre hele vores karet derind på en vinterdag, og den er så varm, at man ikke ville fryse et sekund, og den er så *nice*, at man ville risikere parkeringsbøder, fordi man ikke ville kunne få sig selv til at køre ud igen.

Et kort øjeblik oplyser den hele Blågårds Plads. Den får grønthandlerens citroner tilbage på træerne, den får mændene på bænken til at overveje at melde sig ind i AA, og den får damen foran os til at slippe rollatoren og gøre klar til en fandango.

Og den får Hans til at rejse sig op, Tilte til at stille sig op på sædet og mig til at stille mig tæt ind til Hans og give ham en stiv albue i siden, så han løfter mig op, så jeg kan se, sådan har han gjort fra jeg var helt lille.

Der er kommet et optog ud af kirken. Jeg kan se flere præster i messehagel, mange mennesker i sort tøj, og forrest går hende, der synger.

Først tænker man, at hvordan kan sådan et lille menneske have sådan en stor stemme, så tænker man, at der slet ikke er noget menneske, for det ser ud, som om det er en lang, grøn kjole, der svæver af sig selv, og over den en grøn silkehat, som en stor turban uden indhold. Så vender kjolen sig, og jeg kan se ansigtet, hendes hud er lysebrun som de sten, kirken er bygget af, det er det, der får hendes ansigt til at forsvinde.

Så kigger hun over mod os. Mens hun holder den sidste tone, tager hun sine højhælede guldsko af, tager den grønne turban af, lader den falde og tager en taske fra en, der står ved siden af hende. I hånden har hun en trådløs sangmikrofon, den lægger hun på jorden, så løfter hun op i kjolen. Og så begynder hun at spæne. Hen imod os. På bare fødder. Hen over snedriverne, forbi mændene på bænken. Og allerede inden hun er halvvejs over pladsen, kan jeg se, at hun er på Tiltes alder eller lidt ældre, og at hun har en 400 meter på under ét minut.

Da hun når kareten, springer hun som en græshoppe, op på bukken ved siden af Hans, og mens hun hænger i luften, råber hun: – Kør! Nu! Det er mig der har bestilt jer!

Der er uro i processionen foran kirken, mennesker bliver skubbet til side, to mænd i jakkesæt gør sig fri af gruppen og sætter i løb over mod os. Vi ved, alle fire, at de er efter sangerinden. Og vi ved alle sammen, at vi er på hendes side. Jeg siger ligeud hvorfor. Med den stemme, om hun så havde været børnelokker og dyrcmishandler, jeg ville prøve at redde hende alligevel, og jeg ved, at Tilte og Basker har det på samme måde.

Men vi har brug for Hans, og et kort øjeblik ved vi ikke, om han er opgaven voksen.

Det forholder sig desværre sådan, at Hans ikke har fundet ud af det med damer.

Det er så meget desto mere pinligt, fordi damerne for længst har fundet ud af det med Hans. Når han ved ottetiden om aftenen er færdig med at gøre toiletterne rent på havnen og med at kræve bådpenge ind, fordi han er vikarierende havnefoged i juni og juli, så står der i hvert fald tre af sommerens sødeste og venter på at gå ham en tur. Men at gå Hans en tur er lettere sagt end gjort, for ikke så snart har de taget de første trin, så begynder han at kredse om pigerne, som spejder han efter noget han kan beskytte dem imod eller efter et stort vandhul han kan lægge sig på maven i, for at de skal kunne gå tørskoede hen over ham.

Det, der er galt, er, at min storebror er født otte hundrede år for sent, han hører til i riddertiden, han ser alle kvinder som prinsesser, som man kun nærmer sig ganske langsomt ved for eksempel at slå drager ihjel eller lægge sig på maven.

Men pigerne på Finø de går til taekwondo og flytter til Århus, når de er 16 og tager et år til USA som udvekslingsstudenter, når de er 17, og hvis de møder en drage, vil de gerne være kæreste med den eller skille den ad og skrive en biologirapport om stumperne. Så Hans har aldrig haft en kæreste, og nu er han 19, og fremtidsudsigterne er ikke for lyse, for at sige det rent ud. Også nu står han og stirrer som noget, naturvejlederen på Finø har sprættet op og skal til at udstoppe, indtil Tilte råber:

– Kør så, Klods-Hans!

Det får alligevel liv i ham, det at Tilte skriger, og så det forhold, at de to mænd er halvvejs over pladsen i en spurt, der er helt på niveau, hvilket alligevel får det hele til at minde noget om at

Når jeg nu, mellem os to, har talt nedsættende om min storebror, så skal det også siges, at han har tag på heste. Hvert år, fra april til september, er Finø By lukket for motortrafik bortset fra ambulancer og varebiler, til gengæld kører vi turisterne rundt i hestevogne og små elektriske golfbiler, vi tager 250 kroner for turen fra havnen til Store Torv, det bidrager til, at Finø By ligner et postkort, og det er med til at forvandle øen til en enarmet tyveknægt midt i Kattegat, for nu at sige det helt ærligt, som det er.

Så alle på Finø kan køre hestevogn, men ingen som Hans, han kører, som var det sulkyer på Århus Travbane, måske har det noget at gøre med, at hestene hele tiden ved, at hvis de ikke gør, hvad der bliver sagt, så risikerer de at blive vendt om og kildet på maven.

Han bruger aldrig pisken, heller ikke nu, han laver bare en lyd med munden og slår med tøjlerne, og vores fire heste springer som vilde kaniner, og Blågårds Plads er på vej til at forsvinde i horisonten.

Nu begår de to mænd i jakkesæt en fejltagelse. De skifter kurs, over mod en stor, sort BMW med diplomatplader, der holder foran biblioteket, og i næste nu er de inde og accelererer ud fra pladsen.

Under normale omstændigheder ville de nå os på et øjeblik. Men omstændighederne er ikke normale, for Blågårdsgade er en gågade, lukket for motortrafik.

Egentlig er den også lukket for hestevogne. Men i enhver dansker er der en længsel efter dengang, Danmark var et landbrugsland og kongen red rundt i København til hest, og alle havde husdyr og sov med grisene i køkkenet for at holde varmen og for hyggens skyld. Så da vi kommer i skarpt trav, så træder folk til side og smiler venligt, selv om Hans presser hestene, som om vi er til rodeo.

Men da den sorte BMW kommer, så skifter folkestemningen, jeg kender det godt fra Finø By, når alle gader er gågader om sommeren, der kommer noget ondt op i mennesker, når de ser en bil, der ikke burde være der. Det hjælper ikke at BMW'en har

CD-mærkning, det gør det bare værre, det, der sker, er, at menneskemassen begynder at lukke sig om bilen.

Nu ser Hans bagud, og så kommer der en genistreg, som viser, at min storebror rent undtagelsesvis kan udvise boldøje også uden for banen, for han svinger til venstre, ned ad en sidegade. Sidegaden er ensrettet, og vi kører mod ensretningen, kørebanen er fyldt med biler, og et øjeblik ligner det en katastrofe. Men da folk ser os i hestevognen, så sker der noget med færdselsloven, det er, som om den bliver sat ud af kraft. Måske er det, fordi der også er noget festligt over en hestevogn, måske tænker folk, at vi er ude at køre med studenter, selv om det er april måned, skoleåret bliver jo kortere og kortere, i hvert fald trækker biler og cykler ud til siden, nogle af dem kører op på fortovet, ikke én af dem bruger hornet, og vejen er ryddet, og der er fri bane.

Ganske vist svinger BMW'en nu om hjørnet, det er lykkedes de to mænd at komme fri af modgangen på Blågårdsgade, og nu lugter de blod.

Men det varer ikke længe. En studenterkaret mod ensretningen, det er en romantisk undtagelse. Men en BMW, det er en grov overtrædelse af færdselsreglerne. Så nu lukker der sig en prop af trafik omkring bilen, den bliver simpelthen pakket ind i andre biler og cykler og fodgængere, der nedkalder forbandelser og horn der er trykket i bund.

På det tidspunkt er alt, hvad vi ved om de to mænd, at de ikke kan være den syngende hurtigløbers fædre eller onkler, for de er hvide i huden som Finø asparges. Og så ved vi, at man må have respekt for deres 200 meter sprint.

Den respekt bliver nu større. For de er sprunget ud af bilen, de har efterladt den midt på vejen, og de har kæmpet sig fri af den massive upopularitet, og nu kommer de drønende efter os.

Hvis du ligesom jeg har prøvet at blive lokket af kammerater med en skidt karakter til at stjæle pærer eller tørret ising i haverne på Finø, da vil du vide, at har voksne mennesker bliver gamle nok til at købe hus og gro pærer og tørre fisk i haven, så

30

har de som regel mistet evnen til og interessen for at bevæge sig hurtigere end med det, man i bedste fald ville kalde en energisk tøffen. Og da særlig når de også har et jakkesæt, personligt har jeg aldrig set et jakkesæt i noget, der var hurtigere end kapgang.

Men det gælder ikke de to mænd, der er efter os. De er, hvad jeg ville kalde ældre mennesker, måske helt op mod 40, men de har en infernalsk spurt. Så der tegner sig et billede af en dyster fremtid, hvori vi om et øjeblik når en større vej med tæt trafik og bliver nødt til at sætte hastigheden ned, og de to mænd indhenter os, og længere har jeg ikke lyst til at tænke.

Tilte og mig, vi har udkastet en teori om, at det første glimt man får af et menneske, er vigtigt, inden man når at få at vide, hvad det tjener, og om det har børn og en blank straffeattest, inden alt det er der en første fornemmelse, som ligesom er nøgen.

Hvis jeg skal gå efter den fornemmelse, er jeg glad for, at ingen af de to mænd, som nu kommer nærmere, så vidt jeg kan se, er Connys far, for de er ikke, hvad jeg vil kalde en svigersøns drøm. Selv om de er kortklippede og velbarberede og har en BMW med CD-plader og er fremragende på den korte distance, så ligner de ikke mennesker, der er interesseret i en fornuftig samtale eller et spil ludo. De ligner nogle, der vil have deres vilje igennem, og for hvem det ikke betyder spor, hvis der bagefter ligger en tre-fire barnelig og en død hund og flyder.

I denne dystre situation siger Tilte:

– Vi standser her!

Hans laver en lyd, og hestene standser, som om de er gået ind i en betonvæg.

Vi holder foran en lille park med borde og bænke i solen. På bænkene og bordene sidder mange slags mennesker. Der er mødre med børn, der er unge på vores alder, der spiller basket, der er pensionister, der er andre på vores alder, som er kronragede og har sikkerhedsnåle stukket gennem underlæben, og som sidder og overvejer deres fremtid, måske skulle man søge ind på politiskolen. Der er også en del solbrændte og tatoverede mænd

31

og kvinder, som er nået til det afgørende sted i karriereplanlægningen, hvor man skal beslutte, om den næste fede skal rulles med det samme, eller om man skal vente et kvarter.

Tilte har stillet sig op på bukken. Hun venter et øjeblik, til hun har hele parkens opmærksomhed. Så peger hun på de to mænd.

– Det er et æresdrab, brøler hun.

Tilte er kun lidt højere end mig, og hun er spinkel. Men hendes hår er stort. Det er krøllet og rødt, på den måde som postkasser er røde, og desuden har hun fået lavet ekstensions. Hvis man oven i håret lægger det, som nogle ville kalde hendes generalagtige udstråling, så har man lidt af forklaringen på det, som nu sker.

Der sker det, at virkeligheden igen begynder at forandre sig. Det bliver ret pludseligt tydeligt, at det er en bryllupskaret, vi kører i, at Hans og den lysebrune er blevet gift, og at Tilte er brudepige, og jeg er brudedreng, og Basker er bryllupshunden. Det er også klart, at de to mænd, der nærmer sig hastigt, er kommende mordere, der vil forhindre ung kærlighed i at ske fyldest.

Dette får Nørrebros fortid som arbejderkvarter til at komme til syne. Det er noget, vi kun lige har strejfet i skolen, på en dag hvor min intellektuelle formkurve ikke var på sit højeste, så det er ikke noget, der står mig helt klart, og det er svært at sige, hvor mange af de mennesker, der slikker sol i parken, man ville kunne kalde industriarbejdere, hvis man skulle være helt nøjeregnende. Men vi har lært i skolen, at et billede, der ligger dybt i den danske arbejderklasse, det er, at når der er ægte kærlighed, så skal de unge også have lov at få hinanden, og det billede kommer nu til syne. Og så er der noget med, at BMW'en og de to jakkesæt ligesom kaster et let kapitalistisk skær over de to mænd, hvad der på Nørrebro hurtigt kan blive helbredstruende, og så er der Tiltes karisma, alle i parken kan mærke, at det er en dronning, der råber vagt i gevær, og rigtig langt inde elsker den danske befolkning kongehuset.

Så det, der sker, er, at der danner sig en barrikade tværs over vejen, af mødre med barnevogne, og hiphoppere og mænd og kvinder, der ikke er til at komme uden om. Deres rygge, der er vendt mod os, udstråler varme og beskyttelse, og deres front, der er vendt mod de to mænd, udstråler, at hvis de fortsætter bare lidt længere, har de chancen for at opleve noget historisk, nemlig genindførelsen af dødsstraffen på Nørrebro.

Tilte sætter sig ned, Hans dasker med tømmerne, og de fire kulsorte springer som kænguruer. Langt bagude kan jeg se, at vores forfølgere stadig er oppe i høj fart, men nu er de på flugt, væk fra os og henrettelsespelotonen og tilbage mod resterne af BMW'en.

Vi krydser en stor vej og fortsætter ad sollyse gader, og så kraftig er effekten af det, der er sket, og af, hvad Tilte har sagt, at vi et øjeblik har glemt det med mor og far. Vi er bare lykkelige på Hans' og den underskønnes vegne, og biler dytter for at sige tillykke, og vi vinker tilbage.

Så har vi passeret et stort torv og er på vej op ad en vej med træer, og så siger sangerinden:

– Jeg står af her.

Op af sin taske har hun hentet et par løbesko, som hun har taget på, og en sweater, som hun har trukket over den grønne kjole, og hun har taget et tørklæde om håret, og det er lykkedes hende at lægge låg på lidt af sin stjerneglans, men kun lidt, dertil er den for kraftig, og stadigvæk vil jeg sige, helt ærligt og mellem dig og mig, at hvis det ikke var, fordi jeg havde svoret Conny evig troskab og synes, at hvis der er mere end to års aldersforskel mellem kærester, så er det børnelokkeri, så ville jeg også svæve i overhængende fare for at brænde varm på hende. Og jeg ved, at Tilte og Basker har det på samme måde.

Så nu kigger vi på Hans.

Det giver ikke nogen særlig mening at sige, at Hans er ramt af en kvinde, for han er jo hele tiden og hvert minut ikke bare ramt, men skudt i sænk af, at der overhovedet findes kvinder. Alligevel vil jeg sige, at selv om jeg har set ham se ud på mange idiotiske

33

måder foran en pige, så slår det her alle rekorder. Han er fuld-
stændig omtåget af det her første, nøgne indtryk, som Tilte og jeg
har lavet en teori om, og det på en måde som har forvandlet ham
til en plysbjørn, der står og ser hjælpeløst på den lysebrune med
sine store vandblå øjne.

Så det bliver Tilte, der tager affære.

– Hvad hedder du, siger hun til pigen.

– Ashanti.

Og så tilføjer hun:

– I har været vidunderlige.

– Vi ved det, siger Tilte. – Og der er nu to muligheder. Den ene
er, at du gemmer det vidunderlige i dit hjerte som en erindrings-
perle, som du kan bære med dig helt frem til dit dødsleje.

Jeg ved ikke, hvorfor Tilte altid skal køre frem med det med
døden, men det er altså sådan, hun er.

– Og den anden mulighed, spørger pigen.

– Den anden mulighed, siger Tilte, – er, at du får Hans' mobil-
nummer. For med sådan to tilbedere kan du hurtigt igen få brug
for hjælp.

Pigen, der hedder Ashanti, kigger på Tilte.

– Det er livvagter, siger hun.

Hun tager sin mobiltelefon frem.

– De lignede fangevogtere, siger Tilte.

– Det er det, der er problemet, siger Ashanti. – Når det begyn-
der at blive svært at kende forskel.

Da hun siger det, kan man høre, at der langt inde i hendes
perfekte dansk ligger en fremmed dialekt, ligesom hvis man var
stødt på en kokospalme i storskoven på Finø.

Hun får Hans' nummer og taster det ind. Da hun retter sig op,
tror vi alle sammen, at hun vil springe ned fra vognen. Men så
giver hun Basker et kys, mig et kys, Tilte et kys, og til sidst trykker
hun et kys på Hans' afsjælede legeme, og det kys varer en anelse
længere end vores andres. Så springer hun ned og svæver bort.

Der er nogle mennesker, der tager noget af dagslyset med sig

34

når de går. Da hun er væk, er det ligesom blevet mørkere, og nu kommer virkeligheden tilbage med Bodil Flodhests opringning, og visheden om, at mor og far er forsvundet.

Vi holder i gården til Hans' kollegium, den vender ud til Fælledparken. Ude på gaden er der solskin og trafik og kirkeklokker der ringer, og folk der henter mælk og aviser i døgnkiosken, og sådan set masser af liv. Men omkring os ser det sort ud.

– De er her om et øjeblik, siger Tilte.

– Der er ingen, der kommer til at tage jer nogen steder, siger Hans.

Måske har alle mennesker en del forskellige mennesker inde i sig, i hvert fald bor der en beskytter inde i min storebror. Det er ikke så tit, den kommer frem, men når den gør, så slår måleinstrumenter ud, og ting begynder at vælte. Den fineste restaurant i Finø By ligger på havnen og hedder Svumpuklen, og det er sket flere gange, at Hans er kommet dér forbi, kredsende omkring nogle piger, som er ude at gå ham en tur, og ud fra Svumpuklen er så kommet tre eller fire unge mænd, som har syntes, at den perfekte afslutning på et idyllisk ferieophold i naturskønne og historiske omgivelser og en god middag med fem retter og vinmenu ville være at massakrere nogle indfødte, og de har syntes, at Hans og pigerne har budt sig til på et sølvfad. Men i det øjeblik, de er gået til angreb, så er der sket noget med min storebror. Den generte, men hjertevarme unge mand, som vi alle kender og holder af, er forsvundet, og i stedet kommer en naturkatastrofe til syne, og pludselig ligger et par af de unge mænd og svømmer i deres eget blod, og en anden ligger inde mellem cyklerne, og den fjerde prøver at forsvinde i en støvsky.

Det er den side af Hans, der kommer frem nu. Men Tilte ryster på hovedet.

– Vi får brug for dig udenfor, siger hun.

Nu bliver der en pause, i pausen er der stille. Vi ved alle fire, at nu skal vi skilles, og nu begynder alt det besværlige, vi siger ikke noget, og i stilheden mærker jeg noget om Tilte og Hans.

Det er selvfølgelig okay med forældre, også med vores. Men hvis der nu havde været en eksamen for voksne, som de skulle bestå, inden de fik lov til at få børn, hvor mange ville bestå den, helt ærligt? Og de der bestod, ville det ikke være lige til øllet? Med vores far og mor ligger landet sådan, at selv om Tilte hævder, at der ikke er gået noget galt for mig i min opvækst, som ikke kan klares med to år i ungdomsfængsel og fem år i terapi, vil jeg alligevel sige, at hvis man havde ladet dem bestå, så havde det været af medlidenhed.

Men nogle gange er det noget andet med ens søskende, det er svært at forklare, men dér, på hestevognen, mærker jeg noget. Så selvfølgelig kigger Tilte hen på mig i det øjeblik.

Man skal være forsigtig med ordet kærlighed. Det er et ord der let kommer til at nedsætte ens hastighed og lægge en dæmper på den skruede inderside. Alligevel er jeg nødt til at bruge det nu, for det er det eneste, der dækker, og når det er tilfældet, så er døren ved at gå op, og der er en chance for at få et glimt ud i det fri.

For at det kan blive helt klart, hvad jeg mener, vil jeg gerne indskyde en lille bemærkning om, hvordan vi opdagede at kærlighed og døren har noget med hinanden at gøre, faktisk var det Tilte, og det var i præstegårdens køkken.

Jeg ved ikke, hvordan det er i din familie. Men hos os skal vi så tidligt op, og der er så mange madpakker der skal smøres, og så mange timer i skolen, og så mange lektier, og så meget fodbold bagefter, og så mange mennesker der kommer i præstegården, også fordi min mor og far betjener alle tre kirker på Finø på skift, at man til daglig har følelsen af, at orkanen Lulu hærger Kattegat og har slået sig ned i præstegården for at blive.

Men så kan der ske det, at vinden løjer, det er som regel en fredag eller lørdag, og så pludselig bliver der smult vande, og der er en kort mulighed for at blive klar over, at det med at vi er en familie, det er ikke kun et rygte, og når der kommer sådan et øjeblik, er det som regel i køkkenet, og det var et sådant øjeblik vi opdagede det.

Min far var ved at lave mad. Han siger, det er den måde, han slapper af på, selv om det, mens det står på, ser ud som om han skal åbne en slagterivarefabrik, og det er på akkord. Han siger, og tror selv på, at han laver den mad, han fik i sit barndomshjem i Nordhavn på den nordlige del af Finø, som han taler om som om det var solbeskinnet og tårevædet og tilsmilet af lykken, selv om vi børn nåede at møde hans mor, vores farmor, inden hun døde, sandsynligvis af indestængt galde, og vi besøgte hende, og vi kan derfor fuldstændig udelukke den mulighed, at hun på noget tidspunkt har kunnet lave mad.

Alligevel kan min far med sin rullepølsepresse og sine pølsehorn og opskrifter på middelalderretter fra det gamle Finø udrette et eller andet, som mange mennesker sætter pris på, og lige nu, hvor det, som jeg er ved at fortælle om, sker, er han ved at lave anderilletter og sylte af grisetæer, som han kan få lige så stiv som en lecablok.

Min mor sidder ved bordet med elektrotænger og loddekolbe og urmagerlup og computer og mikrofoner og en oscillograf og er ved at lave en åbningsmekanisme til viktualiekælderen, der skal udløses af stemmegenkendelse. Til venstre for hende, på slagbænken, sidder Hans med et stjerneatlas. Ved siden af ham sidder Tilte og holder overblikket. Under bordet ligger Basker og puster, som om han har astma, men det har han ikke, han har en iltoptagelse som en greyhound, han kan bare godt lide at høre sig selv trække vejret.

Og i den gode stol sidder jeg, hvis du ser mig for dig som lille og forfinet og en anelse svagelig og bare optaget af at give sit bidrag til den gode stemning, så ligger du nøjagtig på sporet.

Til ... af de øjeblikke, hvor man tør tro på, at man har en familie.

Der sker nu noget, som sådan set først virker tilforladeligt. Mor er ved at indstille computeren til at genkende sin og vores stemmer, og det, hun nynner, er de første strofer af *Om mandagen i regnvejr på Solitudevej*.

Det er en af mors absolutte favoritter. Hun omfatter Bach og Schubert med forelsket sympati, men det, der berører hendes dybeste følelser, er *Solitudevej*, så vi børn er vokset op med denne udødelige klassiker som noget selvfølgeligt. Men risikoen ved det selvfølgelige er, at man begynder at tage det for givet. Så det giver et lille ryk i familien, da Tilte pludselig siger:

– Mor, har den sang en særlig betydning for dig og far?

Der bliver meget stille i køkkenet. Mor rømmer sig.

– Da jeg var 19, siger hun, – opfordrede min veninde Bermuda, som I udmærket kender, mig til at stille op i den årlige talentkonkurrence på Finø Hotel. Jeg forberedte mig i tre måneder, den store dag oprandt, Bermuda og jeg fulgtes derhen. Jeg trådte ind på scenen, iført regnfrakke og en lille pilleæskehat, og sang *Om mandagen i regnvejr på Solitudevej*. Med en lille dans, jeg selv havde koreograferet. Lyset var ret skarpt. Så det var først midt i sidste vers, jeg fik en følelse af, at det ikke var en talentkonkurrence. Men det var først bagefter, at jeg blev helt klar over, at det var det årlige præstekonvent for Nordjyllands Amt.

Vi holder to minutters andægtig tavshed. Så taler Tilte.

– Jeg håber, at du tog de relevante forholdsregler over for Bermuda.

– Jeg var på vej til det, siger mor. – Men jeg blev afbrudt. Jeres far kom nemlig hen til mig. Det var første gang, jeg så ham.

– Hvad sagde han, spørger Tilte.

Mor sætter loddekolben i holderen. Lægger tråden med loddetin fra sig. Tager urmagerluppen af.

– Han fortalte mig, siger hun, – hvor glad jeg ville blive. Hvor vidunderligt livet med ham ville være.

Den sidder vi med et øjeblik. Vi ved, det er rigtigt. Far er sådan. Han mener, at han udviser den dybeste kristne medfølelse ved at fortælle folk, at der venter dem en oplevelse for livet, hvis de lærer ham bedre at kende.

Nu rejser mor sig. Hun går langsomt hen imod far. Det taler til hans ære, at han er blevet rød i hovedet, og altså alligevel, på trods af hvad man skulle tro og hvad mange af os mener, har nogen skam i livet. Han ser på mor, sylten er sunket ned i glemslen.

– Og ved du hvad, Konstantin, siger mor. – Du fik ret.

Så kysser hun ham. Så det på den ene side er dybt pinligt at overvære, men på den anden side kan man trøste sig med, at der ikke er udefrakommende vidner til stede.

Indtil det øjeblik har alt været nogenlunde almindeligt og under kontrol og inden for rammerne af hvad man kan opleve på en god dag i indtil flere familier på Finø. Men i det øjeblik, hvor mor har sluppet far og skal til at gå de tre skridt tilbage til sin stol, da kommer Tilte på banen.

– Prøv at lytte.

Hvad der derefter sker, er det svært at forklare. Men det er noget med, at et øjeblik lytter vi alle seks. Ikke efter hvad der er blevet sagt og gjort, men efter hvad der egentlig er inderst inde i denne her situation. Og da vi gør det, kommer der et par sensationelle sekunder, hvor det hele svæver, præstegården, storkene på taget, viktualiekælderen, selv grisesylten er blevet vægtløs, og inde i den vægtløshed er døren ved at gå op.

Så kan vi ikke holde den længere, det er med inderlighed som med løbetræning, formen skal bygges langsomt op, så mor sætter sig ned, og far stikker hovedet ned i anderilletterne, og Hans retter blikket mod stjernerne, og Basker får et nyt anfald af astma, og fortryllelsen er forbi.

Men hvis man først har fået øje på, hvad der sker, hvis man bare et øjeblik læner sig ind i kærligheden, så glemmer man det ikke igen.

Det er her, da vi kommer tilbage i gården til Hans' kollegium,

40

da jeg mærker, at det er godt at have søskende, og Tilte ser mig ind i øjnene.

Så hører vi en motor.

Det er en minibus med tonede ruder, og allerede inden den er svinget ind i gården, har vi dukket os.

Den parkerer bag os.

– De kan ikke vide, det er en hestevogn, hvisker Tilte, – de tror, det er en taxa, de skal kigge efter.

Hun har ret. De tre personer, der stiger ud af bilen, kaster bare et hurtigt blik på kareten, og så er de forsvundet ind på kollegiet. De to forreste, en mand og en kvinde, er civile betjente.

Hver anden fredag i sommersæsonen sætter Finø-færgen, foruden de sædvanlige seks hundrede turister, to civilklædte betjente af, som er en forstærkning af Finø politikorps, og blandt seks hundrede turister brænder de betjente igennem på deres helt egen anonyme måde, som to løvfrøer på en halv fiskefrikadelle. Så heller ikke nu er vi i tvivl, og det var sådan set, hvad vi havde ventet. Den virkelige overraskelse er damen bagved. Det er Bodil Flodhest, Grenås kommunaldirektør.

Vi er nede fra kareten og henne ved den sorte bus med det samme, det er en anden god ting ved søskende, når det virkelig gælder, er man sammenspillet og kender sin plads på holdet.

Vi åbner døren. Det er en syvpersoners bus, bagerst er der et trådgitter til hundetransport, ved fem af sæderne er der stukket en flaske drikkevand ned.

– De tager Peter og Basker og mig med, siger Tilte, – det er uundgåeligt. Så du må af sted, Hans. Tag ud til en kammerat og hold lav profil. Mig og Petrus regner de ikke rigtigt, de tror vi er børn, vi har bedre mulighed for at finde ud af, hvad der foregår.

Vi kan alle fire se, at det ikke kan være anderledes. Hans sætter sig op på bukken. Han er sammenbidt på grænsen til fortvivlelse. En sidste gang ser han på os, så slår han smæld med tungen, og kareten er væk.

Kollegiegangen er tom, på døren ind til sit værelse har Hans sat et stort kort over Finø og et endnu større over stjernehimlen. Døren er lukket.

Tilte åbner den, man kommer ind i en entré, der samtidig er et lille køkken, derfra er der en dør ud til toilettet og en ind til værelset. Vi åbner forsigtigt.

Bodil Flodhest sidder i en lænestol. De to betjente leder efter noget, og det er ikke noget, de har tabt, for de har Hans' bøger ude af reolen og det meste ude af skabene, og de lægger an til at splitte sengen ad.

Tilte tager sin telefon frem, hun når at tage en del billeder af betjentene, inden vi bliver opdaget, og da er telefonen tilbage i hendes lomme.

Det er Bodil, der ser os, hun vinker os hen til stolen, sådan er Bodil, den type, der sidder på tronen. Og dér går man hen.

– Det er dejligt at se jer, siger hun, – hvor har I jeres storebror?

Hun åbner sine hænder, så man kan lægge sin lille hånd i hendes store.

– Han er ved at låse sin cykel ind i cykelkælderen, siger Tilte.

– Vi kan ikke komme i kontakt med jeres far og mor. Vi har ingen grund til at tro, at de ikke er sunde og raske. Men vi kan ikke finde dem. Så jeg kommer til at spørge jer om noget. Til menighedsrådet har de sagt, at de er i Spanien, på La Gomera. Er det også, hvad de har sagt til jer?

– Vi vil meget gerne svare, siger Tilte. – Men inden vi gør det, vil vi så gerne vide, hvorfor I tror, de ikke er på La Gomera.

Jeg ved ikke noget særligt om flodheste. Men jeg tror, at i den store mudderpøl er det et af de dyr, der sætter dagsordenen. Det gælder også for Bodil. Hun tr mmer n på lan t mm Tilte hånd

42

– Det er mig der spørger, siger hun. – Har I nogen aftale om, at jeres forældre skulle ringe til jer?

– Det vil vi meget gerne svare på, siger Tilte.

Mens hun siger det, lader hun sin telefon glide ned i min lomme.

– Men først, fortsætter hun, – kommer vi til at spørge jer om noget, som gør os bekymrede, og det er, om I har papirerne i orden.

Der kommer en rynke i Bodils pande.

– Vi har de papirer fra de sociale myndigheder vi skal bruge for at tage os af jer, siger hun. – Den såkaldte paragraf 50-udredning.

– Det er ikke den, jeg tænker på, siger Tilte. – Det er dommerkendelsen til at trænge ind i min storebrors lejlighed og ransage den.

Nu bliver der stille på kollegieværelset. Også betjentene kan mærke, de er oppe mod noget.

– Det, vi er bange for, siger Tilte, – på jeres vegne, det er at det her skal komme i avisen. At der skal komme en sag ud af det, for jeg har taget nogle billeder.

Bodil og den kvindelige betjent tager fat i Tilte. Men det er mig, der har telefonen, og jeg er for længst henne ved udgangsdøren.

– Petrus har telefonen med billederne, siger Tilte.

Den mandlige betjent får et bestemt udtryk i øjnene.

– Jeg spiller en hurtig højre wing, siger jeg. – Inden du når herhen, er jeg væk, som om jeg var gået i opløsning.

De tre voksne er gået i stå. Jeg kan mærke deres tvivlrådighed. Og så kan jeg mærke noget andet, at de er under en eller anden slags pres, at de er bange for et eller andet.

– I fanger ikke Petrus, siger Tilte, – han går til aviserne, det kommer på forsiden, »Politiet og Grenås kommunaldirektør fjerner præstebørn fra hjemmet uden at have de nødvendige papirer.«

Bodil tager sig ret storslået sammen. Man bliver nok ikke kommunaldirektør uden at have det, som Tilte kalder strategisk intelligens.

– Vi gør det her for jeres skyld.

– Vi er taknemmelige, siger Tilte. – Men vi har brug for lidt mere åbenhed. Hvorfor skulle mor og far ikke være på La Gomera?

Bodil har rejst sig.

– De har ikke forladt landet, siger hun.

– Holder politiet øje med alle Danmarks præster, spørger Tilte.

– De har holdt øje med jeres forældre.

De er søde ved os i bilen.

Ganske vist er der en lille risiko for en blodprop til Bodil, da hun spørger, hvorfor Hans er så længe om at stille sin cykel ind, og Tilte siger, at det med cyklen var en lille hvid løgn, vi ved ikke, hvor Hans er, og Bodil prøver at ringe på Hans' telefon, men han tager den ikke. Derefter ringer hun til et andet nummer og fortæller, at hun har os i bilen, men at Hans er væk, og stemmen i den anden ende siger noget, der beroliger hende, og derefter sletter jeg de belastende billeder på mobilen, og alle ånder lettet op.

Turen er fredelig. De lader mig sidde med Basker på skødet, han er mere et menneske end en hund og vil ikke sidde bag noget trådnet. De stopper også på en tank og køber sandwich til os, og slik, og der hersker en tålelig atmosfære, til vi når frem.

Det, vi når frem til, er flyvepladsen ved Tune uden for Roskilde. Herfra er der i sommersæsonen flere daglige afgange til Finø.

De fleste mennesker tager til Finø med færgen fra Grenå, der først sejler til Anholt og ilandsætter nogle få forvildede passagerer, som ikke ved hvad der havde været i vente til dem, hvis de var blevet om bord. Derefter fortsættes der til Finø, og den sidste time kan man godt mærke, at man er på vej ud af Kattegat og op mod Nordatlanten, så mennesker med tendens til søsyge og med en stærk økonomi tager flyveren.

Flyvepladsen på Finø ligger i en rydning i skoven og består af et skur med store glasruder og en stribe asfalt på 750 meter, som er lånt ud til ungdomsklubben på de dage, der ikke beflyves, blandt andet har vi en rampe til rulleskøjter og skateboards, som er bygget sådan, at den kan trilles væk, når flyene skal lande. Så de fly, der flyver til Finø, er små étmotorers Cessna-maskiner, der kan lande på en kort bane.

Men det er ikke sådan et fly, der holder og venter på os, det er et Gulfstream fra militæret, camouflagefarvet, med to motorer og to piloter, og den eneste anledning, det fly normalt har til at komme til Finø, er når nogen fra kongehuset besøger øen.

Vi står ud af bilen og ser på flyet. Bodil kan åbenbart fornemme noget høfligt spørgende i vores holdning.

–I Grenå kommune, siger hun, – tager vi os godt af børn og unge i vanskelige situationer.

– Ja, siger jeg. – Men ikke så godt.

Der kommer noget træt i Bodils ansigt. Det er det øjeblik, Tilte bruger til at låne Bodils telefon.

– Jeg vil prøve at ringe til min storebror, siger hun, – der er ikke mere strøm på min telefon, må jeg låne din? og Bodil rækker hende telefonen, og det er kun mig der ser, at Tilte henter opkaldslisten frem og kaster et langt blik på den og nedfælder et eller andet, hun har set, i sin fænomenale hukommelse og derefter taster et nummer, der selvfølgelig ikke bliver besvaret, hvorefter Bodil får telefonen tilbage, og så går vi om bord.

Adgangen til startbanen er via en ventesal, den er tom, på en stor opslagstavle hænger plakater, en af dem får mig til at gå i stå.

Det er en plakat, der annoncerer en række koncerter i forbindelse med noget, der uden tvivl er betydningsfuldt, men som jeg ikke får fat i, for billedet over teksten tager en slags kvælertag på mig. Det er Connys ansigt, der smiler ud mod mig.

Tilte lægger sin hånd på min arm, og jeg er tilbage blandt de tilstedeværende.

Da maskinen letter, læner Tilte sig over mod mig.

– Kender vi en, der hedder Wiinglad?

Jeg ryster på hovedet.

– Det var ham, Bodil ringede til, hvisker hun, – jeg tog nummeret fra hendes telefon.

Så giver hun mig arm et lyt, og jeg byder, i jeg b in li i li godt nok nu til, at jeg kan være helt ærlig og sige hvorfor. Det er, fordi min elskede har forladt mig.

Nu vil du måske sige, at skulle det være noget særligt, en tredjedel af alle mennesker er forladt. Klodens befolkning består af den tredjedel, der længes efter den, der har forladt dem, og den tredjedel, der længes efter en, de ikke har fundet endnu, og den sidste tredjedel, der har en, som de bare ikke sætter pris på, indtil hun forlader dem, og de pludselig befinder sig i gruppe 1.

Men det er ikke nøjagtig sådan med Conny og mig. På en måde har Conny ikke forladt mig. Men hun er suget væk. Af berømmelsen.

For to år siden skulle de optage en familiefilm på Finø, og fordi den pige, der skulle spille den søde og kvikke lillesøster, blev syg, kom Conny med og stjal billedet og fik tilbudt en til film, og derefter tre andre, hun har spillet med i syv film på to år.

Jeg ved godt, hvad det er, Conny kan, hun kan fortætte sin udstråling og energi på kommando.

Alle mennesker kan fortætte deres energi. Men for de allerfleste er det noget, de ikke er klar over, det kommer bag på dem, som en følelse af begejstring, eller som hidsighed eller som en pludselig viden om at målmanden er *off balance* med vægten på det forkerte ben, så hvis du lægger hele din sjæl i langskuddet, når han det ikke. Normalt har man ikke kontrol over det. Men det har Conny, og det er det, hun bruger på film. I de seks første spillede hun lille pige med rottehaler og et glimt af vandalisme i øjnene. I den sidste film spillede hun ung pige. Der havde en kæreste. Der hed Anton. I filmen. Og hun sagde hans navn på den måde, hun plejede at sige mit. Det er en måde, der er umulig at forklare. Men det var på en anden måde, end hun sagde noget andet navn. Jeg gemte altid hendes telefonbeskeder og spillede dem igen og igen, kun for at høre den måde, hun sagde mit navn på.

Indtil den film. Da jeg så den og hørte, at hun havde fået kontrol over den måde at sige et navn på, så vidste jeg, jeg havde mistet hende. Og så holdt jeg op med at lytte til de gamle beskeder.

Efter den anden film flyttede Connys mor med hende til København. Conny og jeg nåede ikke rigtig at opdage, hvad der skete, det med den første film tog vi som en oplevelse, så kom den anden film, og så var hun væk, det er halvandet år siden.

Jeg har set hende én gang siden. En dag jeg kom ud fra skolen, stod hun og ventede på mig. Vi gik ned på havnen, det var vores sædvanlige tur. Der går en lang, beskyttet mole ud mellem stranden og havnebassinerne, dér er man i læ, og man kan se byen udefra. Hun var forandret. Hun havde en taske af den slags, man kun ser i annoncer, og et par øreringe, man ikke engang ser i annoncer. Vi gik tæt sammen, men det føltes, som om hele havnebassinet var imellem os, man kunne ikke slå bro. Jeg kunne mærke, hun skulle af sted, jeg havde det, som om jeg skulle dø. Til allersidst tog hun fat i min skjorte, med begge hænder, hun knugede den hårdt: – Peter, sagde hun. – Jeg er nødt til at gøre det her.

Så var hun væk. Jeg har ikke set hende siden. Bortset fra i biografen, på lærredet. Og også det er nu slut. Efter den sidste film, og det med Anton.

Det ved Tilte. Hun ved, hvad der foregår inden i en, når man ser sin tabte elskede på en plakat. Det er grunden til, at Tilte giver min arm et klem. Og så er maskinen i luften.

Jeg vil gerne forklare helt præcis, hvor Finø ligger. Finø ligger midt i Mulighedernes Hav.

Hvis man samlede de sange, der er skrevet om Finø, for at køre dem i genbrugscontaineren, hvad jeg synes ville være en fremragende idé, ville man få brug for en lastvogn. Med anhænger. En del af dem er i Højskolesangbogen, og de falder i to grupper.

Den første gruppe er dem med, at Finø er en lille perle omgivet af det frådende hav, som øen tappert holder stand imod.

Den anden gruppe tager den modsatte synsvinkel, nemlig at Finø er en lille baby, der ligger og sutter på sin storetå i sin mors arme, og det er havet, der er moren.

Det er sange, man ikke kan synge uden at spørge sig selv, om de, der skriver fædrelandssange, tager stoffer, inden de begynder at digte. For på Finø lever den ene halvdel af befolkningen af at fiske jomfruhummer og pighvar til turisterne eller af at give turisternes både en overhaling på Finø Bådværft eller af at sejle turisterne ud til sælkolonierne på Rabalderholmene eller af at sælge solcreme og strandtøj og café au lait til 40 kroner kruset på Svumpuklens terrasse på stranden ved siden af havnen. Og resten af Finøs befolkning lever så af at ordne hår og tænder og skifte ble og kateder på den halvdel, der servicerer turisterne.

Så havet er ikke lige en trussel eller en mor for Finø. Havet er en tombola, op af hvilken vi hver dag hele sommerhalvåret hiver et vinderlod. Og så er det en kæmpestor legeplads og idrætsbane for børn og unge på Finø, undtagen de to i hver årgang, der har vandskræk.

Engang havde ministeriets udsendte til Finø, Alexander Finkeblod, presset Tilte til at række hånden i vejret, det er noget, Tilte ikke er glad for, hun synes, det er ydmygende, hun mener, at

49

hvis der noget, lærerne er interesserede i at vide om hun ved, så må de spørge hende direkte. Så de har givet op, også Alexander Finkeblod, men hele det første år prøvede han stadig, og ved den her lejlighed spurgte han: – Hvad hedder havet omkring Finø, og han forlangte, at Tilte skulle markere, og så spurgte han hende.

– Det hedder Kattens Røvhul, sagde Tilte.

Alexander Finkeblod var ved at falde ned af stolen og sendte hende et blik, der kunne lægge landområder øde, men Tilte havde slået det op i Ordbog over det danske sprog, der var ikke noget at komme efter.

Derefter sagde Tilte til Alexander, at Kattens Røvhul alligevel ikke var det bedste navn, det bedste ville være Mulighedernes Hav.

Det er blevet et fast udtryk på Finø. Når nogen spørger, hvor Finø ligger, så siger vi: – Midt i Mulighedernes Hav.

Det er det hav, maskinen nu dykker ud af skyerne og ned imod, og på bølgerne er der hvide bræmmer af skum, det blæser lige over 14 sekundmeter, og det betyder at blodet ruller lidt hurtigere i årerne på Tilte og Basker og mig, og det er der brug for, for i det øjeblik siger Bodil:

– Vi kommer til at give jer et lille blåt bånd på, ligesom sidste gang.

Hun holder tre blå bånd i hånden, de består af to stykker nylontape, der bliver samlet med, hvad der ligner en urskive af blåt plastic, og nu klipser betjentene, som vi har fået at vide hedder Katinka og Lars, båndene fast med et stykke specialværktøj, der ligner en rørtang.

Men inde i kapslen er der ikke noget ur. Der er en lille, men ret kraftig radiosender og to små cellebatterier. På Store Bjerg har de en tavle, som de også har hos politiet i Grenå og i Århus. På de tavler er der et lille lysende nummer for hver sender. På den måde ved socialforvaltningen og politiet altid, hvor de stolte bærere af de blå bånd er.

Så blå bånd er noget, man giver til voldsforbrydere på udgang, der soner fire år efter at have slået syv med ét smæk. Og til husmødre, der sidder inde for at have mishandlet deres mand og har fået polititilhold og ikke må vise sig inden for en radius af halvanden kilometer omkring det sted, hvor den voldsramte mand og hans ny kæreste sidder og ryster.

Og så giver man dem til de klienter på Store Bjerg, som begynder at låse sig ind i husene i Finø By ved hjælp af et brækjern.

Men blå bånd er ikke noget, man giver børn i den skolepligtige alder, som er vant til at færdes frit.

Det ved Bodil, så hun siger det med hvad jeg ville kalde falsk lethed, som man kunne forestille sig hun ville sige til Job, at det der er bare børneeksem, det er væk i morgen, eller til Noah, at det er bare en byge, for nu at tage et par eksempler fra Bibelen.

– Husk, siger hun, – uanset hvad, så passer vi på jer.

Det er tydeligt, at Bodil hører til den store gruppe af voksne, der har tillid til, at børn kan forstå en fin hentydning. Det er en tillid, jeg nu kommer til at skuffe.

– Det her »uanset hvad«, siger jeg, – det er Tilte og Basker og jeg ikke helt glade for, betyder det »selv hvis jeres forældre aldrig kommer tilbage«?

Det rykker i Bodil. Men hun har spændt selen til landing, så hun kan ikke krybe væk eller træde ud på vingen, der er ikke andet at gøre end at se os i øjnene.

– Det er umuligt, siger hun. – Helt usandsynligt.

Så kommer der for første gang, her til sidst, hårdt presset, en bemærkning direkte fra Bodils flodhestehjerte.

– Men vi er bekymrede, siger hun.

Behandlingshjemmet Store Bjerg ligger over Finø By, på skråningen af bakken Store Bjerg, hvis top er Finøs højeste punkt, 101 meter over havet.

Turister, som overvejer at grine ad navnet Store Bjerg, og som har tænkt sig at gøre det, når Tilte eller Basker eller mig er i nærheden, dem vil jeg anbefale, at de, inden de giver los, har sat tandbeskytteren til rette og betalt de forfaldne afdrag på deres livsforsikring. For vi fra Finø er følsomme og sårbare med, hvordan der bliver talt om det sted.

Det er nu også kun, inden de selv har oplevet udsigten, at der er nogen, der griner. Når man først står på toppen, så er der ingen der bliver mindre end dybt bevægede. Jeg har oplevet folk med rygmærker, som var barberet skaldede og havde flammer tatoveret i nakken og et oversavet jagtgevær stukket ned i saddeltasken, briste i gråd foran den udsigt.

Det, der bevæger mennesker, er det storslåede, og det storslåede er altid svært at forklare. Men fra Store Bjerg ser man ud over hele Finø, fra Finø By i syd og alle tolv kilometer til fyret på nordspidsen, og ud over Mulighedernes Hav, det er som om Finø svæver som en grøn klode i et mørkeblåt himmelrum af hav. For nu at give mit bud på et indspark til Højskolesangbogen.

Det er den udsigt, Tilte og jeg nu har foran os, på behandlingshjemmet Store Bjergs terrasse.

Nu lægger Tilte armene om mig bagfra.

Man skal være tilbageholdende med at lade andre mennesker røre ved sig. For eksempel er det fuldstændig slut for min mor, jeg er 14, om halvandet år skal jeg på efterskole, og om to et halvt flytter jeg hjemmefra.

Desuden er der en forvirring, især i mig, når hun vil røre ved en, en forvirring, som kommer af, at hun ikke kan forstå, at man

52

var hendes baby for hvad hun tit kalder et øjeblik siden, og nu er man 14, og er blevet forladt af en kvinde og er topscorer på førsteholdet og under mistanke for at have prøvet at ryge hash, men intet er blevet bevist.

Så mor ved ikke, om hun har ret til at holde om mig eller skal indsende en ansøgning, eller hellere må glemme alt om det, så det bliver ikke til noget, medmindre jeg forbarmer mig over hende og tager hende i mine arme, som om det er hende, der er barnet, og mig, der er den voksne.

Det er anderledes med Tilte, hun ved indefra, hvad hun har ret til, og det er ikke småting, så nu holder hun om mig.

– Petrus, siger hun.

Når Tilte kalder mennesker noget, har det en betydning. Engang, hvor far og mor havde skændtes, og der kom gæster, modtog Tilte gæsterne udenfor og fulgte dem ind og præsenterede far og mor ved at sige: – Det er min far og min fars kone af første ægteskab.

Far har kun været gift én gang, og det er med mor, så det gav et ryk i gæsterne og i far og mor, og da gæsterne var gået, spurgte far og mor Tilte, hvad hun havde ment, og Tilte sagde, at man jo ikke vidste, hvor længe ægteskabet holdt, og da især ikke nu, hvor det var gået ind i den voldelige fase.

Derefter gik der ret længe, inden far og mor skændtes igen.

Når hun kalder mig »Petrus«, skal man slå ørerne ud, det er det navn, hun som regel bruger, når hun vil pege på døren.

Så et øjeblik står vi helt stille. Og lytter til stilheden. Selv om den selvfølgelig ikke har nogen lyd. Det er ligesom med den lykkelige barndom. Man skal ikke tænke på det, så går det tabt. Man skal bare lytte. Ind mod det, der ikke har nogen lyd.

Det varer kun et øjeblik, med stilheden. Så bliver den brudt af en begejstret stemme.

– Tilte, min klokkeblomst, og lille appetitlige Peter, I ser pragtfulde ud!

Vi vender os mod den talende.

53

– Rickardt, siger Tilte. – Du ligner en trækkerdreng fra Milano.

Og dér har Tilte taget greven på kornet.

Grev Rickardt Tre Løver er iført højhælede cowboystøvler af ægte slangeskind og gule læderbukser, der sidder som skrællen om en banan, og en snehvid skjorte, der står åben ned til navlen, så man kan se hans guldkæder og det faktum, at han er så tynd og mager, som om han har mistet appetitten for flere år siden, og den er ikke kommet tilbage.

Faktisk er det nøjagtig sådan det forholder sig. Da vi traf Rickardt Tre Løver første gang, var han indlagt til behandling for et heroinmisbrug, der havde taget hans appetit, som det gør for de fleste, det er åbenbart ligesom at være forelsket, når man har fundet noget så godt som heroin, er der ingen grund til at spilde tiden med de smålige behov som for eksempel sulten.

Nu er han blevet afvænnet, og har taget en uddannelse som misbrugsterapeut, og har købt hele behandlingshjemmet og er trådt ind i ledelsen, og det har han kunnet, fordi alle behandlingshjem i Danmark er privatejede, og fordi han er en rigtig greve, der har arvet flere penge, end hvad der normalt ville være sundt for en tidligere misbruger.

Det er også arven, der har gjort det muligt for ham at pleje sin tøjsmag og udvikle den fra det bizarre i retning mod det kugleskøre. I dag for eksempel bærer han en hovedprydelse, som selv for ham virker i overkanten. Det er en badehætte, hvori der er klippet en masse små huller. Op af hullerne stikker totter af hans hår, imellem totterne sidder elektroder, der lyser grønt og rødt.

– Vi har besøg af en hjerneforsker, siger han. – Vi er midt i et eksperiment. Min hjerne har naturligvis tiltrukket sig heftig interesse.

Vi mødte greven første gang, lige efter mor og far var kommet hjem med Maseratien og minkpelsen.

Fra at være et hjem, hvor vi fik grød én dag om ugen, og fisk to af de andre dage, hvad der stort set er gratis på Finø, var vi gået ind i en periode, hvor præstegården flød med mælk og honning, og på min fødselsdag havde jeg fået fem tusindkronesedler, og det havde Tilte og Hans også, for at de ikke skulle blive kede af det, og vi drak fødselsdagschokolade på Svumpuklens terrasse, og da vi kom hjem, var pengene væk.

Alle døre og vinduer var låst og lukket, ingen spor af hærværk, men pengene var væk.

Det er meget forskelligt, hvor ordentligt mennesker har det på deres værelse. Hos min storebror Hans hersker der den store kosmiske uorden, som om The Big Bang lige har fundet sted, og alt er endnu kaos efter katastrofen. Hos Tilte er der mere ryddelige forhold, men da hun har en ekstravagant stil og nok tøj til en teatergarderobe og over 50 par sko og to skabe med sminke og øreringe, plus et walk in-closet med stænger i snore fra loftet med hendes kjoler og fjerboaer, så føler man alligevel, at man hos hende er på hofbazar i 1001 nat.

Men hos mig er der orden. Hvis man er født i en familie som min, hvor man, uden at sige et ondt ord om de andre, sammen med Basker er den eneste normale, så er man nødt til at holde ret stram orden, for sin egen skyld.

Så jeg kan godt lide, at ting står på deres plads, og i vindueskarmen har jeg de mellemstore pokaler, for Årets spiller og Kattegatmesterskabet, og den dag stod pokalen for Finø Boldklubs sommerturnering en lille smule anderledes, og der var fingeraftryk på den, det kan man se med det samme på nypudset messing. Nede i haven, under vinduet, lå et lille grønt firkantet stykke plastic, det viste vi til mor, som forklarede, at det var en justeringsskive til termoglasset, og så tog hun fat i trælisten, der holder ruden på plads, og den gled af uden videre, og åbenbarede, at en eller anden havde udført præcisionsarbejde med et koben.

Så da klokken var 17, hvor vi vidste der er frokost på behandlingshjemmet, gik Tilte og Hans og Basker og mig op til Store

Bjerg og indenfor, dengang var det endnu ikke aflåst, og vi havde pokalen med, og den lod vi Basker lugte til, og så begyndte vi lige så stille og roligt at gå værelserne efter. Vi fandt pengene i det tredje værelse, eller rettere: Basker fandt dem, de var ikke engang skjult, de lå i en ulåst skuffe i et skab med to hundrede slips på udtræksstænger.

Så da greven kom tilbage fra frokost, sad vi på hans værelse og ventede på ham. Han blev stående inden for døren, og så sagde han: – Det glæder mig at træffe jer. Så sagde Tilte: – Det glæder også os at træffe dig. Og det glæder os at gense pengene.

Det var vores første møde med greven, og efter de begynder-vanskeligheder og små misforståelser, der let kan snige sig ind, når man lige har knaldet den, man taler med, for at bryde ind i ens hus og stjæle 15.000 kroner, så blev der en rigtig god stemning. Vi fortalte om livet på Finø, og greven fortalte om sin barndom i Nordsjælland på et slot med voldgrav og plads til 250 liggende gæster, og han fortalte, hvordan han efter Herlufsholm havde fået en ejerlejlighed af sin mor og far, og den havde han straks solgt, og for salgssummen købt Ketalar, som han sagde på en måde er som lsd, men sjovere, man tager det med en sprøjte, og to minutter efter bliver man skudt ud gennem et punkt oven på kraniet og ud i verdensrummet.

Jeg kunne mærke, hvordan det gibbede i min storebror Hans ved det dér med at blive skudt ud i verdensrummet.

Hver dag i et år tog greven Ketalar, og da alle pengene var brugt, blev han hjemløs. Men det faldt så heldigt, at da var svampesæsonen lige begyndt, så han flyttede ud i et telt i skoven. Dér var der, fortalte han os, små nisser, som daglig plukkede psilocybiner til ham, som er lige så gode som mescalin, og da det blev koldt og han flyttede ind og boede i en trappeopgang på Nørrebro, kom nisserne med små portioner heroin til ham, og kakaomælk og valium, og på den måde overlevede han, indtil han blev anholdt og dømt og udskibet til Finø.

Da vi forlod greven den aften, var det sent og vi var perlevenner, og vi gav ham hver en tudse, og han stod i vinduet og sang til os, da vi gik ud ad indkørslen.

Det med at synge er han blevet ved med siden, omkring hver fjortende dag står han på præstegårdens plæne uden for vores vinduer, iført for eksempel et pink jakkesæt med hvide polkaprikker og udstyret med en ærkelut, som er et musikinstrument, der lyder og ser ud som noget fra det ydre rum. Dér synger han så en halv times tid, greven er både til piger og drenge, så han er så forelsket i Tilte og Hans som en rotte i to oste, og i begyndelsen havde jeg et forklaringsproblem, når jeg havde venner på besøg og de hørte og så greven og ærkelutten, og hvordan han af og til løfter en hånd fra instrumentet for at dirigere de små blå mennesker, som han siger bor under vores veranda, og som er med til at akkompagnere ham. Men efterhånden har vi vænnet os til ham, Tilte siger, med sin berømte, lavmælte beskedenhed, at når man har et kongerige, har man mange slags undersåtter, og efterhånden er greven ved at blive en del af familien.

Hvor langt han er kommet i den proces, lægger Tilte nu an til at teste.

– Rickardt, siger hun, – er det ikke en dejlig udsigt?

Greven nikker. Han synes også, udsigten fra Store Bjergs terrasse er dejlig. Især nu, hvor den er ernæringsforbedret med Tiltes tilstedeværelse.

– Siden vi var her sidst, siger Tilte, – ser det ud til at der er kommet fast vagt ved porten. Det er sikkert for at skabe en følelse af tryghed hos klienter og personale.

Greven nikker, det er det, det er.

– Og de hvide følere, siger Tilte, – dem på havemuren, det er vel sådan nogle smarte nogle, som kan registrere, om nogen kravler over, og de skal også forøge tryghed, er det ikke rigtigt?

Greven nikker, det er lige det, de skal.

– Så er der de blå bånd, vi har på, siger Tilte.

Greven [?] [?] [?] [?] [?] [?] [?].

– Ville du, Rickardt, ikke sige, at Petrus og mig, vi er spærret

58

inde som et par industrigrise. Uden at have mødt en advokat, og uden at være stillet for en dommer.

Greven siger ikke noget

– Og der er vores værelse, fortsætter Tilte ubønhørligt. – Rummeligt, med udsigt, som på det fineste hotel. Omgivet af gode venner. På den ene side Katinka, som var med os i maskinen herover. På den anden side Lars, som også var med i maskinen. Lars og Katinka. Synes du ikke, Rickardt, hvis du bruger din livserfaring, at de ligner politifolk?

– De bliver kun et par dage, siger greven.

Det har vakt almen undren, at en mangemillionær som greven har valgt at købe Store Bjerg og nedlade sig til at arbejde. Men for Tilte og mig er det nemt at forstå. Det skyldes, at de fleste klienter på hjemmet er ret så dybe mennesker.

Blandt den almindelige danske befolkning, selv på Finø, er der rigtig mange, især voksne, men også unge, der har det standpunkt, at af de ydmygelser og fornærmelser, de er blevet udsat for, dér er tilværelsen alligevel den groveste. Det er anderledes med klienterne på Store Bjerg. Der er ikke én af dem, som ikke har prøvet at miste det hele, så det er som om de er mere klar over, at man måske godt, bare en enkelt gang om året, skulle være en lille smule glad for, at man er i live.

Det er den *spirit*, der har tiltrukket greven, og derfor er han sådan set på klienternes side, og lige nu, foran Tilte, er det en vanskelig side at være på.

– Rickardt, siger Tilte. – Vi ved godt, at Basker er en livlig hund. Og Petrus er et uroligt barn. Men ville du sige, at det var nødvendigt med to civile betjente plus radioovervågning plus Store Bjerg, der er bevogtet som en fangelejr, til at holde styr på dem?

Greven siger, at han har tænkt på det samme.

Tilte holder det, der i Finø By Amatørteaterforening hedder en kunstpause.

– Tænk på overskrifterne, Rickardt.

Det er noget, Tilte har lært af vores oldemor ved en lejlighed, jeg kommer tilbage til, og man kan mærke, at hun er ved at få rutine, det lyder mere uhyggeligt og uundgåeligt end på Hans' kollegieværelse.

– »Greve hjælper politiet med at holde præstebørn i ulovligt fangenskab.« Hvordan synes du det lyder, Rickardt?

Greven synes ikke, det lyder godt. Misbrugere, som er blevet stoffri og har arvet en adelstitel og et slot og to herregårde og 500 millioner, er følsomme omkring deres gode navn og rygte.

Så vi er nu nået til sagens kerne.

– Vi får brug for din hjælp, siger Tilte. – Til at komme en tur ud herfra. Vi er nødt til at se, om mor og far har efterladt noget i præstegården.

Lige nu er greven ramt på hele sin eksistens, og også på stemmen. Der er kun en hæs hvisken tilbage.

– Der er en gæst til jer, siger han.

Vi skrider hen over Store Bjergs terrasse. I solen sidder klienter med badehætter og ledninger, og vi nikker og smiler til dem og er for velopdragne til at gøre opmærksom på, at med sådan en hat på hovedet kommer man til at se ud, som om der måske ikke er nogen hjerne at måle på i det hele taget.

For at være helt nøjagtig er det kun Basker og Tilte og mig, der skrider, greven prøver om han på én gang kan bevæge sig fremad og vride sine hænder og falde på knæ for Tilte.

– Det er umuligt, siger han. – Det må I ikke bede mig om. Jeg kan ikke hjælpe jer ud. Jeg mister det hele.

Nu træder jeg imellem ham og Tilte. Det er en teknik, Tilte og jeg har udviklet. Hun er bødlen, mens jeg er mere sygeplejerskeagtig.

– Du kunne hente en kraftig køkkensaks, siger jeg. – Til at klippe de blå bånd af med.

Greven bliver stum. Tille tager Hans i hånd, jeg tager den anden.

– I kommer ikke ud gennem porten, siger han.

Vi ser ned mod porten. Mod den lukkede bom, den årvågne vagt, videokameraet, trådhegnet. Det er et syn, der kunne gøre selv Houdini modløs.

– Rickardt, siger Tilte. – Hvad er det, *Ridderne af Den Blå Stråle* siger? Det med døren.

– »Der er ingen dør«, siger greven. – »Bliv ved med at banke.«

Rickardt Tre Løver leder *Ridderne af Den Blå Stråle* på Finø, det er en loge af spirituelt søgende, som han selv har startet, og som mødes hver tirsdag på herregården Finøholm, hvor de sysler med tarokkort og numerologi og med at få direkte kontakt med afdøde gennem sange og danse, som grev Rickardt har komponeret, og iført nogle kostumer, der giver hjerneforskningsbadehætterne baghjul, og de, der mener, at sådan en forsamling under grevens ledelse må være guf for Finø Sygehus' lukkede psykiatriske afdeling, de må hellere holde tand for tunge og en lav profil, når Tilte og jeg er i nærheden, for Rickardt er vores ven og som sagt næsten en del af familien.

– Det er smukt, siger Tilte. – »Ingen dør, bliv ved med at banke.«

Vi hjælpes ad med at holde greven oprejst og med at udstråle vores optimisme til ham. I den stemning træder vi fra terrassen og ind i den store stue. Hvor vi går i stå. For ved bordet foran os sidder en af de helt store udfordringer for håbet om en lysere fremtid for menneskeheden: Anaflabia Borderrud, biskop over Grenå Stift.

Der er mange, der i denne situation ville være blevet lammet og stående på stedet og have stirret ind i opgivelsen. Men ikke os. Kun et øjeblik går der, så er der igen forbindelse mellem hjernen og kroppen, og vi tager lange og glidende skridt frem til bordet.

– Fru Borderrud, siger Tilte, – det glæder os at se Dem!

Anaflabia Borderrud er et af de ret få mennesker, vi kender, som man umiddelbart forstår det vil være kraftigt anbefalelsesværdigt at sige De til. Så Tiltes begyndelse er god. Men vi er på det rene med, at i denne situation skal der meget mere til end en god begyndelse.

Rent fysisk er biskop Anaflabia Borderrud på højde med vores storebror Hans. Men hendes blik er ikke rettet mod stjernerne, det er rettet mod den, hun taler med, og det er et blik, der til hver en tid ville kunne gøre fyldest på Finø Savværk til at kløve de hårdere træsorter. Desuden har hun en generel udstråling af at være totalt uvillig til at høre mere vrøvl.

Det er hun så desværre blevet nødt til alligevel, ikke mindst efter hun har mødt vores familie.

Det var Anaflabia Borderrud, der for to år siden ledede den af Kirkeministeriet nedsatte provstedomstol, der prøvede min far, og da den frikendte ham fuldstændigt var det med hendes dissens.

Så når nu Tilte siger, at det glæder os at se hende, så er det desværre helt sikkert, at glæden udelukkende er på vores side.

– Jeg var tilfældigvis på Finø, siger Anaflabia Borderrud.

– Med min sekretær, Vera.

Jeg ved ikke, om bispeforeningen i Danmark har en julerevy. Hvis de har, så mener jeg, at det ville være et fejltrin at give Anaflabia Borderrud en større rolle. For en ringere skuespilpræstation end den, hun nu leverer, ved at lade som om det her møde

62

er tilfældigt, det har Tilte og Basker og jeg aldrig set, og det er inklusive landliggerrevyen i Finø By forsamlingshus den sidste søndag i juli, som ellers går for at være det dybeste, mennesker kan synke inden for amatørteater.

– Jeg hører, at man leder efter jeres forældre, siger Anaflabia Borderrud. – Det gør mig ondt.

Under bordet knurrer Basker. Det, han kan mærke, er, at det nok er sandt, at det gør biskoppen ondt, at vores forældre er væk, men det, der virkelig smerter, er, at det har tvunget hende til at tage over til Finø, som hun betragter ikke som Danmarks Gran Canaria, men som en blanding af Alcatraz og Danmarks Papua Ny Guinea, en udørk befolket af straffefanger, hovedjægere og deres børn. Det fornærmer Basker, og det er det, han knurrer over.

– Hvordan kan det være, siger biskoppen, – at I er her?

Der er ikke noget at se på os. Men det er et spørgsmål, der gør dybt indtryk på Tilte og mig og Basker.

Det er ikke, fordi biskoppen ikke synes, at det passer rigtig godt til os tre at være indespærret, og stod det til hende, skulle der også være tremmer for vinduerne og rottweilere. Det er det at vi netop er på Store Bjerg, hun ikke forstår. Og det fortæller os, at der er noget, politiet og Bodil ikke har fortalt hende.

Nu læner Tilte sig frem over bordet, over mod biskoppen og sekretæren Vera, der kun er halvgammel, det vil sige måske omkring 30, og hård som en uskallet valnød. Tilte dæmper stemmen, og så hvisker hun til de to kvinder.

– Jeg er her for at besøge Peter.

– Er han misbruger, hvisker bispen tilbage.

Hun tror, hun hvisker. Men hendes stemme er tydeligvis trænet under kampestenshvælvingerne i store, uopvarmede kirkerum, og selv når hun, som nu, har dæmpet sig, får hendes stemme en til at tænke, at det måske var den teknik, der blev taget i anvendelse i Ny Testamente, når der skulle opvækkes døde.

Tilte nikker. Dyb alvor står at læse i hendes ansigt.

– Der har også været meget kriminalitet, siger hun.

Biskoppen og sekretæren ser ikke forbavsede ud. For dem kommer oplysningen ikke som en overraskelse. Men det gør den for mig. Jeg er midlertidigt ude af drift.

– Skal man ikke være fyldt 16 for at være her, spørger biskoppen.

Tiltes stemme falder yderligere.

– I særlig grelle tilfælde, hvisker hun. – Når der er tale om dyb afhængighed. Og dyb kriminalitet …

Biskoppen nikker.

– Når man ser tilbage over forløbet, siger hun. – Så kan det ikke undre.

Sekretæren Vera nikker, som om det heller ikke undrer hende.

– Jeg tænkte, siger biskoppen, – at jeg ville benytte lejligheden, nu jeg var her, til at aflægge et kort besøg i præstegården. Men politiet har plomberet huset. Og låst døren.

Hun sænker stemmen yderligere. Til hvad der stadigvæk ville kunne dække et fodboldstadion.

– Jeg ville se, om jeres forældre skulle have efterladt spor. Noget som jeg kunne bruge til at lokalisere dem med. Få kontakt til dem. Så vi kunne løse dette uden politiets indblanding.

For mennesker, der tænker dybt over tilværelsen, er det påfaldende, at de store overraskelser ofte ankommer i klaser, hvis altså en klase kan ankomme.

Endnu inden jeg er bare begyndt at fordøje den løgnehistorie, Tilte lige har fortalt om mig, bliver dette chok afløst af en følelse af beærethed over at sidde her med to af de helt store kvindelige strateger. Det er tydeligt, at det, biskoppen vil, er det, hun lykkedes med sidste gang: Hun vil undgå en skandale. For at få inspiration til det projekt vil hun gennemsøge præstegården.

Det er det samme, Tilte vil. Men af andre grunde.

Biskop Anaflabia Borderrud kaster et blik på sit ur, med en bevægelse, hun prøver at skjule. Døren til stuen går op, og en stemme siger.

– Jaha. Det må jeg sige! Det kalder jeg et interessant tilfælde!

Jeg ved ikke, om du kender filosoffen Nietzsche. Personlig må jeg indrømme, at han endnu ikke har været på programmet i syvende klasse i Finø By Skole, og det kan godt være, man skal være taknemmelig for det. I hvert fald hvis man skal dømme efter det fotografi, der er på forsiden af den bog med hans tanker, som Tilte og jeg fandt på biblioteket. På det fotografi har Nietzsche et overskæg som en støvekost og et udtryk i øjnene, så man tænker, at det kan godt være, manden er genial, men det skal være på en rigtig god dag, hvis det skal lykkes ham at knappe sine egne bukser.

Manden, der nu står i døren, er som snydt ud af næsen på Nietzsche, bortset fra at hans overskæg er hvidt, og at han er skaldet som et hårdkogt æg, så man får det indtryk, at Vorherre ikke havde så meget som ét dun tilbage, da han var færdig med overskægget.

– Javel, gentager han. – Hvad ser man? Kendte ansigter.

Tilte og Basker og jeg rejser os. Tilte nejer, jeg bukker, og Basker begynder at knurre, så jeg må give ham et los med den strakte balletvrist.

Ved et fantastisk tilfælde – som vi ikke et sekund tror på er et tilfælde – står vi foran et af de ganske få andre mennesker, med hvem man helt sikkert kommer længst, hvis man siger De til ham. Og hvem er det? Det er en mand, der er kendt langt uden for Danmarks grænser, det er professor og administrerende overlæge, dr. med., leder af Afdeling for Hjerneforskning på Århus Ny Amtshospital, Thorkild Thorlacius-Drøbert.

Thorkild Thorlacius-Drøbert er, ligesom Grenå Stifts biskop, en bekendt af familien. Han var nemlig leder af den lille retspsykiatriske gruppe, der lavede den store mentalundersøgelse af far og mor. Den førte til at de blev erklæret for så vidt normale, hvad der var forudsætningen for, at far kunne genindtræde i sit embede som præst efter det, som var sket, og som jeg ligger lige i vandskorpen og venter på en lejlighed til at fortælle dig om, så snart de begivenheder, vi her beskæftiger os med, falder til ro.

Ved siden af Thorlacius-Drøbert står hans kone, som vi også husker fra dengang, hun er hans sekretær, og, vil jeg sige, en af hans varmeste beundrerinder.

Anaflabia Borderrud slår hænderne sammen og lægger det sidste håb om en fremtid som skuespillerinde i graven.

– Thorkild, siger hun, – tænk, at vi skulle mødes her!

Thorlacius-Drøbert tager plads. Bag hans stol står greven. Rickardt Tre Løver har et åbent ansigt, som enhver kan læse i som i en børnebog. Af det fremgår det, at han er bange for, hvad Tilte og jeg har gang i, at han er benovet over at være i rum med virkelig store operatører, og at han er generelt *lost* med hensyn til, hvad det her egentlig drejer sig om.

– Den unge mand her ... siger biskoppen til Thorlacius-Drøbert.

Hun går i stå og leder i sin hukommelse efter mit navn, men det er udvisket af tiden, der læger alle sår.

– Den unge mand er indlagt til afvænning. Hans søster ...

Hun leder igen, og denne gang giver hukommelsen noget fra sig, hvilket måske skyldes, at der skal mere end et par år til at fortrænge Tilte.

– ... Dilde, siger biskoppen. – Hans søster, Dilde, er her for at besøge ham.

Greven udstøder en lyd, som om han er ved at gurgle munden i vademecum. Thorlacius-Drøbert tilkaster ham et blik fyldt med faglig psykiatrisk interesse. Tilte og jeg tilkaster ham et blik fyldt med truslen om gennemgribende legemlig overlast. Det får ham til at klappe i.

De taler alle med, hvad de selv tror er dæmpede stemmer. Det er tydeligvis af hensyn til mig. Det er, som om de alle sammen regner med, at mit misbrug har gjort mig døv eller i hvert fald tunghør.

66

Thorlacius-Drøbert stiller skarpt på mig, med Nietzsche-blikket. Jeg husker fra for to år siden, at han også er hypnotisør og flere gange havde far og mor i hypnoterapi. Jeg bliver også nødt til at indskyde, at i gruppen på tre læger, der testede dem, var det de to andre, der erklærede dem for så vidt normale. Thorkild Thorlacius afgav dissens.

– Ja, siger han. – Den er tydeligvis helt gal. Kan du se det, Minna?

– Gud, Thorkild, siger hans kone, – det er helt tydeligt!

Jeg synes, det er romantisk, når ægtepar bliver sammen i mange år. For eksempel elsker jeg storkeparret på taget af præstegården, som bliver ved med at være det samme. Jeg synes også, det er god stil, at min far og mor har holdt hinanden ud i tyve år, særlig når man kender dem og er deres børn og derfor er nødt til at affinde sig med dem, og derfor ved, hvad det kræver.

Men at nogen kvinde kan stå ved siden af en mand som Thorlacius-Drøbert i en længere periode, det er alligevel i klasse med miraklerne fra Det Ny Testamente. Og hun står ikke alene ved siden af ham, hun ligger på knæ og betragter ham som en halvgud og en gave til menneskeheden.

– Personlighedsforstyrret, siger Thorlacius-Drøbert. – Uundgåeligt. Med den opvækst. Pigen er stærkere. Mere hård i filten.

Tilte sender ham et drømmende blik, der ikke lover godt for hans fremtid.

– Det er min tanke at besøge præstegården, siger Anaflabia Borderrud. – Måske det ville interessere dig at tage med, Thorkild? Kaste et fagligt blik på stedet.

Det giver altid et lille ryk i en, når man kommer op over klitterne og ser ud over havet. Det er først nu, at hele sammensværgelsen ligger åben for Basker, Tilte og mig i hele sin udstrakte udspekulerthed.

Anaflabia Borderrud er kommet til Finø for at neddysse, hvad hun frygter kunne blive en ny skandale med vores familie i hovedrollen. Og hun har taget Thorkild Thorlacius-Drøbert med,

67

ligesom sidste gang, for at få belyst de psykologiske vinkler. Sammen håber de at kunne feje far og mor og Hans og Tilte og Basker og mig ind under gulvtæppet, og så vil de sætte sig på det, til de er sikre på, der er helt stille, og det vil ikke tage lang tid, for de er begge to på den fornemme side af 90 kilo. Jeg føler mig hensat i en stemning af andagt. Jeg kan kende to storspillere, når jeg ser dem.

Anaflabia rømmer sig.

– Desværre, siger hun, – har politiet plomberet præstegården.

Det gibber i mig, nu forstår jeg, hvorfor hun er kommet til Store Bjerg. Det er ikke for at få et gensyn med os. Det er for at få hjælp til at komme ind i præstegården.

Tilte nikker.

– Jeg kender en vej ind, siger hun. – Men den er umulig at forklare. Så hvis jeg kørte med Dem derned …

Vi er på vej tilbage over terrassen. Og jeg vil sige: Vi er en gruppe med mange og modstridende følelser.

Hvis jeg for en gangs skyld må begynde med mig selv, så vil jeg helt ærligt sige, at jeg er panisk ved tanken om, at Tilte vil forlade mig og Basker her. Hvad greven angår, så kan jeg se, at han er fuldstændig paf, og at der omkring ham hviler en atmosfære, der får Thorlacius-Drøbert til at betragte ham forventningsfuldt, som regner han med, at grevens badehætte snart vil registrere et virkeligt hit.

Biskoppen virker plaget af tvivl. Ikke en religiøs tvivl eller en tøven foran et indbrud i præstegården, for i begge forhold er det klart at hun føler sig sikker på, at hun har Vorherre på sin side. Hvad hun tvivler på er formodentlig, om det er klogt at have Tilte i bilen, for kan man være helt sikker på, at det, vores familie er ramt af, i virkeligheden ikke er noget, der smitter?

Sekretæren Vera bevæger sig årvågent og adræt som en oppasser til en stor feltherre på vej gennem fjendtligt og uudforsket territorium. Og Minna Thorlacius-Drøbert bevæger sig med et tilbedende blik på sin mand.

Nu slår professoren ud mod badehætterne og henvender sig til biskoppen.

– Jeg har benyttet lejligheden til at foretage et eksperiment. Vi er meget tæt ved at lokalisere et gen for misbrug. Der giver anledning til en lille defekt i hjernen.

At sige at biskoppen udstråler dyb interesse, ville være at overdrive. Hvad hun udstråler, er, at hun har rigeligt at gøre med hjerneskader fra Finø til, at hun også vil plages med disse.

Men fra for to år siden kender vi Thorlacius-Drøbert som en stor taler og en stor forsker, utrættelig på udkig efter information. Så nu vender han sig mod greven.

– Hvad, siger han og peger på mig, – mener man om drengens muligheder for at blive helbredt? Og skulle vi ikke benytte lejligheden til at hjernescanne ham?

Grev Rickardts situation er vanskelig. Uoverskuelig. Han ser hen over professorens skulder og gør en vinkende bevægelse.

– Det er bare de små blå nisser, siger han forklarende. – Der bor under terrassen. Jeg kalder dem nærmere.

Der kommer nu en pludselig og uventet lejlighed til at mindes valgsproget om, at selv om der ikke er nogen dør, skal man ikke give op, men blive ved med at banke. For det viser sig nu, at selv om Anaflabia Borderrud næppe kan blive skuespillerinde, så er der stadig muligheder for en fremtid inden for showbusiness. For ved udsigten til små blå nisser under sine fødder foretager hun et overraskende højt spring med virkeligt svæv.

Thorkild Thorlacius er blevet stående. Han betragter greven intenst, og man kan mærke, at hans vildeste forhåbninger om misbrugsgenet og skader i hjernen er ved at blive overgået.

Det er i denne situation af pludseligt kaos lige foran målfeltet, at Tilte slår til.

– Jeg skal have min bagage med, siger hun. – Den er en lille bitte smule tung. Ville De hjælpe mig med at bære den, hr. professor?

Under andre omstændigheder ville det med tung bagage sandsynligvis have vakt Thorkild Thorlacius' og biskoppens mistanke. Men de er begge for distraheret. Alt hvad Thorkild Thorlacius har forstået er, at en ung kvinde har spurgt ham, om han kan bære noget tungt. Han retter sig op.

– Jeg står i Akademisk Bokseklub, siger han.

Det ser ud, som om han er meget tæt ved at tage jakken af og rulle skjorten op og vise Tilte sine biceps. En håndbevægelse fra Tilte standser ham.

– Hvor er det sødt af Dem, professor. Vil De møde mig på værelset om ti minutter?

Da Tilte lukker døren til vores værelse bag os, folder jeg armene over brystet. Jeg er ikke den type, der lader solen gå ned over min vrede, og inden for den sidste halve time har Tilte sværtet mit ellers pletfri offentlige omdømme og lagt an til at forlade mig.

Men jeg når ikke at tage til genmæle, for Tilte lægger fingeren på læben.

– Lars og Katinka, hvisker hun, – kunne du mærke det? Der er amoriner i luften.

For det tilfældes skyld, at du ikke skulle vide, hvad amoriner er, kan jeg oplyse, at det er nogle små kornfede engle, som der er billeder af på gammeldags postkort, og sådanne to postkort holder Tilte nu i hånden.

Der er mange på Finø, som mener, at Tilte har mistet interessen for jordisk kærlighed, efter hun er blevet forladt af Jakob Aquinas Bordurio Madsen, som fik en kaldelse og rejste til København for at studere til katolsk præst og leve resten af sit liv i bøn og afholdenhed. Men vi, der kender Tilte privat, ved, at hun på trods af modgang og skuffelser inderst inde er forblevet romantisk og elsker film, hvor de får hinanden og sejler ind i solnedgangen i en lyserød gondol til musik, der klistrer som tokomponent epoxy. Nogle gange tænker jeg, at det, Tilte har imod det der med »De levede lykkelig til deres dages ende«, det er først og fremmest, at det er for kort, at hun synes at kærlighed, der kun varer 50 eller 60 år, er helt til grin, for det er evigheden, vi er ude efter. Og lige så glad hun er for at hjælpe folk til at komme sig over, at de er forladte, lige så begejstret er hun for at spotte forelskelser, inden de forelskede selv er klar over det, og så sparke dem i gang, og det er til det brug, hun altid bærer rundt på en stabel af de postkort, hun nu vifter foran mig.

Foran mine vantro øjne tegner hun et hjerte på hvert af kortene.

– Jeg giver det her til Lars, siger hun. – Og siger til ham, at Katinka vil møde ham under det store akacietræ i baghaven. Du giver mig og ham to minutter, så giver du det her til Katinka. Og siger det samme. Med hele den drengede troværdighed, du er kendt for.

– Vi har syv minutter, siger jeg, – så står professoren her.

– Der er mennesker, siger Tilte, – der har lagt deres livs kurs om på syv minutter.

Havde vi haft bedre tid, og havde jeg været mindre rystet, havde jeg bedt hende om referencer til, hvem der helt konkret har kunnet lægge deres liv om på syv minutter, men nu tager Tilte mig i armen og trækker mig hen til det åbne vindue.

– Der er også noget andet, siger hun.

Vinduerne til værelserne på begge sider af vores står åbne i det dejlige forårsvejr. Fra værelserne kommer en blød klikken. Tilte trækker mig væk fra vinduet og lukker det.

– De skriver på pc, siger jeg. – Rapport. Om os.

Tilte nikker.

– Petrus, siger hun. – Hvis vi nu fik dem ud af værelserne i en sådan fart, at de glemte at slukke for pc'erne. Ville vi så ikke på én gang give ung politikærlighed det løft, den fortjener? Og få et glimt af, hvad der står i arkiverne om os og far og mor?

Jeg står bag døren, mens Tilte banker på hos Lars, og overrækker englekortet, og jeg siger ligeud, at indtil dette øjeblik har jeg haft min tvivl med hensyn til Tiltes forelskelsesteori. Den tvivl bliver nu gjort totalt til skamme. For i det øjeblik, Tilte er tilbage hos mig bag døren, hører vi Lars i hans badeværelse, og gennem væggen går de finere detaljer tabt, men det står klart, at hvad han foretager sig, er noget i retning af samtidig at fønbølge sig selv, børste tænder og stryge sig under armene med noget der Cologne, og alt sammen på under 30 sekunder, og derefter er han ude af

72

værelset og på vej ned ad korridoren, som om han er tilbage ved optagelsesprøven på politiskolen.

Så med det andet kort i hånden banker jeg på hos Katinka.

Fra Leonora Ganefryd, der er en nær veninde af vores familie og medlem af den buddhistiske menighed på Finø, og som driver et firma, der formidler *seksuel-kulturel coaching*, ved jeg, at der er mange mænd, der bliver dybt bevægede ved synet af kvinder i uniform. Og her, helt privat og under fire øjne, vil jeg gerne indrømme, at jeg selv er en af slagsen.

Jeg har engang vendt det med Conny og spurgt, om hun havde det på samme måde, altså med drenge, og hun spidsede munden eftertænksomt og sagde, at for at finde ud af det ville hun bede mig tage den uniform på, som hendes storesøster bærer i sit embede som piccoline i Finø Bryggeris reception. Vi nåede ikke frem til en fuldstændig afklaring af spørgsmålet, for da jeg havde uniformen på – den bestod af rød jakke og rød piccolinenederdel og højhælede sko – og havde tændt alt lys i stuen, for at Conny kunne danne sig et klart indtryk, kom hendes forældre ind af døren, og selv om jeg anstrengte mig for at forklare situationen, er jeg bange for, at der blev en tvivl tilbage hos dem, som jeg ikke nåede helt at mane i jorden, inden Conny forsvandt.

Så da Katinka åbner døren og er i civil, føler jeg en let skuffelse.

Nu er civile jeans og en sweater ikke nok til at få Katinka som sådan til at se civil ud eller ligne en almindelig husmoder. Hun ligner stadig en, der kan køre truck og springe ind som sjakbajs på et brolæggerteam med et øjebliks varsel. Men da jeg rækker hende amorinerne og siger, at Lars venter på hende under akacietræet, så får hun et udtryk i ansigtet, der får mig til at frygte, at hun skal gå i dørken, og sandsynligvis er det kun specialtræningen fra anti-terror korpset, der holder hende oprejst. Derefter farves hendes kinder af en rødmen, så jeg et øjeblik frygter en blodprop, og så er hun på vej ned ad korridoren i fuldt firspring.

Hun lukker ikke engang døren bag sig. Den står åben, så Tilte og jeg har en god udsigt ind til pc'en. Der er tændt.

73

Og ikke alene er den tændt, den står inde i det relevante dokument, som er en gennemgang af, hvad Tilte og Basker og jeg har foretaget os indtil nu.

På skærmen står:»Kontakt til biskop Anaflabia Borderrud og professor Thorkild Thorlacius-Drøbert, som af Rigspolitiet via Kirkeministeriet er informeret om, at KF's og CF's opholdssted er ukendt, men ikke har fået andre oplysninger.«

KF og CF må være Konstantin Finø og Clara Finø, vores far og mor. Teksten på skærmen bekræfter, hvad vi allerede har gættet, at politiet og Bodil Flodhest ved et eller andet, som endnu er så fortroligt, at de end ikke vil fortælle så gamle og inderlige venner som Thorkild Thorlacius og Anaflabia Borderrud om det.

Derudover lægger vi mærke til to ting.

Dokumentet bærer det ejendommelige navn *Svæverne*. Som vi ikke lige på stående fod kan forbinde med vores familie.

Så er der underskriften. Den er interessant. Katinka har skrevet sit navn. Og så har hun tilføjet»Politiets Efterretningstjeneste«.

Det er klart, at det varmer ens hjerte at se, at myndighederne har de bedste kræfter af hus til at sørge for ens velbefindende. Men samtidig kan det ikke undgå at virke foruroligende. For det kan ikke være en del af Politiets Efterretningstjenestes sædvanlige arbejdsopgaver at babysitte normale og velfungerende børn og unge som Tilte og mig.

Der lyder skridt på trappen over os, stjålne og tøvende skridt. Vi åbner døren, Rickardt Tre Løver rækker en køkkensaks ind til os.

I det øjeblik, vi klipper de blå bånd over, hører vi skridt på trappen over os, og denne gang er de ikke stjålne, det er atletiske skridt, fjedrende, sandsynligvis efter sjippetræningen i Akademisk Bokseklub. Men inden Thorkild Thorlacius er nået frem til at banke på vores dør, er vi tilbage på Tiltes værelse.

Tilte lukker døren lydløst bag os. Så tager hun fat i den stråkurv, i hvilken sengetøj opbevares på værelserne på Store Bjerg, og tømmer den og skubber dynerne og puderne ind under sengen. Så gør hun tegn til, at jeg skal kravle ned i kurven.

Jeg tror ikke mine egne øjne. Jeg vil dø stående og ikke afsløres og omkomme i en frokostkurv.

– Petrus, hvisker Tilte, – vi skal alle tre ud herfra, og den eneste måde, vi kan komme det på, er ved, at de tager mig med ud, fordi de tror, jeg er gæst, og dig med ud, fordi de ikke ved, du er der.

Der bliver banket på døren, Tilte ser bedende på mig.

Tiltes og mine dybe studier af spirituel og religiøs litteratur på nettet og Finø By Bibliotek har vist, at alle de store religiøse personligheder har anbefalet, at man skruer ned for krigerstoltheden og op for samarbejdsviljen. Så jeg hopper op i kurven og krummer mig sammen på bunden, Tilte sætter låget på, døren går op, og professor Thorkild Thorlacius siger: – Javel. Er det bare den?

Så løfter han mig og slæber af med mig.

Kurven dæmper lydene. Men jeg kan alligevel høre på professorens åndedræt, at de i Akademisk Bokseklub måske alligevel går hårdere til cognacen og cigarerne end til sjippetovene og bokse-bolden. Og så kan jeg høre, at vi desværre er nået frem til biskoppen, for hendes stemme går klart igennem, og hvis der havde været plads i kurven, ville håret have rejst sig på mit hoved.

– Vi kommer til at tage låget af og se, hvad vi har med ud, siger hun. – Fra et sted som det her.

Så hører jeg Tiltes stemme. Helt cool, men advarende.

– Det vil jeg råde Dem til at lade være med, fru Borderrud. Det er en Finøvaran.

For at du kan forstå det, der nu sker, er jeg nødt til at indskyde en hurtig oplysning om Finøs dyre- og fugleliv.

Inden Tilte og jeg trådte hjælpende til og bistod Dorada Rasmussen, der er forkvinde for turistforeningen, med at forbedre den turistbrochure, som foreningen udgiver hvert år, havde Finø et rigt dyreliv, men uden ligefrem at være Mato Grosso.

Vi greb sagen an på den måde, at vi først skaffede de billeder,

der blev taget, dengang en tandhval, der var konfus, drev forbi Finø og senere strandede i Randers Fjord. Derefter fandt vi de billeder, Hans havde taget dengang for syv år siden i en hård vinter, hvor Finø Redningsstation og Skov- og Naturstyrelsen måtte ud og fange en isbjørn, der var drevet hertil på en isflage fra Svalbard. Da vi nåede hertil, havde Dorada forstået visionens omfang, og hun kom med den video, der blev taget, da hendes amazonpapegøje var sluppet ud af buret og sad i blodbøgen i turistforeningens have med dannebrogsflaget i baggrunden. Vi fraklippede den næste sekvens, hvor papegøjen blev torpederet og fileteret af en duehøg, og vi fik lavet farvebilleder fra optagelsen, og så komponerede vi en brochure, hvor der ikke direkte stod, at Finø var Skandinaviens New Zealand med polarklima og tropeparadis på samme ø, men billederne talte deres eget tydelige sprog. Midt i det hele havde Tilte lånt en nationaldragt fra Finø Egnsmuseum og havde klippet den op, så Hans kunne skrues ned i den, og vi havde fået taget et billede af ham i knæbukser og langstrømper og sko med sølvspænder og hår, der flagrer i vinden, og nedenunder skrev vi:»En finøbo på vej til kirke i den typiske egnsdragt, der endnu er i brug.«

Vi sluttede af med et billede af min kæmpepyton, Belladonna, taget i Randers Regnskov, fordi vi havde foræret Belladonna væk, da hun var blevet to en halv meter, for da ville hun ikke nøjes med kaniner, da forlangte hun levende grise, og dem ville mor ikke have i præstegården.

Brochuren blev en meget stor succes. Den vendte det vigende marked, og siden er folk strømmet hertil.

Bivirkningerne var, at Tilte og jeg måtte foretage nogle afstraffelser på Finø By Skole, fordi der var nogle svagtseende der mente, at vores storebror Hans lignede en landsbyidiot på billedet. Og så har brochuren efterladt en anelse uklarhed i den danske offentlighed omkring Finøs flora og fauna.

Det er den uklarhed, som Tilte nu vender til vn fordel med at sige, at det, der er i kurven, er en Finøvaran.

Hvad der nu sker, er, at biskoppen river hånden til sig og tager endnu et af de spring, der vil kunne sikre hende en plads i Århusballetten, hvis hun skulle løbe sur i at være biskop.

– Min lillebror har haft den med, siger Tilte. – Men Rickardt mener, den er for risikabel at have gående løs.

Jeg kan høre greven tage endnu en omgang med vademecum. Så bliver kurven løftet, denne gang meget mere respektfuldt, båret ned ad trapper og langs korridorer og stillet i det, der må være bagagerummet i Thorlacius-Drøberts Mercedes. Mennesker tager plads, jeg håber, alle er med, det vil sige professoren, hans kone, biskoppen, sekretæren Vera, Tilte og Basker. Bilen starter op, kører frem, der veksles to ord med portvagten. Og for første gang efter et af de mørkeste døgn i vores liv er Tilte, Basker og jeg på vej ud i friheden. En frihed, som – det vil jeg gerne minde om på det her sted – selvfølgelig er meget lille og dybest set totalt inde i bygningen og ufri i forhold til den store frihed, som dette her i virkeligheden handler om.

Præstegården ligger lige over for kirken, så fra Store Bjerg og dertil er kun godt én kilometer, en tur der i hestevogn tager ti minutter, til fods et kvarter og i en Mercedes et par minutter. Alligevel er disse minutter rige på, hvad jeg uden at overdrive vil kalde dramatiske begivenheder.

Den første er, at jeg skal nyse.

Jeg ved ikke, hvilken behandling man på Thorkild Thorlacius' Ny Amtshospital tilbyder de stakkels mennesker, der lider af astma og allergi mod husstøvmider. Men jeg håber, man anbefaler dem at lade være med at rulle sig sammen på bunden af en vidjekurv.

På dette tidspunkt, mens jeg kæmper for at holde nyset tilbage, siger Anaflabia Borderrud:

– Det ville være bedst, hvis vi kunne forklare det her som et sammenbrud hos jeres forældre. Sidste gang lykkedes det akkurat at redde situationen. Men hos mange af os er der endnu sår, der bløder, dem skulle der nødig rippes op i.

Til det svarer Tilte, at hun giver biskoppen fuldstændig ret, sådan er det også hos os børn.

– Politiet må mene, at noget kriminelt er under forberedelse, siger biskoppen. – Det vil vi ikke bryde os om, hverken i stiftets ledelse eller i Kirkeministeriet.

Tilte siger, at dér er vi børn helt enige og på linje med Kirkeministeriet.

– Hvis det derimod var et sammenbrud, siger Anaflabia Borderrud. – Eller en depression. Der kunne klares med en indlæggelse. Det er derfor, jeg vil se præstegården. Og have Thorlacius-Drøbert med til at vurdere. Med hele hans professionalisme. Hans ord vil veje tungt i denne sag. Det drejer sig om at lokalisere jeres forældre, inden politiet gør det. Resten vil professoren og jeg

78

tage os af. Hvad var jeres indtryk af jeres forældre, lige inden de forsvandt?

– Det er hårdt for en datter at måtte indrømme det, siger Tilte.

– Men ordet »utilregnelig« er det, der dækker bedst.

Hvis ikke Tilte havde sagt sådan, så ville det, er jeg sikker på, være lykkedes mig at holde nyset tilbage. Simpelthen ved at følge den dybsindige opskrift på vejen til frihed, som alle de store spirituelle systemer har deres version af, og som er at prøve at lytte indad mod ens kerne, mens man spørger sig selv: Hvem er det, der føler, han skal nyse, eller: Hvilken kilde i bevidstheden ville nyset blive opfattet fra, hvis det kom?

Men man er nødt til at se i øjnene, at bevidsthedstræning er et overskudsfænomen, i hvert fald når man er begynder, og da jeg hører Tiltes replik, er jeg i underskud og på hælene, og med sin bemærkning stiller hun sig op i køen om at få en førsteplads blandt verdenshistoriens store forrædere, Judas, Brutus og Kaj Molester Lander, der foruden mågeæggene har ryddet flere af mine kantarelsteder i Finø Skov, og så er jeg ikke nået frem til at nævne dengang, han sammen med Jakob Aquinas Bordurio Madsen fik mig til at gå på scenen til kåringen af Mr. Finø.

Det er ikke sådan, at man på noget tidspunkt får mig til at skrive under på, at vores far og mor er tilregnelige, langtfra. Men for det første hører det, at ens forældre er pip, til de små familiehemmeligheder, som jeg synes man skal gå meget stille med. Og for det andet lå mor og far, da de rejste, på ingen måde over det niveau, der er deres årsgennemsnit i bimshed.

Så chokket udløser det tilbageholdte nys.

Selv for Anaflabia Borderrud er det ikke muligt at få højde på et spring, når det sker direkte fra siddende stilling på bagsædet. Men jeg kan høre, at hun gør forsøget og knalder hovedet i taget.

I samme øjeblik er vi heldigvis fremme, bilen standser, mennesker stiger ud.

– Kurven skal med, siger professoren, – den kan ikke blive i bilen uden opsyn, indtrækket er helt nyt.

Kurven og jeg bliver løftet ud og stillet på jorden, meget forsigtigt, mit nys og Tiltes advarsel hænger stadig i luften.

Der bliver stille omkring mig, i måske et minut, så bliver låget løftet.

– Petrus, hvisker Tilte. – Kan du huske, da vi kørte frem og tilbage til fyret?

Jeg ser mig omkring, det er ved at mørkne, vi er alene.

Tiltes spørgsmål er overflødigt, og hun ved det, det var en uforglemmelig tur. Vi kørte i Maseratien, Tilte trykkede på pedalerne og skiftede gear, jeg styrede. Det ville være alt for svagt at sige, at den tur var Tiltes plaster på såret til mig, fordi hun og Jakob Bordurio og Kaj Molester som sagt havde fået mig til at gå på scenen foran tolv hundrede mennesker i den tro, at jeg skulle modtage Finø Boldklubs sliderpokal, mens det i virkeligheden var kåringen af Mr. Finø, det drejede sig om. For den begivenhed havde ikke bare efterladt et sår, den havde efterladt et dybt traume, og det var for at gøre bod for det, at Tilte lå på gulvet og betjente pedalerne.

– Det her bliver lettere, siger Tilte. – Bilen her har automatgear, og du skulle lige akkurat kunne se ud ad vinduet. Jeg foreslår du bliver i kurven, mens du tæller langsomt til fem hundrede. Så kører du bilen om i smøgen og kommer herhen.

Så er hun væk. Normalt ville min stolthed, som jeg nævnte før, ikke kunne tåle at arbejde med Tilte på en *need to know*-basis. Men situationen er desperat og livsfarlig, så jeg ruller mig sammen nede i kurven, trækker låget på plads og begynder at tælle, mens jeg tænker, at de døde på Finø By Kirkegård trods alt har fordele, i deres rummelige og kølige og støvfri kister.

Når man er et søgende menneske, det vil sige, at man aldrig forsømmer en lejlighed til at mærke efter døren, så bliver meget af det, der for andre ville ligne monoton ventetid, fyldt med indhold. Det er netop, hvad der sker nu, for jeg har ikke talt til hundrede, før jeg hører slæbende skridt nærme sig. En eller anden spytter langspyt. Og så får min kurv et los.

80

Mange ville i mit sted have ømmet sig. Men jeg forholder mig helt stille. Jeg ved ikke, om du kender udtrykket »at kende sine lus på gangen«? Men det er i dette tilfælde helt præcist det, der sker. Jeg har genkendt lusen uden for kurven på hans gangart.

Så bliver en hånd stukket ind under låget. Det er for mørkt til at jeg kan se, om hånden er plettet af blod. Men for mig er den helt sikkert endnu plettet af saften fra de kantareller, som Kaj Molester Lander, vores nabos afskyelige snemand af en søn, har stjålet fra mig.

Så jeg lader ikke vente på mig. Jeg retter mig op som en stålfjeder, og så hvisler jeg:

– Leder du efter noget, Kaj?

For biskop Anaflabia Borderruds skyld håber jeg ikke, at Kaj Molester Lander går til audition på Århusballetten samtidig med hende. For det vil give hård konkurrence. Det spring, Kaj foretager nu, det har denne sjældne kvalitet over sig, hvor man føler, at springeren aldrig kommer ned igen.

Men det gør han. Og så snart han er nede, er han oppe i fart. Hvis du kender udtrykket, at angsten giver vinger, så har du et ret nøjagtigt billede af Kaj på vej ned gennem Præstegårdsvænget.

Når en dreng har mistet sine forældre, har han brug for trøst, og lidt af den trøst giver det at se Kaj forsvinde i horisonten.

Mens jeg hengiver mig til denne følelse, hører jeg igen skridt bag mig.

Mange ville være faret sammen ved tanken om, at det måske er Vera eller biskoppen, der nærmer sig i mørket, og nu er vi afsløret og Tiltes plan, hvad den så ellers går ud på, er ødelagt. Men jeg bevarer roen og bliver stående, for igen har jeg, inden jeg ser manden, genkendt min lus på gangen.

Jeg vil gerne benytte lejligheden til at præsentere Alexander Bister Finkeblod, ministeriets udsendte til Finø, for han spiller en lille, men vigtig rolle i disse begivenheder, og det er ham, der nu nærmer sig.

Alexander Finkeblod er udstationeret på Finø af Undervisningsministeriet for at afløse den tidligere skoleleder, Ejnar Tampeskælver, kaldet Fakiren. Ejnar var en afholdt og respekteret skoleleder, men set fra fastlandet gjorde han sig uheldigt bemærket ved både at være formand for Løsrivelsespartiet, der har plads i Grenå kommunalbestyrelse og vil have Finø løsrevet fra Danmark og gjort til en selvstændig stat med egen udenrigspolitik og selvbestemmelse over værdierne i undergrunden, og ved samtidig at være formand og ypperstepræst i den lokale afdeling af foreningen Asathor, der ved fuldmåne bloter til de gamle nordiske guder på toppen af Store Bjerg. Alligevel er vi mange, der tror, at Ejnar kunne have holdt skansen, hvis han ikke samtidig havde været træner for førsteholdet i Finø Boldklub og mente, at det er direkte skadeligt for unge mennesker under 18 at sidde nogle og tredive timer om ugen på deres flade. Så da hele lærerkollegiet, der alle sammen er født på Finø, bakkede ham op, så var vi meget ude at spille fodbold og bade, på mange ekskursioner til Rabalderholmene og behageligt lidt i skole, og til sidst sendte Undervisningsministeriet og Grenå Kommune en straffeekspedition.

Den bestod ikke af Thorkild Thorlacius og Anaflabia Borderrud, den bestod af Alexander Finkeblod og udvalgte bersærker, men jeg vil sige, at resultatet var i samme vægtklasse.

Selv om han kun lige har holdt sin 30 års fødselsdag, er Alexander Finkeblod dr.pæd., og han har et målbevidst udtryk i ansigtet, som om tilværelsen er et terrænløb, og han forudser en lang og stejl stigning, og han har tænkt sig at komme først. Hvad han har gjort for at nå så vidt i tilværelsen, ved vi ikke, men hvad det end er, har det ikke været godt for hans motorik, for han laver et lille, ekstra løft på hver fod for hvert skridt, han tager, hvad der giver en gangart, som måske er anvendelig, hvis man optræder i cirkus, men som er risikabel, hvis man hver dag står foran 200 børn og unge, som mener, at da Ejnar Tampeskælver blev deporteret, ophørte deres barndoms guldalder.

Det er denne gangart, jeg nu kan høre nærme sig bagfra.

Jeg er kendt for at have en skarp hørelse, så længe inden Alexander Finkeblod kommer ind i mit synsfelt, der er begrænset af, at jeg stadig, efter at have ekspederet Kaj Molester, står med vidjekurvens låg på hovedet, kan jeg høre, at han med sig har sin mynde, Baronessen.

Jeg må indrømme, at jeg over for Alexander ikke helt føler den afslappede naturlighed, som man normalt skulle have over for sine lærere. Men når man ikke føler sig helt sikker, så kan man altid tage tilflugt til den naturlige høflighed, man har lært derhjemme, så jeg tager låget af hovedet og bukker, så godt jeg kan for kurven, og siger:

– Goddag Doktor Finkeblod, goddag Baronesse,

Når vi en sjælden gang har tabt en kamp på førsteholdet, så siger Ejnar Fakir trøstende, at man ikke kan forlange mere, end at man har gjort sit bedste. Så heller ikke nu har jeg noget at bebrejde mig selv. Alligevel er ens bedste nogle gange ikke godt nok, for eksempel heller ikke nu, for selv om man kan udlægge det blik, Alexander Finkeblod sender mig, på mange måder, så peger det i hvert fald ikke i retning af, at han ville have lyst til at adoptere mig, hvis mine forældre ikke skulle komme tilbage.

Og i det øjeblik, han er forbi mig, sker der så det, at Tilte prikker mig på skulderen.

– Petrus, hvisker hun. – Så er det afgang.

Jeg kan ikke direkte sige, at jeg har fuldt kørekort. Men jeg har skolernes cyklistprøve, og ligesom de fleste andre har jeg kørt traktor og sæbekassebil og gokart og golfbil og hestevogn og mors og fars Maserati, så jeg sætter mig til rette i Thorkild Thorlacius' Mercedes som på mit eget værelse. Og det må indrømmes, at det er en nydelse med det ny læderindtræk og automatgearet.

Det eneste, der mangler i, at dette ville være en fuldendt situation, er at jeg også kunne nå op og se ud ad forruden, for på det punkt har Tilte alligevel været for optimistisk. Men man kan ikke få alt på én gang, og jeg trøster mig med, at jeg tit har hørt min mor sige, at man kører bil mere på intuitionen end på udsynet, og desuden kan jeg se himlen og noget af muren omkring præstegården.

Nøglen sidder i, jeg starter og kører forsigtigt ned langs vænget og om hjørnet.

Jeg har al grund til at tro, at der skulle være fri bane, og at Alexander Finkeblod for længst er væk. Så stor er min overraskelse, da hans hårtop pludselig kommer ind i mit synsfelt.

Jeg når at undvige ham og Baronessen. Men de må alligevel være blevet overrasket, selv om jeg kører i sneglefart, for de springer som for livet, og jeg er på en måde glad for, at der ikke er tid til at møde det blik, med hvilket de stirrer efter mig.

At der ikke er tid til det skyldes, at da jeg udfører min undvigemanøvre, får jeg ud ad sideruden øje på Kaj Molester Lander, som altså nu, hvor jeg har rettet bilen op, må befinde sig ret foran den. Der er derfor ikke andet at gøre end at presse hornet i bund for at varsko ham.

Man har hørt meget godt om Mercedes, og nu kan jeg så tilføje, at hornet er helt oppe i klasse med Finøfærgens tågehorn, og ydermere er det nu forstærket mellem havemurene ud til gaden, så nu kommer Kaj igen til syne, og det gør han, fordi han igen er sprunget og igen aflægger bevis for, hvor meget løft der er i hans afsæt.

Så bremser jeg bilen og stiger ud.

Hverken Kaj eller Baronessen eller Alexander Finkeblod har endnu fået rejst sig. Det er en af de situationer, hvor der er brug for en beroligende gestus, så jeg vinker til dem for at vise, at der er styr på tingene, og så sigter jeg på bildøren med låsens fjernbetjening og låser dørene, dels fordi det, når Kaj Molester er i nærheden, er den klogeste politik at låse for alt, som ikke er boltet fast, dels for at vise, at også bilen tager jeg hånd om. Derefter smutter jeg over muren ind til præstegårdshaven.

Hvad jeg ser foran mig, da jeg lander på græsplænen, er tre ting, som ikke lige med det samme lader sig forklare fuldt ud.

Den første er, at den lange stige er blevet hentet i udhuset og rejst op ad præstegårdens gavl. Sådan set er dette i sig selv forståeligt nok, for præstegården har så høj en kælder, at stueetagen faktisk er en lav førstesal, og vinduet til Tiltes værelse, hvortil stigen er rejst, ligger i anden sals højde.

Hvad der er sværere at forstå er, at der er fire personer på vej op ad stigen. Helt oppe ved vinduet er det professor Thorlacius-Drøbert, dernæst hans kone, som er efterfulgt af biskoppen over Grenå Stift, Anaflabia Borderrud, og til sidst, midtvejs på stigen, er sekretæren Vera i bevægelse opad.

Ved dette syn kan jeg ikke undgå at få den tanke, at ingen af de fire har stået på en høj stige i mange år, om nogen sinde, og at de derfor tror, at en stige er en slags trappe, som det er muligt at gå op ad flere ad gangen.

Den tredje gåde, der møder øjet, er den vanskeligste at knække. I skjul bag den store rododendron lige foran mig står Tilte og Basker, og ved siden af dem kryber Finø Bys politibetjent, Bent Metro Poltrop, og politihunden Mejse sammen.

Der er eksperter, der mener, at folks hunde ligner dem selv, eller måske omvendt, at folk ligner deres hunde, og det virker, som om det er en ret fin teori. For eksempel synes jeg, at Basker på mange måder ligner os alle sammen i familien, oldemor medregnet. Med Finkeblod og Baronessen er det oplagt, de kunne være mand og kone. Og også med Bent Betjent og Mejse passer det. For Mejse er ikke en almindelig politihunderace. Hvad den egentlig er, ville blive en vanskelig opgave for slægtsforskningen at udrede, men ligesom Bent har den hår midt i hjertet og langt skæg og er meget stor, og ligesom Bent elsker den mad, og særlig

86

min fars mad. Bent Betjent vejer 114 kilo, og han siger, at det er han stolt af, og for at holde den vægt er det nødvendigt, at han ret tit spiser hos os.

Mejse er også, ligesom Bent, en venlig hund, der mest gør indtryk ved, hvordan den ser ud, ligesom Bent, fordi de begge er uklippede og ubarberede som noget, der lige er trådt ud af Borneos jungle og ind på Finøs scene, men bag det skræmmende ydre banker der to hjerter af guld.

Alligevel kunne jeg rent personlig aldrig finde på at drille Mejse eller Bent Betjent, ligesom jeg heller ikke ville stikke hovedet ned i et bo med humlebier, for selv bag et mildt og loddent ydre kan der være en brod, der siger sparto. Selv om Finø er en rolig ø om vinteren, så sker det alligevel, at en gruppe fiskere sætter sig for at rydde Svumpuklens kælderbodega, og så står Bent og Mejse der fem minutter efter, og jeg har set dem træde frem foran 25 fiskere, der havde pulveriseret bodegaen, og jeg mener pulveriseret, der var kun pulveret tilbage, og efter et øjeblik betalte fiskerne for skaderne og sagde undskyld og listede ud i natten.

Så jeg er glad for at se Bent Metro, nu som altid, men jeg forstår ikke, hvorfor han er her, og hvorfor han og Tilte og Mejse og Basker står i skjul, og nu slutter jeg mig til dem.

Bent klapper mig på ryggen, han har en hånd som en rendespade.

– Har I set dem før? hvisker han.

– På Store Bjerg, hvisker Tilte.

– De er ældre, end de plejer at være, hvisker Bent.

– Den ene sagde hun var biskop. Og den anden sagde han var professor, hvisker Tilte.

Bent stirrer sammenbidt frem for sig.

– Hvor hashen går ind, går hjernen ud, siger han.

Jeg kan nu se virkeligheden med Bent Betjents øjne. Hvor jeg før så fire højtstående medborgere på vej op ad en stige med en vigtig opgave, så ser jeg nu, hvad Bent Betjent og Mejse må se, nemlig fire kriminelle misbrugere, som forbereder sig på at udøve nattens gerninger. Og jeg begynder at ane de ærefrygtindgydende konturer af Tiltes strategi. Hun har ringet til Bent på politistationen, der ligger lige om hjørnet, og anmeldt et indbrudsforsøg. Mine tanker går til mine og Tiltes religiøse studier, hvoraf det er fremgået, at alle de store spirituelle personligheder har peget på, at verden i høj grad er lavet af ord.

– Skulle man ikke standse dem? hvisker Tilte.

Bent ryster på hovedet.

– Vi venter på to ting. På at de bryder vinduet op. Så er det indbrud, og de er taget på fersk gerning, paragraf 276. Og vi venter på John, jeg har ringet efter ham. De dér er voldelige typer.

Rednings-John er hos os i næste øjeblik, som en skygge i natten, men en skygge af den slags, en ølvogn kaster, for det er den størrelse, John har. Til daglig leder han redningstjenesten på Finø, både havredningstjenesten og brandstationen og Falckstationen og Finø Vagtværn, og hvis jeg skal beskrive ham kort, vil jeg sige, at han er endnu en ven af familien og en mand, man gerne vil have at støtte sig til i alle andre situationer end til det årlige forårshalbal til fordel for Finø Boldklub, for ingen har nogensinde set ham i andet end overalls og ambulancefarvede sikkerhedsstøvler størrelse 52 med stålindlæg.

I mellemtiden har professor Thorlacius-Drøbert fået Tiltes vindue op og har overkroppen inde i værelset og har dermed teknisk set begået indbrud, selv om Tilte og jeg ved, at vinduet aldrig er låst, men bare lukket til. Nu træder Bent Betjent og Rednings-John og Mejse hen til stigen, og så ryster de den forsigtigt.

Den, der har stået på en høj stige og fået den rystet, ved, at der skal meget is i maven til at bevare roen i den situation. Så meget is har de fire på stigen ikke. De giver et brøl fra sig. Og som den første er sekretæren Vera nede på jorden.

Jeg ved ikke, hvordan en bispesekretær er vant til at blive modtaget, men jeg synes, man kan ane en overraskelse i mørkningen, da John og Bent har snurret hende rundt og givet hende håndjern på.

– Vil De øjeblikkelig slippe hende fri!

Det er Anaflabia Borderrud, der har løftet stemmen, og den har en autoritet, der ville kunne få bataljoner til at lægge sig ned og stikke alle fire ben i vejret.

Men Bent Betjent og Rednings-John er mænd, der har stået ansigt til ansigt med orkaner, uden at der har været noget som helst at mærke på dem, så alt, hvad der sker, er, at også biskoppen over Grenå Stift pludselig, og måske for første gang i sit liv, er lagt i håndjern.

Nu ryster John og Bent Betjent stigen igen, som man ryster et pæretræ, og de forbereder sig på at gribe Minna Thorlacius-Drøbert som en moden nedfaldsfrugt.

– Thorkild, hjælp!

Hendes skrig får professoren ud fra Tiltes værelse og tilbage på stigen og ned ad stigen med hele den sikkerhed kun den mand kan have, som er vant til at sætte tingene på plads og se dem blive stående.

Stående på stigens nederste trin beslutter han sig til at gøre et forsøg på at tale den brede befolkning til fornuft.

– Mit navn er Thorlacius-Drøbert, siger han. – Jeg er professor ved Århus Ny Amtshospital.

– Det glæder mig, siger Bent Betjent. – Jeg er Metropolitten af Finø.

Bent Betjent er en klog mand, men hans klogskab er mere, hvad jeg ville kalde livsvisdom, end det er den slags, man lærer i skolen. En metropolit ville han, vil jeg skyde på, ikke vide hvad var, hvis det ikke var for Tilte, som har givet ham det tilnavn, fordi det er tæt på hans eget efternavn, Metro Poltrop, og fordi Tilte siger, han har udseende og udstråling som en metropolit, der er en slags chefpræst i den græsk-russiske ortodokse kirke. Og Bent kan godt lide Tilte og godt lide det nye ord, så det er altså noget af forklaringen på, at det dukker op her.

– Jeg kan forklare det hele, siger Thorkild Thorlacius. – Vi er ved at foretage en psykiatrisk og teologisk vurdering af præste gården.

– Og I starter med at besigtige anden sals vinduer, siger Bent. Den detalje lader professoren ligge.

– Jeg kan forklare det hele, siger han. – Og jeg kan legitimere mig. Bilen holder herhenne.

Han træder ud i gænget, Bent Betjent og John er tæt ved ham, han slår ud med hånden, hvor hans Mercedes engang har været, men hvor nu kun kurven står tilbage.

Det ryster professoren, at bilen ikke er der. Men de store forskere lader sig ikke slå ud, men søger bestandig nye udveje.

– Vi har transporteret pigen, siger han. – Dilde her. Hun har besøgt sin bror, som er misbruger og kriminel, og som soner en behandlingsdom deroppe.

Han peger mod, hvor han tror Store Bjerg ligger, men han har åbenbart mistet orienteringen, så det han peger på, er i retning af Brugsen, og bag den alderdomshjemmet. Bent og John betragter ham opmærksomt.

– Vi har transporteret pigen og krybdyret, siger professoren.

– Varanen. Finøvaranen.

Han peger på kurven. Og for at give et uigendriveligt bevis på sin historie, løfter han låget. Han og Bent og John kigger ned i kurven, den er tom.

Nu får Thorkild Thorlacius øje på mig.

– Drengen, siger han. – Misbrugeren. Han har givet sig ud for at være krybdyret!

Rednings-John og Bent Betjent veksler blikke.

– Det er også alkohol, siger Bent Betjent. – Narkotika og alkohol sammen. Jeg har set det før. Virker som en hjernepustning.

Professorens ansigtsfarve skifter til en kulør, der vistnok teknisk kaldes for purpur. Bent Betjent tager nu fat i hans arm med den ene hånd og griber i lommen efter endnu et par håndjern med den anden.

Igen indtræffer der en begivenhed, der må få os alle til at skifte mening om Akademisk Bokseklub og gå tilbage til den første teori om at det, der foregår dér, må være på højt sportsligt niveau. For professor Thorlacius rammer Bent Betjent i mellemgulvet med et slag, som ingen vil kunne finde frem og støve af uden rigtig meget forudgående træning.

Bent har meget beskyttelse i sine 114 kilo. Men det ville have været bedre med 120. For han får luften banket ud af lungerne og må ned på knæ.

Så er Rednings-John over professoren, og han har taget ved lære af Bent Betjents kranke skæbne, så han dækker bløddelene, og så er professoren i håndjern.

– Man skal altid passe på ryggen, siger Tilte.

Det siger hun, fordi John har rettet sig op som efter en veludført bjergning, men han har glemt Minna Thorlacius-Drøbert, og hun giver nu forøget vægt til min erfaring af, at ægtepar kan hænge så tæt sammen, at de udgør en kommandoenhed, for hun rammer John bagfra, som et projektil, samtidig med at hun udstøder hvad der for mig lyder som et kampråb fra en japansk angrebssport.

Det sidste, jeg ser, er, at biskoppen og Vera begynder at løbe, med hænderne på ryggen og i håndjern, væk fra gerningsstedet. Næppe en klog politik, men man kan godt forstå dem. Når følelsen af verdens undergang melder sig, har vi alle en impuls til at stikke af.

Så mærker jeg Tiltes hånd på min arm.

– De kommer i Det ny Arresthus, siger hun. – Indtil mandag morgen. Det er Bents politik med fulderikker. Vi har 24 timer.

Der er noget uhyggeligt ved, hvor hurtigt livet siver væk fra et hus, når det er forladt.

Selvfølgelig er præstegården ikke forladt, men det er en uge siden, vi tog af sted, og huset er allerede under forandring. I entréen ligger en rudekuvert, som posten har stukket ind under døren, og den er allerede begyndt at gulne. Penduluret over slagbænken slår ganske vist stadig, alt i det, vi kalder min fars stue, ligner sig selv, der er det samme lys, som der plejer at være, og som skyldes, at rummet har store vinduer og terrassedøre ud til haven, hvad der betyder, at Tilte og jeg selv nu, hvor solen er ved at gå ned, kan se alt tydeligt. Inde fra min mors stue kommer den sitren, der altid vibrerer i et rum, hvor der står et stort flygel, så på en måde er alt ved det gamle. Alligevel er rummene på vej til at blive livløse.

Jeg kan huske, at jeg opdagede det, engang vi kom fra sommerferie, og jeg så det igen, når vi alle sammen havde været af sted for at besøge nogen. Og mest mærkede jeg det de to måneder, hvor mor og far var tilbageholdt, og vi blev passet af oldemor, efter hun havde haft knojernet fremme over for Bodil Flodhest, som ville deponere os på børnehjem i Grenå. Efter de to måneder var præstegården tæt ved at være afgået ved døden, og det tog det meste af en uge at få liv i den igen, og det vil det også gøre denne gang.

I denne alvorlige situation sidder Tilte og jeg i hver sin sofa og ser på hinanden uden at sige noget og tager en dyb indånding, inden vi skal ransage det sted, hvor vi er født og opvokset, i det håb at finde spor efter vores forældre.

Jeg vil gerne benytte dette korte ophold til at sige et par ord om Tilte.

Jeg tror ikke, man kan finde mange turister og sandsynligvis ikke en eneste finøbo, som mener, at Tilte tilhører den store gruppe af det, man kalder almindeligt dødelige. Langt de fleste anser hende for at være i hvert fald en slags halvgudinde med pil opad.

Det er en teori, der støtter sig på begivenheder som for eksempel den skole-hjem-samtale, som Tilte havde i femte klasse på Finø By Skole, og som jeg var med til, fordi far havde aftenundervisning af konfirmander og jeg skulle være under konstant opsyn efter en uheldig episode med Kaj Molester Lander. I bilen hørte jeg Tilte sige: – Mor, i aften vil lærerne klage over mig, det er, fordi de føler sig trykket af min store personlighed.

Hun sagde det fuldstændig alvorligt, hun mente hvert ord, og da vi kom hen til mødet og lærerne sagde, at Tilte fyldte for meget, men var vigtig at have i klassen og altid hjalp andre, men at hun havde alt, alt for meget fravær, selv efter skolens daværende standard, som var behagelig løs, fordi myndighederne endnu ikke havde snigløbet Ejnar Tampeskælver Fakir. Da lærerne havde sagt det, så de alle sammen på Tilte, for at hun skulle undskylde det med fraværet og måske indrømme, at vi havde samlet mågeæg hele foråret. Men Tilte svarede bare: – Ja, man vil jo altid gerne have mere af det gode.

Hun sagde det uden at smile, gennemtrængt af værdighed. Og det er små episoder som denne, der har givet offentligheden høje, og måske for høje, tanker om Tilte.

Det er meget vigtigt at du ser mere klart på tingene. For hvis du ikke gør det, så får du måske ikke fat i, at det her med at finde de steder, hvor der er en vej ud i det fri fra denne mere indespærrede virkelighed, det er ikke noget, der kun er for halvguder eller mennesker, der på anden måde er specielle. Det er også for sympatiske og vellidte, men også ret almindelige typer som dig og mig.

Så nu fortæller jeg dig om Tiltes sorg, for at du bedre skal kunne forstå hende og indse, at hun et stykke hen ad vejen er ligesom os andre.

For halvandet år siden blev Tilte kæreste med Jakob Aquinas Bordurio Madsen.

Nu ved jeg, hvad du vil sige. Du vil sige, at af alle de lamme navne, du har hørt i dit liv, og som fylder tilhøreren med overvældende medfølelse med den bøhmand, hvis forældre har døbt ham sådan, da han var et forsvarsløst spædbarn, blandt alle de navne rydder Aquinas Bordurio Madsen bordet. Men der er en naturlig forklaring på det navn, og det er, at Finø altid har været globalt orienteret med to skibsværfter, der byggede nogle af de hurtigste skonnerter og teklippere i 1800-tallet, og med den generelle holdning at man er vant til, at mændene altid er rejst ud som vikinger eller letmatroser eller kaptajner eller supercargo'er eller som blinde passagerer, og at kvinderne er taget ud som skjoldmøer og kahytsjomfruer eller kogekoner eller missionærer eller som Mata Hari-agtige typer. Fra de rejser har Finøs befolkning haft mænd og kvinder af forskellig etnisk herkomst med tilbage, og på den måde har øen fået tilført mange forskellige navne, og nogle, som nu Aquinas Bordurio Madsen, er så, desværre, men uundgåeligt, sådan at man ligger i mørket og vånder sig og ikke kan falde i søvn, efter man har hørt det første gang.

Med til Finø er der derfor også kommet mange religioner, og Jakobs familie er katolikker og han har altid en lille rosenkrans med sig, som han kører gennem fingrene, mens han inden i sig selv beder Ave Mariaer, og han beder uafbrudt, han er berømt for aldrig at gå i stå med rosenkransen, selv ikke da han vandt finalen i standarddans på Ifigenia Bruhns Danseinstitut, der ligger på Storetorv.

Dette er selvfølgelig en lille detalje, man skal holde sig for øje, når man skal mentalvurdere Jakob, altså at han er turneringsdanser og beder Ave Mariaer, og at han har medvirket ved i hvert fald et par større forbrydelser mod menneskeheden, som dengang da han og Kaj Molester hemmeligt listede tre af skolens klasser ind på sognegårdens svalegang, mens jeg og Simon Bojlehøjgun havde klædt os af og var ved at udføre vores undersøgelser af de spirituelle muligheder, der ligger i brun sæbe, hvad jeg vender tilbage til senere. Men det er ikke nok til at forklare, hvad der skete mellem ham og Tilte, for Jakob er en person, der i de mange år vi har kendt ham og set ham vokse op, på trods af visse brist i sin karakter, også har vist mange menneskelige kvaliteter. For eksempel lå han på Finø Boldklubs førstehold fremme i angrebet på min venstre side, og han har afslutninger bag sig af en kvalitet, som har gjort, at jeg og mange andre har kunnet se gennem fingre med, at han har vundet seks Danmarksmesterskaber i standarddans, som er en bevægelsesform, vi i Finø Boldklub ser på med den medlidenhed, hvormed en mor ser på sit syge og sengeliggende barn.

På trods af dette modtog han pludselig en kaldelse.

Jeg skal straks gøre rede for, hvad en kaldelse er. Men først bliver jeg nødt til at fortælle, hvordan Tilte og Jakob havde det, for at du kan forstå katastrofens omfang: Jakob og Tilte var lykkelige.

Også med sine tidligere kærester havde Tilte været lykkelig. Men på en anden måde, for de kærester havde været overkommelige. Med dem havde hun været lykkelig på den måde, som Basker er lykkelig med sine hundevenner på, og det er ved at være øverst i hierarkiet. Selv den mest blodtørstige hund på Finø, det vil sige Rednings-Johns grønlandske slædehund Grev Dracula, der ligner en hvid plysbjørn i hovedet, men som har to domme om, at den skal aflives, og som har to mundkurve oven på hinanden, når John går tur med den i en kæde, selv den tisser ned ad sig selv af skræk, hvis Basker har en dag med migræne, så med den *standing* kan man jo sagtens elske alle andre hunde, for at være helt ærlig og selv om det falder tilbage på Basker.

Det var anderledes med Tilte og Jakob. Man kunne se det, når man så dem på gaden. Selvfølgelig var de forelskede og gik og så drømmende ind i hinandens øjne, så man i visse øjeblikke fik gyselige flashbacks til nogle af de digte, som min storebror Hans skriver. Men samtidig var de et makkerpar og samtidig på modsat hold, det er umuligt at forklare, men det var virkelig kærlighed.

Det varede et halvt år, så modtog Jakob en kaldelse. En dag, da han gik over broen fra badeanstalten, der ligger vest for Finø By, og hvor han havde et feriejob som livredder, hørte han en stemme indvendigt, der fortalte ham, at han skulle forlade Finø og rejse til København og bevæge sig i retning af at blive katolsk præst og aldrig gifte sig, men resten af sit liv leve alene.

To måneder senere var han flyttet.

Nu ved jeg ikke, hvordan det ser ud i dit nabolag. Men på Finø er der jævnlig mennesker, der modtager en kaldelse, hvor Gud eller Buddha eller en avatar eller fire engle taler til dem og kommer med ordrer eller forslag. Personlig har jeg aldrig haft sådan en oplevelse. Men hvis jeg en dag får en, så vil jeg gøre en hel del for at sikre mig, hvem afsenderen er. Nu for eksempel grev Rickardt Tre Løver, han stillede op til Finø By Amatørteaters sang- og danseprøve til *Den glade Enke*, og han gik efter hovedrollen som Grev Danilo, og inspirationen til det havde han modtaget i en kaldelse, som han mente kom direkte fra Gud.

Jeg så de prøver, fordi mor akkompagnerer amatørteatret, og jeg vil sige, at den kaldelse kan ikke være kommet oppefra, den må være kommet fra mørke kræfter, der ville Rickardt til livs, for den prøve var noget, der optrådte i ens mareridt i lang tid bagefter.

Så man skal undersøge sine kaldelser grundigt. Om Jakob har gjort det, ved jeg ikke. Alt, hvad jeg vil gøre, er derfor forsigtigt at påpege, at han fik kaldelsen lige efter han og Tilte havde talt om at blive ringforlovet og tage en uge i sommerhus sammen. Og uden at nævne Conny og mig, så vil jeg sige, at selv om jeg kun er 14, har jeg haft rig lejlighed til at lægge mærke til, hvor påfaldende tit det sker, at mennesker bliver kaldt bort til noget større og bedre, berømmelse eller forfremmelse eller oprykning til førsteholdet, eller et liv i Guds tjeneste, netop når de står foran at kunne tage et ordentligt sprint med deres kæreste.

Så jeg vil citere oldemor. Hun stod med ryggen til os i sit køkken og var ved at børste tænder, da Tilte fortalte om Jakobs kaldelse, det var helt nyt, såret var friskt, og Tilte kunne ikke se én direkte ind i øjnene, når hun sagde det. Oldemor børstede sine tænder færdig, hun er stolt af sine tænder, hun har indtil flere af sine egne tilbage i munden, og i øvrigt praler hun med, at hun kan flække marvben med gummerne, fordi de er hårde som horn, altså gummerne.

Da hun var færdig, lod hun sig falde ned i kørestolen og stagede sig over til Tilte og så hende ind i ansigtet.

– Det, der er galt, sagde hun, – for de fleste kærestepar, det er, at der er for lidt. Men nogle gange er der for meget.

Nu var der mange, der mente, at Tilte hurtigt ville finde en ny kæreste, men ikke Basker og oldemor og Hans og jeg, vi vidste hvordan det var fat. Så der er nu gået halvandet år, og Tilte er stadig alene.

Efter Jakob forsvandt, tog det med at vise mennesker døren en drejning for Tilte. En missionerende drejning. Jeg nævner det bare. Også for at du kan holde øje med mig. Når nogen vil vise en noget, specielt noget, der er helt afgørende, og man kan mærke, at de brænder for det, så skal man være vågen. For så er der store chancer for, at der er et eller andet galt.

Nu har jeg fortalt om Tiltes sorg. Så du forstår, at Tilte og mig, vi er fælles om at have mistet den eneste ene. Det er meget sjældent, vi taler om det, næsten aldrig. Men alligevel er det der altid, jeg kan mærke det på Tilte. Selv når hun ligner karnevallet i Rio og er i gang med at frelse verden ved at vise alle ind mod større dybder i dem selv, så er der alligevel samtidig, inderst inde, en sorg, som minder en om, at hun også er et almindeligt menneske.

Tilte og jeg sidder som sagt i hver sin sofa i det, vi kalder fars stue. Herfra har vi – mens jeg har sat dig ind i tingenes tilstand med hensyn til Tilte – ladet øjnene glide rundt i stuen. Uden at have vekslet ét ord om det, ved vi begge to, at nogen har gennemsøgt præstegården. Og at de har været omhyggelige med at rydde op efter sig, for at ingen skal kunne komme og sige, de har været her. Vi har nemlig set ting, som kun de, der har boet her et helt liv og haft rengøring to gange om ugen, den lille tur om mandagen, og den store med gulvvask om torsdagen, kan se: Mors flygel har efterladt trykmærker på tæppet. Det har de opdaget, og de har kørt flyglet præcist tilbage, så hjulene igen dækker mærkerne. De har lagt det lille stykke olmerdug på plads på flygellåget og oven på det mors to violiner, på nøjagtig den måde, de altid ligger. Men de har ikke vidst, at olmerdugen dækker en ridse i lakken, der kom, da mor og jeg skulle teste fjernstyringen til den Sopwith Camel, vi havde bygget til Store Drage- og Svæveflyverdag for nogle år siden. Så nu lyser ridsen i den nedgående sols sidste stråler.

De har lagt de spidsede blyanter tilbage på fars skrivepult, de ligger dér, til når han pludselig får en åbenbaring til den næste prædiken og er nødt til at skrive det ned og står et øjeblik og sikrer sig, at alle har set ham, far arbejder, far er gennemstrømmet af en genial idé. Men de har lagt dem i forkert rækkefølge, far begynder altid med de hårde stifter og slutter med de bløde.

Husholdningspungen ligger på sin plads på den lave reol, jeg åbner den, den rummer et bundt sedler af den tykkelse, som mor og far normalt ville efterlade, når de skulle en uge på ferie. Jeg stikker sedlerne i lommen, noget siger mig, at vi kan få brug for finansiering.

– Fotos, siger Tilte. – De har taget billeder. Bagefter har de splittet det ad. Og så har de brugt billederne til at stille det på plads igen. Men hvornår?

På grund af haven, der mod nord støder op til kirken, kan man godt få en følelse af, at præstegården ligger som det lille hus i den store skov. Men det gør den ikke, der er huse rundt om, den gamle klokkerbolig, hvori Bermuda Svartbag har sin bedemandsforretning og jordemoderklinik, turistkontoret, Fiskerhuset, hvor Leonora Ganefryd har sin coaching-virksomhed, Finø By Egnsmuseum og så Finø Gardin- og Plissémontage, udklækningssted for Kaj Molester Lander. Og Finø By er i det hele taget en slags myretue, man kan ikke pirke et sted, uden at hele byen begynder at myldre.

– Om natten, siger jeg. Og jeg siger det med den vægt, der kommer af en mørk fortid på rov i uskyldige menneskers haver.

– De har gjort det på én nat.

Min mors og fars arbejdsværelser ligger i forlængelse af hinanden, døren imellem dem er altid åben, undtagen når far har alvorlige samtaler med sognebørn. Indtil far og mor forsvandt første gang, var det på en måde lyden fra de to rum, der holdt præstegården sammen og på ret køl, mens Hans og Tilte og jeg blæste med hver sin tornado. Fra fars værelse hørte man lyden af hans blyant hen over papiret, mens han skrev på næste søndags prædiken, eller lyden af tastaturet, når han skrev den ind, og fra mors værelse lyden af elektronik-tængerne, der bed i et eller andet, eller den svage hvislen, når loddetin smelter, eller hendes sang, når hun arbejdede med programmet til stemmeidentificering.

Det første værelse, man kommer ind i fra køkkenet, er fars, og derfra kan man se ind i min mors, og ligesom de plejer, har de ryddet op, inden de tog af sted, og den orden har politiets teknikere genskabt efter de har endevendt det hele, og det er den ryddelighed, vi ser på.

Den er hurtigt overset, for på fars værelser er der bare det store skrivebord, computeren, en stor reol med de bøger, der har med hans arbejde som præst at gøre, hvad der er flere tusind bind, men ingenting i forhold til, hvad han har i stuen. Alt det kigger vi ikke på. Vi kigger heller ikke på billederne på væggen, som Tilte siger er reproduktioner fra Uffizierne i Firenze, og som forestiller hellige mænd og kvinder, der modtager åbenbaringer, eller nøgne damer, der kommer op af muslingeskaller. Til de sidste har Tilte sagt til far, at det kan man ikke have hængende, hvordan tror han konfirmanderne får det, når de er inviteret hjem i præstegården, og da far ikke fjernede det, så gik Tilte på loftet og fandt noget barbieundertøj, der passede, og det klæbede hun på et af billederne, så det nu forestiller den skumfødte Venus i trusser og bh. Far har ladet undertøjet sidde på billedet, og når folk spørger, så siger han, helt alvorligt, at »det har min datter, Tilte, sat på for at dæmpe følelsen af nøgenhed«.

Især siger han det, når Tilte kan høre det, og det er et af de små spil, der hører til en familieidyl.

Bag billedet befinder sig præstegårdens indemurede pengeskab, hvori kirkebøgerne opbevares, og da vi løfter billedet, ligner pengeskabet først sig selv. Men det er ikke sig selv, for da vi tager fat i døren, går den op. Kirkebøgerne ligger, hvor de skal, men der, hvor låsen har siddet sammen med mikrofonen og den elektroniske styring, er der tomt, nogen har boret låsemekanismen ud.

Vi hænger billedet på plads uden at sige noget til hinanden og vender os mod det store skab for enden af rummet.

I det skab er en del af min fars tøj.

Man skal ikke tage fejl af min far. Selv om han ikke som Tilte og min mor skal have en separat godsvogn til sin garderobe, bare fordi han skal en uge på Præstehøjskolen, så ved han godt, hvad han går i, og det ned til mindste detalje. Personlig er jeg af den opfattelse, at det, de i virkeligheden skulle have fremlagt for provstedomstolen, og som de helt sikkert kunne have fået ham dømt på, det er de små badebukser, som han har på, når han om sommeren går i vandkanten langs Sønderstrand med armen om min mor og prøver på én gang at ligne en familiefar, der er præst i den luthersk evangeliske kirke og gift på nittende år, og en brølende strandløve.

Så min far passer ikke bare på sit tøj, han passer på det, som om det var kirkeklenodier, og derfor vil et kig ind i hans garderobe for Tiltes og mit afslørende blik fortælle noget om, hvad han er ude på.

Først er det, som om han ikke er ude på noget, for alt tøjet er der. Til højre i skabet står forrest de tre giner med præstekjolen, og med hans smoking og hans kjolesæt. Bag dem hænger hans jakkesæt og frakke. Til venstre er der hylder med hans pibekraver til præstekjolen. Hele skabet dufter af en parfume, der hedder

101

Knize Nr. 9, og som han får sendt fra Wien, og jeg får lyst til at lukke skabsdøren med det samme, for personlig mener jeg, at hvis provstedomstolen ikke skulle kunne få ham knaldet på de små badebukser, så må han falde på mandeparfumen.

Men Tilte vil ikke lade mig lukke døren.

– Der er noget galt, siger hun.

Hun trækker mig med sig ind i skabet. Bag ginerne kommer vi gennem lag af ophængte skjorter med løse manchetknapper af perlemor i små poser, og så når vi bunden af skabet og står foran to tomme giner.

– Hvad hang her, spørger Tilte.

Jeg aktiverer min berømte ordenssans og gode hukommelse, og så kommer erindringen. Selvfølgelig er det ikke tit, man går til enden af sine forældres garderobeskab. Men to gange om året bliver alt hængt ud i sol og vind, min mor siger, at gør man det, behøver man ikke at konservere mod møl, de kan ikke tåle sol-skinnet.

Rent personligt tænker jeg, at når skadedyrene kan tåle lugten af Knize Nr. 9 og synet af min fars silkeskjorter, så skal der mere end lidt solskin og havbrise til at tage livet af dem, men i arbejds-fordelingen hos os, er det min mor, der har den tekniske eksper-tise, så ud kommer tøjet to gange om året, og der har jeg set det, og dér har det fæstnet sig i min hukommelse.

– Hans ekstra præstedragt, siger jeg. – Og en gammel smo-king. De hang på ginerne.

Vi begiver os ud på den fodrejse, der skal føre os ud af skabet igen. På den passerer vi de forreste giner. Jeg lader hånden glide over det sorte uldstof.

– Det her er fars gamle dragt, siger jeg. – Han har taget den ny med.

Enhver anden præst i Danmark ville være tilfreds med en dragt som fars gamle. Faktisk er enhver anden præst i Danmark tilfreds, for dragten er fra Ballenkop Uniformsskrædderi på Samsø, der syr dragter til alle Danmarks præster. Undtagen til præsten på Finø. Fars dragt er af kashmir, og den er syet hos Knize i Wien, efter særlig bestilling og til en pris, vi er nødt til at bevare som en familiehemmelighed for ikke at starte et folkeligt oprør.

Tilte og jeg ser på hinanden. Vi tænker det samme, og Tilte udtaler det. Bodil må have ret.

– De er ikke på La Gomera.

Vores far vil gå langt for at vække opmærksomhed, også på De Kanariske Øer. Men ikke så langt som til at optræde i fuldt ornat ved poolkanten.

Vi træder ind i mors arbejdsværelse, Tilte fløjter den første strofe af Mignons sang, *Så lad mig skinne* fra Schuberts Goethe-viser, og rummet bliver strålende oplyst. Alle elektriske funktioner i huset har en kontakt, men kan også aktiveres, når man synger forskellige udsnit af Schuberts *Lieder*. Stereoanlægget tænder på begyndelsen til Mignons *Lær mig ikke at tale, få mig til at tie*. Brødristeren tænder og slukker på *Et blik fra dine øjne i mit*, og gæstetoilettet ved entréen skyller på *Kun den der kender til længsel ved hvad jeg lider*.

Mors arbejdsværelse er egentlig ikke et værelse, det er et værksted, og egentlig er det ikke ét værksted, men fire, for i hvert hjørne er der en forskellig arbejdsplads. Under vinduet står computerne, ind mod stuen er et hjørne med radioelektronik, skråt over for et langt bord med skruetvinger og en lille drejebænk til finmekanik, og på den anden side af døren en høvlebænk.

Over hvert arbejdsbord er der ophængt værktøj på krydsfinerplader, på pladerne er malet konturer af hvert enkelt stykke værktøj, og derfor kan vi med et enkelt blik se, at alt er på plads.

Vi står og ser rundt. Hvordan skulle vi kunne finde noget, som politiets store hjemmeservicehold ikke har set?

Jeg åbner døren til kosteskabet og tager støvsugeren frem. Hvis man støvsuger i et hus med kvinder, så ryger der ret tit umistelige kostbarheder op i støvsugeren, øreringe eller halskæder eller stumper af Tiltes ekstensions. Så jeg har en ret god øvelse i at undersøge støvsugerposer, og derfra ved jeg, at de er fulde af information om, hvad der er foregået i de rum, hvori der er blevet støvsuget.

Desværre er der meget, der tyder på, at politiet også har den øvelse, for støvsugerposen er væk og erstattet af en, der er ny og helt tom.

Men nu, hvor jeg alligevel står med støvsugeren i hånden, vender jeg den. I mundstykkets børster sidder en høvlspån. Den samler jeg op.

Egentlig er der ikke noget opsigtsvækkende ved en høvlspån, specielt ikke i et rum med en høvlebænk og tre høvle på værktøjsbrættet, plus én elektrisk.

– Det er tre måneder siden, at mor sidst arbejdede med træ, siger jeg.

Jeg drejer høvlspånen. Høvlspåner har et kort, men smukt liv. Mens de er friske, er de elastiske som slangekrøller, de er næsten gennemsigtige, og de dufter af træ. Men på bare en uge tørrer de ud, og knækker og forstøver til savsmuld. Den, jeg holder i hånden, er endnu frisk. På vej mod den alderdom, der før eller siden rammer os alle, men endnu frisk.

Tilte og jeg tænker det samme: Det kan ikke udelukkes, at politiets rejsehold har brugt lejligheden til husflid og arbejdet lidt på høvlebænken, med løvsav og afretterhøvl. Måske for at have lidt med hjem til børnene. Det er ikke umuligt. Men det er ikke sandsynligt. Det sandsynlige er, at mor har høvlet noget, lige inden hun tog af sted. Og at hun og politiet har overset en høvlspån i mundstykkets børster.

Træet, hvorfra spånen er høvlet, er mørkebrunt, med hvide tegninger. Man kan ikke bo i en præstegård med brændeovn, og have en mor, der sysler med møbelsnedkeri, uden at få en fornemmelse for træ. Det her er en hård træsort. I retning af ædeltræ. Uden at være mahogni eller teak.

Vi husker det samtidig. Igen behøver vi ikke at sige noget. Det er ligesom med mig og Jakob Aquinas Bordurio Madsen, fra dommeren gav bolden op, til han fløjtede kampen af, stod Jakob og jeg i telepatisk kontakt med hinanden. Tilte og jeg stiler direkte mod køkkenet, og Tilte opløfter stemmen og synger »Ak, hans kys!«

Sangstumpen er fra *Gretchen ved spinderokken* og er et valg, som vi børn har måttet acceptere, fordi familieliv jo består af en

105

lang række af kompromiser. Til gengæld vil enhver kunne glæde sig ved det syn, der udspiller sig for vores øjne. Lemmen til viktualiekælderen går op, stigen folder sig ud, og fra gulvet rejser sig et rækværk, som skal beskytte små børn og hunde mod at falde i dybet. Til sidst blændes der op for lyset.

Viktualiekælderen har to rum, fyrrummet, hvor fyret står, og hvor vi har vaskemaskinen og tumbleren, og hvor vi tørrer tøj. Og så det egentlige viktualierum, og det er dér, vi er på vej ind.

Det er et ret stort rum, og det er også nødvendigt, med den måde min far laver mad på.

Nøjagtig hvor han har fundet sine rollemodeller henne, ved vi ikke. Det helt store forbillede er som sagt i hvert fald ikke hans mor, og det er i hvert fald heller ikke Frelseren, for han klarede sig som bekendt med fem brød og to fisk, eller er det omvendt, og det der med at »se på fuglene, for de hverken sår eller høster eller arbejder med anderilletter, men de spiser sig mætte alligevel«. Min fars stilart er en anden, den bygger mere på kontakten til delikatessefirmaer og særlige slagtere ovre på fastlandet og på mange timer tilbragt i køkkenet i en opskruet stemning. Og så bygger den på det, der står foran os, hyldemeter på hyldemeter med chutneyer og relisher og kompotter og safter og syltetøj på årstidens frugter.

Så vi står i et rum, hvis vægplads er godt udnyttet. Men ikke et rum, hvori man kan gemme noget. Her er kun det bare gulv, en vinreol, der fylder en hel væg, og så meter efter meter af hylder med flasker og sylteglas.

Hylderne er af meerbau. Mor lavede hylder til den sidste, uudnyttede del af væggen for et halvt år siden. Det er det, Tilte og jeg har husket.

Det er denne væg, vi nu kigger på.

Det er helt i mors ånd og stil at blive ved med at forbedre på noget, hun har lavet for et halvt år siden. Eller for syv år siden. Men det er ikke mors stil at give sig til at høvle, to timer inden hun skal ud ad døren og til La Gomera, eller hvor det nu var hun skulle hen.

Tilte og jeg taler ikke sammen, men vi gør det samme indvendigt. Det, vi leder efter, og som vi ikke ved hvad er, kan vi ikke finde ved at tænke. Tanker kører altid kun i kendte baner, og vi leder efter det ukendte. Så hvad vi gør er, at vi ser på vægafsnittet med de nye hylder. På rækkerne af glas, hindbær, hyben og blomme, solbærsaft, hele nedkogte citroner fra Amalfi, tamarinchutney. På de brune hylder. På hyldeknægtene. På den hvide væg.

Samtidig mærker vi indad mod den, der ser, ind mod det sted i en selv, hvorfra man opfatter, hvad man ser, og dér prøver vi at slippe alle de forestillinger, vi på forhånd har. For at få plads til at se, hvad vi endnu ikke kan forestille os, det er det, alle mystikerne har anbefalet.

Vi ser det samtidig. Det er ikke én bestemt ting, det er et mønster. Den øverste hylde og den nederste hylde og rækken af hyldeknægte imellem dem danner en lukket firkant. Som en dør.

Tilte lader sine fingre løbe langs samlingerne. Der er intet at mærke. Mor elsker samlinger. Hun skruer ikke en skrue i træ uden at proppe hullet bagefter. Jeg har siddet med et propbor og boret 1500 propper til hende, da hun lagde gulvet af douglasfyr i min fars stue. Så selvfølgelig er der ikke noget at mærke. Samlingen til lemmen ned til kælderen, hvor vi står, kan kun ses i skarpt lys.

– Der kunne være en dør, siger Tilte.

Vi banker på væggen, men der er ingen hul lyd. Og der er ingen form for håndtag.

– Den ville være stemmestyret, siger jeg. – Den ville kun reagere på deres stemmer. Og det ville være en kode, de var fælles om.

Vi kigger på hinanden, vi husker far og mor. Vi prøver at mærke deres væsen. Det er mærkeligt, men det kan lade sig gøre. Og ikke alene med ens forældre. Det er, som om vi inde i os selv rummer et aftryk af alle andre mennesker.

Vi ved det samtidig. Der tændes et lys i Tiltes øjne. Og hun ser helt sikkert et lys i mine, og vi behøver ikke at sige noget.

Én ting er at få en idé, man er helt sikker på, samtidig. Men det, der nu sker, er mere end det. Det er som om Tiltes og min bevidsthed over et stræk er den samme. Det er, som de tre tårnhøje gange på en sæson, hvor Jakob Aquinas og jeg bare fandt hinanden i et forsvar, der var så tæt og uigennemtrængeligt som en sort, månløs nat med tåge, og Jakob lagde bolden til mit venstreben, som når Basker afleverer Finø Folkeblad på mors og fars hovedpude, og jeg satte den i øverste venstre målhjørne med samme rolige grundighed, som når man sætter et frimærke på plads i albummet. Indtil Jakob modtog sin kaldelse.

I stuen skiller jeg anlægget ad og bærer cd-afspilleren ned i kælderen. Tilte tager højtalerne. Vi hjælpes ad med forstærkeren, den er tung, som om en af politiets håndgangne teknikere har lagt sig ind i den og er faldet i søvn, og de har glemt ham. Tilte finder cd'en i holderen. Og så kommer det store øjeblik.

Den cd, vi sætter i maskinen, er udgivet sidste år, til støtte for Finø Boldklub, og sælges i alle førende forretninger og stormagasiner, og den rummer musikalske højdepunkter som for eksempel Finø Boldklubs kampsang med omkvædet *Kun en tåbe frygter ikke Finø Boldklub*, som var en stor sejr for familien, for Tilte havde skrevet teksten, mor havde skrevet melodien, og både far, Hans, Tilte og jeg synger kor, og hvis man lytter godt efter, kan man høre Basker ralle i baggrunden.

Jeg føler derfor godt, at jeg uden at forråde noget eller nogen kan indrømme, at den også rummer uoverskuelige musikalske katastrofer som den, der én gang har hørt dem, måske aldrig kommer sig fuldstændigt over, men, som Tilte ville sige, har med sig på sit dødsleje, hvor de måske kommer til at fremskynde dødsprocessen. For at give dig en fornemmelse af, hvor forsigtig du skal være, hvis den cd falder i dine hænder, vil jeg nævne, at der er en sang, hvor grev Rickardt Tre Løver hylder kvinderne og de appetitlige unge mænd på Finø, og man ved desværre, at han mener ens storesøster og ens storebror og måske også ens mor og far. Og der er en skæring, hvor Ejnar Tampeskælver synger nogle udsnit af Den ældre Edda, som han selv har komponeret, og hvor han akkompagnerer sig selv på foreningen Asathors store offertromme, og indspilningen er fra lige efter, han var blevet afskediget som skoleleder, og så vidt jeg husker, er titlen *Længsel efter Bråvallaslaget*. Og som et rystende yderpunkt er der en optagelse, hvor min bror Hans fremsiger et af sine egne digte, der begynder med *Her står min søde rose med sin røde pose.*

Så det er en cd, der rummer død og ødelæggelse, men også velsignelser, og det, vi skruer op for, ligger et eller andet sted derimellem, for den, der synger, er vores mor, og hvis der er noget enhver rask dreng og pige over fem år prøver at undgå, så er det at høre sin mor synge. Men samtidig må man jo hårdt presset indrømme, at der er dem, der synger værre end min mor, på nummeret spiller hun selv på klaver, og det hun synger, er selvfølgelig *Om mandagen i regnvejr på Solitudevej.*

Rent personlig har jeg, så vidt vides, aldrig været på Solitudevej og ville ikke kunne genkende den, hvis jeg så den. Men det kan den nederste del af det nye afsnit af hylder i viktualiekælderen. To takter inde i musikken glider den nederste del af væggen med 200 sylteglas og flasker ti centimeter bagud og løftes lodret opad og efterlader en sort åbning.

Tilte fløjter, og lyset i viktualiekælderen går ud. Åbningen foran os er ikke mere sort, nu kan man se, at den åbner ind til et rum, i rummet er der et svagt lys.

Vi dukker os og træder ind. Det er et lille rum, hvidkalket, lyset i det er månelys, først tror vi det kommer gennem et vindue, så ser vi, det kommer fra et spejl. I fundamentet under den vestlige del af præstegården er der små buede vinduer med trådnet for, vi har altid troet det var udluftningsåbninger, der førte ind til en krybekælder. Nu kan vi se, at der også må have været en rigtig kælder. Rummets mure er af natursten, lyset kommer fra en af åbningerne i fundamentet, og det er trukket herned med tre skråtstillede spejle. På den måde kan det ikke ses oppefra. I rummet står et skrivebord og en lampe, en stol, og ikke andet. Jeg tænder lampen, rummet er bart og tomt. Ikke et skab, ikke en hylde, der ligger ingenting på bordet. Alligevel bliver vi stående et stykke tid. Der er noget chokerende ved at have levet hele sit liv et bestemt sted, som nu præstegården, og tro, man kender det ud og ind, og så opdage et nyt værelse.

Selv om der ikke er noget at hente, lader vi fingrene glide hen over muren for at finde spor af indgange til flere rum, der er ingen. Det eneste, vi finder, er en blød plade, der er sat op omkring åbningen ind til viktualiekælderen. Den har fungeret som opslagstavle, i overfladen er der i hundredvis af små huller efter nåle, især min mor bruger opslagstavler, over hendes arbejdsborde hænger altid diagrammer og brugsvejledninger og arbejdsskitser. Men tavlen her er ryddet.

Vi vender tilbage til viktualiekælderen og bliver et øjeblik stående og beundrer den tekniske del af mors arrangement. Så lader jeg en finger glide hen over det sted, hvor hylderne på den bevægelige del af væggen om et øjeblik vil møde de hylder, der sad der i forvejen. Netop her har vores mor trukket en sidste høvlspån, inden hun skulle ud ad døren, for at sikre sig fuldstændig mod opdagelse.

Vi starter musikken, mors stemme synger *Om manda'n. I regnvejr. På Solitudevej*, væggen sænker sig, glider på plads, og der er intet at se. Samlingerne i vægpladerne af hvidmalet krydsfiner er skjult bag hylder og hyldeknægte, vi fyldes af andægtig respekt.

Men jeg fyldes også af noget andet, af det, som i de finere kredse kaldes en intuition. En intuition er en slags tanke eller fornemmelse, som kommer udefra, Tilte og jeg mener efter grundige undersøgelser, at den kommer ind ad sprækken, når Den store Dør står en anelse åben. Det er vores erfaring, at de fleste intuitioner desværre må karakteriseres som affald, og måden at afgøre, om det alligevel skulle være en godbid, man står med, er at prøve dem af i virkeligheden.

Så jeg starter cd'en op, regnen trommer, og mor crooner, og døren glider op, der er ikke så meget som den svageste hvisken fra hydraulikken.

Den idé, der er kommet til mig fra det ydre rum, er følelsen af, at det at rydde op, så der ikke er et eneste spor tilbage, det ligger ikke inden for, hvad min mor og far kan klare.

Når jeg om torsdagen har haft min rengøringstjans i præstegårdens køkken, så skulle der hentes et hold af laboratorieteknikere, hvis der skulle ledes seriøst efter noget, jeg har overset, og jeg giver otte til én på, at de alligevel ville komme til at rejse hjem uden at have fundet et riskorn. Selv Tilte, der ikke strør om sig med opmuntringer, har man hørt sige, at når jeg til sin tid bliver løsladt, vil jeg altid kunne få et job som oprydder.

Men med mor og far ville der have været bid. Ikke en møgvogn fuld, men et eller andet ville holdet have fundet. Det med at kunne komme helt i bund, det er kun få beskåret. Og mor og far tilhører ikke den lille lykkelige skare.

Jeg er tilbage i rummet.

– Luk døren, siger jeg.

Tilte forstår mig ikke, men hun gør, hvad jeg har bedt om. Væggen glider på plads, jeg er alene i månelyset.

Der bliver ingen anden eftersøgning, for jeg ser det med det samme. Og jeg ved, hvordan det er sket. De har haft travlt. De har ryddet bagagen ud, den har stået færdigpakket herinde. De har tømt opslagstavlen, gjort rent. Og imens har de selvfølgelig ladet stå åben ud til viktualiekælderen. Til sidst har de set sig omkring og forvisset sig om at alt var væk, og så er de gået ud og har lukket døren efter sig. Og glemt én ting. De har glemt det stykke af opslagstavlen, som er dækket af den bevægelige væg, når den er løftet bagud og op.

Det stykke af opslagstavlen er foran mig, det lyser sølvfarvet i skæret af den reflekterede måne. På tavlen sidder et stykke papir.

Vi sidder ved køkkenbordet med arket foran os.

Det er revet ud af noget, der kunne være en firmablok, for-oven står med blå, trykte bogstaver *Voicesecurity*. Nedenunder er skrevet tre linjer, de to første med blyant og mors skrift, den sidste med kuglepen og en skrift, vi her og nu ikke kan identificere.

Det første notat er »Bet. G. Gris«.

»G. Gris« er med al sandsynlighed Gitte Grisanthemum, der er en veninde af familien, og som leder den hinduistiske menig-hed på Finønæs og desuden bestyrer Finø Banks hovedsæde i Nordhavn, og »Bet.« er mors sædvanlige forkortelse for betal.

Den næste linje har bare ét ord, og det er »Dion«, efterfulgt af otte tal, der kunne være et mobilnummer, og forkortelsen A.W.

Notatet med kuglepen er en mailadresse, »pallasathene.abak@ mail.dk.«

Tilte tager sin telefon frem. Hun drejer den mod mig. På skærmen står »A. Wiinglad« og det telefonnummer, som Bodil ringede til, da hun og Katinka og Lars havde samlet os op og vi blev kørt bort til tortur og henrettelse og internering på Store Bjerg. Nummeret på Tiltes skærm og nummeret på arket foran os er det samme.

– A. Wiinglad, siger Tilte, – er et navn, vi må huske på.

Vi er på vej ud, vi bliver stående i entréen for at sige farvel til huset. Mine øjne falder på nøglebrættet.

Jeg peger på postkassenøglen, dens vedhæng er rødt. Tilte for-står mig ikke.

– Den er blank, siger jeg. – Det er en ny nøgle, frisk fra nøgle-fileren.

Nu ser Tilte det også. En postkassenøgle bruger man hver dag, og vores var slidt og gul. Nu er den skiftet ud med en ny.

Vi åbner postkassen, nøglen passer, der ligger bare et aflæsningskort fra vandværket, vi tager det med ind og sætter os igen ved det bord, vi lige har forladt, og ved hvilket vi har spist vores barndoms nådsens brød og nådsens anderilletter.

– Politiet, siger jeg. – De kopierede nøglen. Og satte den forkerte i nøgleringen. De har sikkert kopieret flere.

– Til hvad?

– Lars og Katinka, de tømmer med garanti postkassen hver dag. Læser brevene. For at se om der er noget om mor og far.

– Hvorfor henter de den ikke bare på posthuset? Det har politiet ret til.

– Det ville kræve en dommerkendelse, siger jeg. – Det har de måske ikke. Og rygtet ville spredes. Du kender Pylle.

Pylle Postmester er en sprinkler. Oplysninger om alle på Finø ankommer til hendes postkontor i en lind strøm, som hun spreder ud over de tørstige marker.

Tilte nikker.

– Det forklarer, hvorfor der kun er ét brev i kassen. Der burde have været for en hel uge, mindst tredive.

Jeg samler det brev op, der er skubbet ind under døren. Det er fra Finø Bank, og det er uden frimærker. Jeg sprætter det op. Konvolutten er bankens, men det er papiret ikke, det er et kort med en gud, der har elefantsnabel og sidder på en trone af rosenblade, og teksten er håndskrevet, og indholdet er noget med tak for sidst og at det var en hyggelig aften, citronsoufléen lever udødeligt i brevskriverens erindring, og i øvrigt vil hun lige nævne, at de i banken har over hundrede på venteliste, så de er nødt til at have et svar, og de kærligste hilsner fra Gitte G.

Vi ville gerne vide, hvad det er, Gitte ville have haft svar på, men det er ikke en sag vi har nogen mulighed for at gå ind i, for det er weekend, Finø Bank er lukket, og når den åbner på tirsdag, er vi enten over alle bjerge eller tilbage i lænker og under lås og slå hos socialforvaltningen.

Så sætter Tilte en finger på mailadressen. Det er en håndskrift

113

af den slags, man med god vilje kunne kalde personlig, og som man, hvis tingene skulle siges mere ligeud, ville sige var interessant, men ulæselig.

– Det ligner en dansk udgave af kinesiske skrifttegn, siger hun.

– Det er Leonoras skrift.

Jeg vil gerne forsigtigt nærme mig nogle af de begivenheder, der førte til min mors og fars første forsvinden, for to år siden. Men allerførst vil jeg kort informere dig om, hvordan min mor og far ser ud, så du kan genkende dem og skjule dig i en opgang eller på anden måde se at komme af vejen, hvis du skulle løbe ind i dem på gaden.

De er begge højt oppe i årene, min far er 40, og min mor bliver 40 om et eller to år, og hun har lyst hår, og om sommeren er hun så solbrændt, at lægevikarerne på Finø Sygehus spørger hende, om hun taler dansk, hver gang hun kommer ind på skadestuen med Hans eller Tilte eller mig, og nogle somre har vi været på skadestuen mere end 12 gange tilsammen.

Selv om min mor, hvad alderen angår, er hvad Tilte beskriver som halvvejs i graven, så ligner hun alligevel ret tit en ung pige, og da det her er et sted, hvor det handler om at være helt ærlig, så bliver jeg nødt til at sige, at jeg flere gange har kunnet mærke på nogle af mine kammerater, selv nogle, om hvem man skulle have troet, at de havde de fleste af deres åndsevner i behold, at de er en lille smule forelsket i min mor.

Som om det ikke var slemt nok og noget, der giver følelsen af at være ramt af en eller anden af de forbandelser, der hagler ned over de uheldige typer i Det gamle Testamente, så er det på samme måde med min far, eller værre, bare omvendt.

På rigtig mange af de piger, der går til konfirmationsforberedelse, bortset selvfølgelig fra de helt suveræne og balancerede typer som Conny, kan man mærke, at efterhånden som undervisningen skrider frem, begynder de at kigge på min far på den måde, som Belladonna så på sine foderkaniner, inden vi afleverede hende til Randers Regnskov. Og hos rigtig mange af de kvinder, der står brud og bliver gift i Finø By Kirke, har jeg lagt mærke til, at når min far ved alteret siger for eksempel: »Vil du, Feodora Hedehoved, tage Frigast Gåsepasser, som hos dig står, til ægte«, så kommer der en tøven. Og det er desværre helt tydeligt, at den tøven skyldes, at Feodora er tæt på min far og pludselig får en idé om, at hun måske går glip af en afgørende mulighed ved at sige ja til Frigast og derfor står og kløjes med det lille ord »ja«, inden hun til sidst får det frem, som om hun var til udpumpning.

Leonora Ganefryd, der nok er det menneske på Finø, der ved mest om mænd, og nok også om kvinder, hun siger, at det har noget at gøre med, at min far og mor har et sørgmodigt udtryk omkring øjnene, som om de har mistet noget, de ikke selv ved hvad er, og det udtryk får sagesløse mænd og kvinder og altså selv børn og unge til at føle, at de skal og må hen og røre ved dem og hjælpe dem med at lede.

Den aften, hvor Hans og Tilte og jeg opdagede, hvad der lå bag den sørgmodighed, den aften begyndte vores far og mor, i stedet for at holde deres almindelige slingrekurs, at styre mere direkte mod afgrunden.

For det tilfældes skyld, at det er lang tid siden, du har været i kirke sidst, og at du måske har haft ildebefindende eller fravær i enkelte religionstimer, så minder jeg dig diskret om, at i kirken er alt, hvad der foregår, sådan set helligt, men det mest hellige er sakramenterne, som blandt andet er, når man går til alters, og når man bliver døbt og velsignet, og når min far beder fadervor på vores alles vegne, og den aften i køkkenet spurgte Tilte far, om Gud var til stede i sakramenterne, og lige da hun stillede spørgsmålet, lød det tilforladeligt, Tilte kan godt finde på at tale med far om religion, og der har været flere eksempler på, at det er gået godt.

Netop denne aften var en af den slags, jeg har fortalt om, og som jeg håber at du også kender, en aften, hvor man vil give sin familie en chance, fordi det føles, som om den måske alligevel har en fremtid, i hvert fald det næste kvarter. Min mor sad og centrerede akslerne til et ur, hun var ved at bygge, og min far var ved at

116

lave kalvefond, hvad der er en slags sovs, som han laver af kød og knogler og urter, så hele præstegården lugter af lighus, og bagefter koger ind, til den bliver så stiv, at man kunne udstoppe sofapuder med den, hvis det ikke var, fordi det ville have været noget eventyrligt griseri. Fordi far er bøjet over gryderne, og fordi fonden er stiv og humøret højt, så griber han Tiltes spørgsmål, som om det er en legeballon og siger, at Gud jo er til stede overalt, som en form for klar suppe kogt på Helligånden, men i sakramenterne er han til stede som kalvefond, i en meget tyktflydende og aromatisk udgave.

Da han har sagt det, udstråler han en selvtilfredshed, som også er tyktflydende, man kan se på ham, at han har fået sagt det her på en måde, der både er pædagogisk og teologisk dybsindig. Men Tilte kommer igen.

– Hvordan kan man vide det, spørger hun.

– Først og fremmest direkte fra Det nye Testamente, siger far.

– Men far, siger Tilte, – dåben for eksempel, der er jo ikke ét sted i Bibelen, hvor Jesus døber børn, han døber voksne, så barnedåben kommer ikke fra Bibelen, hvor kommer den fra?

Nu begynder stemningen i køkkenet at forandre sig. Baskers vejrtrækning bliver mere besværet, og mor ser op fra urværket. Vi kan alle høre, at Tilte lægger an til, hvad jeg kalder en omvendt Djengis Khan. Det udtryk kommer fra, at når man tænker på verdenshistoriens store bøhmænd, der virkelig har lavet ravage, som Hitler og Djengis Khan og Læsøboernes libero, der fældede Hans og brækkede hans ben, når man tænker på dem, så ønsker man, at Tilte havde været der, for hun kan drive hvem som helst tilbage og ud i de sibiriske sumpe, de er kommet ind fra, og det er det, hun nu lægger an til at gøre med far.

– Dåben af børn, siger far, – stammer fra middelalderen, hvor mange børn døde som små, den er et forsøg på at redde deres sjæle.

Tilte har rejst sig og er nu på vej over mod far.

– Når nu barnedåben ikke er nævnt i Biblen, siger hun, – hvor dan kan du så være sikker på at Helligånden kommer til stede, hvordan kan du være sikker på det, hvor ved du det fra?

– Jeg kan mærke det, siger far.

Det skulle han ikke have sagt. Men han er på vej baglæns ud i sumpen, og i sådan en situation bruger man alle midler for ikke at blive suget ned.

Det, der er problemet, er, at vi tre børn og Basker kan høre, at far ikke er fuldstændig ærlig i det her.

Når far prædiker, så har han specialiseret sig i at prædike om den stemning, der var i Palæstina på Jesu tid. Far og mor har to gange været med Præstehøjskolen i Israel, og fra de ture henter far inspiration til at beskrive himlen og solen og menneskemængden og æslerne, og jeg siger dig, min far kan prædike, så man kan mærke støvet knase mellem tænderne og føler, at man er ved at få solstik, selv om det er en overskyet søndag i advent i Finø By Kirke.

Men når han bevæger sig væk fra stemningen til det, der egentlig er foregået, hvad der egentlig skete ved forklarelsen på bjerget, hvor Jesus ser Gud i en sky, og når han skal forklare, hvad Jesus mente, da han sagde »Mit rige er her«, og om han virkelig gik på vandet, og hvordan det egentlig forholder sig med kødets opstandelse, som er den der med, at man får sin krop tilbage i Paradis, efter man er død, hvad der ellers ville være dejligt, ikke mindst for den kalv der har lagt krop til fonden, når han skal forklare det, så holder han op med at lyde som sig selv, så begynder han at lyde som et menneske, der aflirer noget, det har lært udenad, fordi han dybest set ikke selv forstår det.

Hvis der er noget, Tilte og Hans og mig og Basker ikke kan holde ud, så er det, når far og mor ikke lyder som sig selv, men som noget andet, så derfor træder Tilte nu ud i sumpen efter far.

– Hvordan kan du mærke det, far?

Det er ikke ondskabsfuldt spurgt. Det er bare meget indtrængende. Og så sker der noget overraskende. Der sker det, at far ser på Tilte og rundt på os andre, og så siger han: – Det ved jeg ikke.

Og så får han tårer i øjnene.

Det er selvfølgelig ikke sådan, at man aldrig har set min far græde. Når man er gift med en som min mor, som ret tit glemmer alt omkring sig, også sin mand og sine børn og sin hund, fordi hun er blevet besat af idéen om selv at bygge et mekanisk armbåndsur og arbejder 24 timer i træk uden at sove med at centrere akslerne til tandhjulene, mens vi børn og vores far går for lud og koldt vand, når man har sådan en kone, er man nødt til at græde ud ved gode venners skuldre mindst hver fjortende dag, og det har far helt sikkert gjort hos Bent Betjent eller Rednings-John.

Men han har ikke gjort det foran os. Når vi ser far græde, er det i kirken, når han har sagt noget særlig smukt og græder af bevægelse og taknemmelighed, fordi Vorherre til Finø har givet så fremragende en præst som ham selv. Eller han græder til en begravelse i medfølelse med de efterladte, for man må modstræbende indrømme, at hos min far er medfølelsen næsten lige så stor som selvtilfredsheden.

Men selv om selvfølelsen og medfølelsen er store, er de ikke så store som det, vi nu ser i køkkenet. Og det, vi ser, det er noget, der altid har været inden i far, men som først nu er kommet helt ud i det fri, og først har vi ingen ord for det. Men nu går far ud af køkkenet, og mor følger efter ham, og Tilte og Hans og Basker og jeg ser på hinanden. Så sidder vi et øjeblik helt stille, og så siger Tilte pludselig:

– De er elefantpassere, det er det, der er mors og fars problem, de er elefantpassere uden at vide det.

Vi ved alle sammen, hvad hun mener. Hun mener, at mor og far inden i sig har noget, som er meget større end de er, og som de ikke har kontrol over, og for første gang kan vi børn se helt tydeligt, hvad det er: De vil vide, hvad Gud virkelig er, de vil møde Gud, det er derfor, det er så vigtigt, om man kan være sikker på, at han er i sakramenterne. Og det er ikke bare far, det er også mor, det er det, de først og fremmest lever for, det er den længsel, der giver sørgmodigheden omkring øjnene, og den længsel er stor som en elefant, og vi kan se, at den aldrig rigtig er blevet opfyldt.

Selvfølgelig lader vi mor og far være i fred resten af aftenen, vi er ikke lystmordere. Men vi har set noget, vi ikke kan glemme. Vi har set deres indre elefant i naturlig størrelse.

Det er sandsynligt, at mor og far altid har haft de elefanter, måske er de født med dem. Men indtil denne aften i køkkenet har der været lagt en slags låg på dem. På en eller anden måde har fars og Tiltes lille meningsudveksling fået låget til at gå af. Det betyder, at hvad vi og verden oplever ske i de følgende uger og måneder, det er, at elefanterne bryder igennem deres puppe og slår vingerne ud og begynder at flagre omkring, hvis du forstår et billede, der måske ikke er direkte efter biologibogen, men som nogenlunde dækker, hvad der faktisk sker.

Men da dette stykke af min fortid er smertefuldt og tæt besat med saftige og pinefulde detaljer, vil jeg gerne lade det ligge et øjeblik og vende tilbage til her og nu, hvor Tilte og jeg har forladt præstegården og opsøgt Leonora Ganefryd.

Leonora Ganefryd sidder på gulvet med korslagte ben, og selv om hun må kunne øjne Finø Alderdomshjem i horisonten – hun er mindst 50 – så må selv jeg, der ellers er kendt for min tilbageholdenhed med at kommentere kvinders udseende, selv jeg vil sige, at hun er en fest for øjet. Det er dels på grund af det med uniformen, hun har en rød, tibetansk nonnedragt på, dels fordi hun er solbrændt og skaldet og ligner Sigourney Weaver i *Alien 3*. Hun er ved at tale i telefon, hun vinker os nærmere, og Tilte og jeg sætter os, mens hun gør sin samtale færdig.

– Du går gennem Løveporten i Alhambra, siger Leonora i telefonen. – Du er splitternøgen. Og du har en rigtig fræk lyserød numse.

Telefonrøret ligger på bordet og er på medhør. Så vi kan høre, at damen i den anden ende af røret har en grov og vred stemme.

– Jeg har ikke en fræk numse. Jeg har en røv, der er stor som et reservehjul.

– Det er ikke størrelsen, det kommer an på, siger Leonora.

– Det er udtrykket. Jeg har klienter, der har rumpetter som traktordæk. Alligevel falder mænd omkuld i horder. Hvis man står ved det, så er et traktordæk et dødeligt våben.

Vi sidder i noget, der ser ud, som om det er bygget i Tibet i middelalderen, men det er arkitekttegnet og opført for mindre end et år siden, og det har kostet fem millioner bare for bygningen, som har jacuzzi og finsk badstue og ligger på toppen af den højeste klit ved Østerbjerg, med direkte udsigt ud over Mulighedernes Hav. Dette beskedne bygningsværk er Leonoras private kloster, og Leonora er, ud over alt det, hun ellers er, ledende retreatnonne i den buddhistiske menighed på Finø, som altså i disse år er nået helt op på 11 medlemmer, og lige nu sidder hun i treårsretreat. Det vil sige, at hun har aflagt løfte om at blive siddende i knaldhytten i tre år og ikke forlade Østerbjerg og leve af ris og grøntsager og meditere og ikke se nogen mennesker.

Tilte og jeg er kørt herud i Thorlacius-Drøberts Mercedes, hvilket nogle måske ville mene var biltyveri, men til dem, der mener det, hører Tilte og jeg ikke. Vi synes, det må kunne betragtes som et lån, for hvad skal Thorkild Thorlacius bruge bilen til nu, hvor han sidder i det nye arresthus, og desuden har en bil ikke godt af at stå for længe, uden at motoren og batteriet bliver motioneret.

Nu lægger Tilte det afrevne ark foran Leonora og peger på notatet.

– Det her er din skrift, Leonora.

Leonoras ansigtsudtryk skifter, der falder en skygge over hendes troskyldige glæde ved at se os.

– Det er ikke mig, siger hun. – Det er ikke min skrift.

Leonora Ganefryd er datalog og it-ekspert, i præstegården har vi så mange pc'er og mp3-afspillere og anlæg og mobiltelefoner, at vi lever i et permanent elektronisk sammenbrud, som vi kun overlever, fordi Leonora både er veninde af familien og vores it-doktor. Hun har lavet programmeringsarbejde for stort set alle på Finø, og da hun lavede risikovurderingsprogrammer for Finø Banks investeringsafdeling, der opererer på både Læsø, Anholt og Samsø, fik resten af landet øje på hende, mange har prøvet at headhunte hende, men hun sagde nej for at hellige sig det koncept, hun har udviklet sammen med Tilte, og som hun kalder *seksuel-kulturel coaching*.

Det begyndte i det små med, at hun gav almindelig telefonsex og arbejdede som havemand for folk for at kunne betale sine studier, og hun har altid sagt, at man skal specialisere sig for at få faglige udfordringer, som havemand specialiserede hun sig i kirkegårde, på et tidspunkt ledede hun vedligeholdelsen af alle tre kirkegårde på Finø, og i det ny med frensere specialiserede hun sig i de mennesker, der synes, der skal være godt med kultur omkring dem, for at de skal føle sig helt tilpas. Det var dér, hun begyndte at spørge Tilte og mig til råds, hun er ikke selv på samme måde som vi fra en kultiveret familie, så når hun for eksempel havde en kunde, som gerne ville forestille sig, at det foregik under Brunelleschis kuppel, så betalte hun Tilte og mig et symbolsk beløb for at gå på biblioteket eller på nettet og finde ud af, hvor i verden den kuppel er, og vi skaffede billeder og hjalp hende med at beskrive, hvordan rummet så ud.

Efterhånden som vores samarbejde udviklede sig og hendes kundekreds voksede, fik Tilte en idé. Det undrede Tilte, at mændene aldrig ville have deres koner med i de historier, Leonora skulle fortælle dem i telefonen, tit ville de have mange personer med, mænd og kvinder og grise og køer og høns, og det skulle foregå på hviskegalleriet i St. Paul's Cathedral eller i Uffizierne, men konerne var aldrig med, og da vi spurgte Leonora hvorfor, sagde hun, at det var for kedeligt. Så foreslog Tilte, at Leonora skulle snige konerne ind i historien og for eksempel sige, at »vi står på Markuspladsen, og nu giver jeg dig et rap bagi med flitsbuen, og nu rækker jeg den til din kone, og hun giver dig otte af de saftigste i den bare«.

Efter en del protester fulgte Leonora det råd, og efter visse begyndervanskeligheder blev det en enorm succes, og så var Tilte parat til næste skridt.

Næste skridt var, at hun sagde til Leonora, at hvorfor får mændene ikke deres egne koner til at give dem telefonsex, og Leonora glemte sin meditative ligevægt og begyndte at råbe op, hun var midt i sit første treårsretreat, og jeg var til stede, og hun skreg til Tilte, at hvad forestillede Tilte sig, det ville ødelægge hendes forretning, hvis konerne selv kunne finde ud af det. Men så sagde Tilte, at konerne ikke kunne finde ud af det uden Leonoras hjælp, hun skulle få mændene til at få deres koner til at ringe til Leonora, så hun kunne lære dem, hvordan man sagde noget frækt i telefonen. Igen var der startvanskeligheder, og igen blev det, hvad jeg vil kalde en mageløs succes. Nu er Leonora os

123

evig taknemmelig, især Tilte, og hun siger, at Tilte har hjulpet hende med at løse et historisk problem, som er, hvordan munke og nonner i de store verdensreligioner skal bære sig ad med at tjene til livets ophold. I gamle dage var de betalt af glade givere, eller de gik rundt med tiggerskålen, men på Finø er der sandsynligvis ingen, der ville betale for, at Leonora eller Anders fra Randers sidder i treårsretreat.

Så derfor tændes der altid lys i Leonoras øjne, når hun ser Tilte og mig, og derfor er der grund til at være meget opmærksom på den skygge, der falder over samværet, da hun ser sin egen skrift på papiret foran sig.

– Det er ikke min håndskrift, siger Leonora igen.

Vi siger ikke noget.

– Hvad vil I vide det for?

– Far og mor er forsvundet, siger Tilte.

Leonora har fortalt Tilte og mig, at Buddha skulle have sagt, at hvis man er spærret inde i den almindelige virkelighed og ikke har fundet døren og er sluppet ud, så er det ligegyldigt, hvor godt man tror man har det, for fortrædelighederne venter lige om hjørnet, og det er Leonora lige nu et fint eksempel på. Da vi kom, var hun i perlehumør med ris og bønner og mantraer og udsigten over Mulighedernes Hav, nu ligner hun noget, katten har slæbt ind.

Jeg sætter mig ved siden af hende og stryger hendes arm. Mennesker, der lever tre år på en diæt af ris og bønner, kan sandsynligvis let komme til at savne, at der er nogen, der rører ved dem, selv om de har kunnet glæde sig over nonneløfterne og jacuzzien. Og igen er det en del af Tiltes og min arbejdsfordeling, Tilte giver dem med den store flaskerenser, jeg stryger dem med fjerkosten.

– Jeg hjalp dem ind på et *site*, siger Leonora.

– Hvad for et?

Leonora siger ikke noget. Situationen er meget speciel. Leonora er, hvad jeg ikke ville tøve med at beskrive som en veninde

124

af familien. Alligevel vægrer hun sig. Og der er ikke tid til vægring. Vi må regne med, at vi om et øjeblik har Katinka og Lars efter os, og hverken Tilte eller jeg lader os narre af deres forelskelse, selv om den er dyb og måske peger i retning af ægte kærlighed og et politibryllup, så vil det ikke forhindre dem i at gøre deres tjenstlige pligt, som er at få Tilte og mig tilbage i tidsubegrænset forvaring og de blå bånd om benene. I den situation er vi, hvor ondt det end gør os, nødt til at hente nogle af de grovere maskiner frem af værktøjskassen.

– Leonora, siger jeg. – Vi betragter dig som en veninde af familien. Så for at beskytte dig vil jeg advare dig mod Tilte. Du kender hende fra den søde side. Den fantasifulde og hjælpsomme side. Men som hendes bror ved jeg, at hun også har en anden side. Som kommer op til overfladen, når hun bliver presset. Og hun er presset nu. Vi er nødt til at finde vores forældre. Tilte tænker især på mig. Jeg er jo kun 14, Leonora. Hvordan skal en dreng på 14 klare sig uden sin mor?

Leonora sender mig et vildt blik, og jeg mener, jeg ved, hvad hun overvejer. Hun overvejer at spørge Tilte og mig, om vi har brugt denne situation til at gennemtænke den mulighed, at med så uberegnelige forældre som vores var vi måske bedre tjent med at være forældreløse.

Det ville være usandt, hvis jeg ikke indrømmede, at den tanke har strejfet mig selv, nu og mange gange tidligere. Men lige nu føles det ikke som det rigtige øjeblik at gå ind i den diskussion.

– Noget, der hedder Bellerad Shipping, siger Leonora.

– Og hvad ville de derinde, spørger jeg.

Leonora siger ikke noget.

– Jeg er bange for, siger jeg, – at Tilte kunne blive presset helt derud, hvor hun meldte dig, Leonora. For at have hacket for mor og far. Og måske kunne hun endda synke så lavt som til at foreslå skattevæsnet at kaste et blik på måden, du ligner din lille hjemmeindustri på. Og helt ærligt, Leonora, jeg ville hade at se dig blive hentet af Bent Betjent og ført ud af dit retreat. Min far møder hvert år præsten ved Grenå Statsfængsel på Præstehøjskolens vinrejser til klosterkøkkenerne i Toscana. Han har fortalt vores far, at der er så meget larm i fængslerne, at man ikke kan høre sig selv bede aftenbønnen. Hvad så med meditationerne, Leonora?

– Jeg så det ikke.

Jeg stryger tålmodigt hendes arm.

– Leonora, siger jeg. – Du må ikke lyve for mindre børn.

– Det var korrespondance. Den lå i et kodet område, jeg måtte forbi to passwords. Og dokumenterne var krypteret. *TripleDES*, kompliceret tredobbelt kryptering i familie med den, bankerne bruger. Det tog mig to dage at finde algoritmen. Jeg måtte låne Finø Banks server. Den er den eneste på Finø, der er kraftig nok.

Tilte har stået med ryggen til henne ved vinduet. Nu vender hun sig.

– Hvad handlede det om?

– Det var mellem flere mennesker. De underskrev sig med forbogstaver, undtagen én. Poul Bellerad. Der var også noget med en forkortelse. Jeg slog navnet og forkortelsen op. Poul Bellerad er skibsreder, der er to sider om ham i Den blå Bog. Med alle de ordner, han har fået i udlandet. Og alle de bestyrelser han er medlem af. Forkortelsen var for en slags sprængstof. Jeres forældre planlægger måske et anlægsarbejde hjemme i haven, Finø ligger jo på grundfjeld, måske tænker de på en ny brønd.

– Ja, siger jeg. – Måske gør de.

– Der var også noget om skydevåben. Måske har jeres mor taget et lille job for Forsvaret. Hjælper dem med nogle tekniske forbedringer.

– Det er ikke usandsynligt, siger jeg.

Der bliver stille i det lille tempel. Vi er alle fire eftertænksomme og indadvendte. Det, vi er vendt ind imod, er følelsen af, at hvis der er noget, man nødig ville se i hænderne på to typer som vores mor og far, så er det våben og sprængstoffer.

Leonora peger på kuglepennen,

– Den mailadresse lå som et særskilt dokument, siger hun.

– Sammen med ordet *Brahmacarya*. Det er sanskrit. Det betyder »afholdenhed«, særlig i betydningen »seksuel afholdenhed«. Hvorfor mon det står i en skibsreders korrespondance?

– Det er jo noget, alle kan have glæde af, siger Tilte. – Også skibsredere.

Vi ser ud over havet. Man kan ane den sidste del af solnedgangen, ikke mere som en farve, bare som en sidste lysnen. Jeg forestiller mig situationen. Leonora siddende ved siden af mor og far i præstegården, foran skærmen. Tilte har engang sagt til mig, at den dybeste grund til, at Leonora sagde nej til rigdom og berømmelse, da de prøvede at headhunte hende, var, at hun er interesseret i, hvad der foregår dybt inde i mennesker. Og sex og krypteret digital information, det er to veje der fører ind mod det inderste.

Det hører til de helt dybe mysterier, hvordan søskende, der er vokset op på den samme måde, kan blive så forskellige. Som nu mig og Tilte og Basker.

Om mig er der mange af mine gode bekendte på Finø, som siger, at præstens Peter, han er så høflig og respektfuld, at hvis han ikke bliver professionel i Aston Villa, så kommer han til at åbne en flinkeskole.

En af de regler, jeg altid holder mig til, det er, at det er ufint at kigge i folks private gemmer, og det gælder også Leonoras tempel på klitten. Men den regel kender Tilte og Basker ikke. De stikker næsen i folks sager, uanset hvor de er. Når man har dem med på besøg hos fremmede, så går Tilte rundt, og mens hun konverserer og spørger hvordan folk har det, så åbner hun deres skuffer og kigger i deres kalendere og telefonlister og spørger dem, hvad de skal senere i dag, og hvem er den person, hvis nummer står her. Og mennesker finder sig i det, de sidder bare og lader Tilte vende vrangen ud på deres tilværelse og undersøge tøjmærkerne, måske fordi de kan mærke, at det normalt ikke er i direkte ond mening, men bare udtryk for en nysgerrighed, der er så stærk, at de ikke orker at sætte sig op mod den.

Også nu. Mens vi taler med Leonora, går Tilte rundt og åbner skufferne og tager ting frem og kigger på dem og lægger dem tilbage, og hun trækker et forhæng til side, og bag forhænget står en færdigpakket rejsetaske.

– Jeg troede ikke, man måtte forlade et retreat, siger Tilte.

– Hans Hellighed Dalai Lama kommer til København, siger Leonora. – Alle buddhister i Danmark møder op.

– Hvad mon Hans Hellighed skal i København, siger Tilte.

– Der er en stor konference. Et møde mellem alle de store verdensreligioner. For første gang nogensinde. Handler om religiøse erfaringer. For videnskabsmænd og religiøse ledere og praktiserende. Det hedder *Den store Synode.*

Hvis det havde været i præstegården, ville jeg have sagt, at der går en engel gennem stuen. Men Leonora er jo buddhist, Tiltes og mine religiøse studier på Finø By Bibliotek og på nettet har afsløret, at de himmelske væsner i buddhismen hedder *devaer*, så det teknisk korrekte udtryk ville måske være at sige, at der går en *deva* gennem stuen.

– Hvordan mon du klarer rejsen dertil? siger Tilte.

– Jeg bliver hentet af Laksmi, siger Leonora. – I rustvognen. Vi skal også hente lama Svend-Helge, Gitte Grisanthemum og Sindbad Al-Blablab.

Laksmi er egentlig Bermuda Svartbag Jansson, som er med i den hinduistiske ashram på Finønæs, og den ashram ledes som sagt af Gitte Grisanthemum, med det spirituelle navn Antamouna Ma, det betyder Stilhedens Moder. Gitte og hendes mand havde egentlig arvet en grisefarm, der lå i udkanten af Finø By, men den blev lukket af kommunen, selv på Finø, hvor vi ellers er hårdføre, er der grænser for, hvor kraftig en stinker vi vil bo ved siden af, og desuden larmede farmen som et løvebur ved fodringstid, måske var det derfor, Gitte blev omdøbt til noget med stilhed. Efter lukningen tog hun orlov fra Finø Bank og rejste til Indien i et par år, og da hun kom hjem, havde hun fået det ny navn og gik i hvidt tøj med en lille guldkrone, når hun ikke lige var på arbejde. Hun begyndte også at undervise i yoga og meditation og fik flere og flere elever, der også begyndte at gå i hvidt tøj og fik nye navne, og for et par år siden købte de Finønæs, og det er søde mennesker, der er vellidte og respekterede i lokalmiljøet, man skal bare lige vænne sig til det med navnene.

– Det er søndag, siger Tilte. – Der er ingen færge før på onsdag. Hvordan kommer I over til fastlandet?

– Vi bliver sejlet, siger Leonora. – Helt til København. På *Den hvide Dame af Finø.*

Jeg vil ikke sige, at Tilte og Basker og jeg tænker. Når man står foran en stor, men indviklet og ikke ufarlig mulighed, så kommer man ikke langt med at tænke. I stedet skal man mærke, og vi mærker alle tre indad, ind mod dér, hvor de store idéer kommer fra.

– Hvorfor *Den hvide Dame*, siger Tilte.

Den hvide Dame af Finø er et skib, der ikke er helt så højt som Finøfærgen, men til gengæld er det længere. Det er bygget på Grenå Værft til en arabisk oliesheik og hans harem, så det har 42 separate kahytter med vandhaner af guld og en pool og ude foran en gynækologisk klinik, og det er hvidt som flødeskum og proppet med mere elektronik end præstegården og tolv F16-fly tilsammen, og denne insiderviden har Tilte og Basker og jeg, fordi min mor blev tilkaldt syv gange for at hjælpe specialisterne fra værftet med at få stabilisatorerne til at fungere, og hun havde os med derud to af gangene.

– Kalle Kloak er en af sponsorerne for konferencen, siger Leonora.

Inde i Tilte, Basker og mig er der taget en stor beslutning, samtidig og uden at vi har udvekslet så meget som et blik. Det, vi har besluttet, er, at *Den hvide Dame* netop nu har fået tre passagerer til: Basker, Tilte og mig. Og det har den af to grunde. For det første er det en enestående mulighed for at slippe over på fastlandet. Men der er også noget andet. Selv om vi ikke direkte har nogen beviser, så er det usandsynligt, at mors og fars forsvinden ikke har noget med den konference at gøre, og blandingen af betydningsfulde og internationale personer, der også vil opleve Gud, og så vores far og mor og deres indre elefanter, det varsler en dyster cocktail, som vi må prøve at afmontere så hurtigt som muligt.

I dette øjeblik hører vi motorstøj, ser lys i natten, og op foran templet triller et køretøj, der ser ud, som om det er bygget til at tage sig af begravelser på månen.

Teknisk set er den bil, der nu holder foran Leonoras kloster, en rustvogn, det vil sige, den er sort og har store glasruder bagtil og plads til en kiste med blomster, og så har den nok atmosfære til, at Bermuda Svartbag Jansson kan køre langsomt bort, mens de efterladte står tilbage med følelsen af at bilen for så vidt godt kunne stige til himmels.

Den atmosfære er stærkere omkring denne bil end omkring andre rustvogne, for den er på hvide plader og er en firhjulstrækker og en halv meter højere end sine konkurrenter og halvanden meter længere, fordi den ud over pladsen til kisten har syv ekstra sæder, da Bermuda af og til kører skolebus og i øvrigt skal have plads til sine egne fire børn og i det hele taget skal kunne komme frem til hjemmefødsler i øens fjerneste egne gennem to meter høje snedriver, så kender man forholdene på Finø, undrer man sig ikke over bilen.

Hvad man derimod godt kan undre sig over er, at der netop nu står en hvid kiste i vognen.

– Det er Vibe fra Ribe, siger Bermuda. – Hun skal til København. For at blive velsignet. Af Da Sweet Love Ananda.

Basker snuser skeptisk til kisten.

– Er det ikke lang tid siden, hun døde, spørger Tilte.

– Ti dage. Men hun er på køl. Kisten har en transportabel køleanordning.

Da Sweet Love Ananda er Gitte Grisanthemums indiske guru. Jeg sender ham en medfølende tanke. Vibe fra Ribe har i mange år bestyret iskiosken på havnen og har alle dage været kendt for på varme dage, hvor hun risikerede at få udsolgt, at lave hule iskugler til børnene, for på denne diabolske måde at strække sit varelager. Må Gud være hendes sjæl nådig.

Så sætter vi os ind i bilen. Der er foreløbig ingen, der spørger, hvorfor vi skal med. Det er ikke for meget at sige, at Tilte og Basker og jeg på store dele af Finø betragtes som en slags maskotter, og den almindelige mening er den, at hvor vi er med, lykkes projekter og brikker falder på plads, og der breder sig en hjertelig og munter stemning.

Så trækker bilen ud fra parkeringspladsen, gennem marehalmen og ud på vejen. Jeg trykker Tilte i hånden og klapper Basker, vi har alle tre en følelse af, at vi, på trods af situationens alvor, er på vej i den rigtige retning.

Jeg synes, vi må udnytte den fredelige transporttid i en firhjulstrækker, der kører ud over Finøs Store Alhede, der dækker øens østlige del helt op til skoven, jeg føler vi må udnytte den tid til, at jeg giver dig endnu et par detaljer om, hvad min far og mor satte i bevægelse efter den aften i køkkenet, hvor Tilte havde spurgt om sakramenterne.

Den følgende søndag, som er den sjette søndag efter helligtrekongersdag, taler min far i Finø By Kirke om forklarelsen på bjerget.

Som jeg har fortalt dig, er det en tekst, der ikke er helt enkel for min far. Så længe han beskriver Jesus' og disciplenes tur op ad bjerget, går det glat, på den strækning lyder han som en blanding af en alpinguide og en spejderfører, men da han når frem til, at en sky sænker sig over ekspeditionen, og Gud taler fra skyen, så begynder han at sejle og lire af udenad, og man forstår ham godt, for det sted rejser en syndflod af spørgsmål, som hvis Gud kan tale til disciplene og Jesus, er han så en slags person, og hvordan ser den person ud, og hvad kan man gøre, hvis man gerne selv vil høre Gud tale, og hvordan kan Frelseren konversere afdøde profeter, og alle de spørgsmål har far så få svar på, at han ikke engang tør stille dem, og det ved han, og samtidig er han bange for at indrømme det, og samtidig ked af, at han er bange, og alt det gør, at han på dette sted begynder at lyde, som han har munden fyldt med grød, og nede i kirken sidder vi tre børn og Basker og krummer tæer og føler med ham og aner ikke vores levende råd.

Så sker der en lille katastrofe. Der sker det, at Finø By Kirke med ét slag bliver indhyllet i tåge, og det sker det øjeblik far læser, at Jesus bliver indhyllet i en sky.

Det er ikke uhørt, at kirken og for den sags skyld hele Finø By indhylles i tåge, det skyldes, at vi ligger midt i Mulighedernes Hav, samt noget med varme og kolde luftstrømme, som min bror Hans vil kunne gøre detaljeret og kedsommeligt rede for. Så det er helt igennem naturligt. Da far begynder at læse, er der strålende sol og blå himmel, som om Finø var Middelhavets perle, da han afslutter sætningen, er der tåget, som om kirken er pakket ind i bomuld, vi har set det før, og vi kommer til at se det igen, og så skulle den ikke være længere. Men nu sker der det, at da far når frem til det med, at fra skyen lød der en røst, i det øjeblik bliver den store klokke i kirketårnet slået an.

Også det har sin naturlige forklaring, som Tilte og mor og jeg får efter gudstjenesten, hvor vi går op i tårnet og finder en af tårnuglerne, der er fløjet direkte ind i klokken, og vi tror den er død, indtil mor tager den på skødet og stryger den over panden, og den slår øjnene op og stirrer forelsket på mor, så jeg begynder at svede under armene, men så sejrer den sunde fornuft, og uglen husker, den er en ugle og ikke en førsteelsker, og den springer op med et hyl og forsvinder op i tårnet.

Men det er desværre først bagefter. Dér, i kirken, er der ingen, der tænker på naturlige forklaringer, der virker det bare komplet overrumplende og lammende, at klokken bliver slået an på det sted.

Måske kunne situationen være normaliseret på dette tidspunkt, måske kunne vi bagefter have hevet far og mor ned til os andre. Men nu går det for alvor galt.

Jeg vil ikke udelukke, at der bag naturen og vejret er noget andet end naturkræfterne, men hvis der denne søndag er andet og mere på spil end meteorologien, så er det mørke og dæmoni-

133

ske kræfter, for da far er ved at afslutte prædikenen, sker der noget med tågen, der indtil da har ligget omkring kirken som nissevat over en juleudstilling. Pludselig kommer der et hul i vattet, og gennem det hul skinner middelhavssolen, netop sådan at den sender en stråle ind gennem den øverste del af kirkevinduet og ind på altertavlen.

Finø By Kirkes altertavle er fra forhistorisk tid og berømt som en filmstjerne, der er skrevet tykke bøger om den, og vognladninger af turister kommer for at se den, og den har et dobbelt opslag *full colour* i turistbrochuren.

For mig at se må den tavle været malet af en af forfædrene til dem, der har skrevet fædrelandssangene om Finø som en baby i Kattegats blå babylift, og den beviser, at totalt knald i låget ikke er noget, som ligesom bliver brugt op af ét slægtled. Selv om efterkommeren er digter og fuldstændig har mistet grebet om, hvad der er op og ned, kan forfaderen sagtens have været en maler, hvem skæbnen har givet en hjernepustning, der har gjort rent bord.

Tavlen forestiller selvfølgelig havet med fiskerbåde, og havet ligner slush-ice i Tivoli Friheden i Århus, og fiskerbådene ligner sejlende badekar. Men det, der fylder i billedet, er Frelseren, der sidder med en stakkel, han har drevet dæmoner ud af, og dæmonerne er ført over i svin, der ligner grizzlybjørne, og Frelseren ligner ikke en type, der kunne bare begynde at overveje at tage hul på noget af alt det, han efter sigende fik gennemført på kun tre år, han ser ud som om ethvert af svinene ville kunne tage ham i én mundfuld.

Men alligevel sker der noget med kirkegængerne, da solen rammer Frelserens ansigt, det er ikke for meget at sige, at folk er tryllebundne, og det er egentlig ikke på grund af solen, det er på grund af det udtryk, min far har fået i ansigtet, jeg vil kalde det et sigende udtryk, og det, det siger, det er, at hvad der her sker, er ikke tilfældigt, men på en måde under hans kontrol.

Vi børn kigger op på ham og prøver at fange hans blik, men

det lykkes ikke, og han begynder at gøre sig klar til at gå ned fra prædikestolen, og så indtræffer det værste. Det der sker, er, at der kommer et vindstød, der får presset døren til våbenhuset op og lige bagefter også døren til kirken.

Selvfølgelig er det, fordi dørene ikke lukker ordentligt, det har de aldrig gjort, og pludselige vindstød er ikke noget, vi bruger nogen som helst tid på på Finø, før de bliver kraftige nok til at blæse stråtage til himmels og pølsevognen i havnen, og dette vindstød hører ikke til den klasse. Men *timingen* giver det dets egen klasse, og det er det, min far ikke kan modstå fristelsen til at benytte sig af, da Bent Betjent og Rednings-John rejser sig for at lukke dørene, løfter far hænderne og siger: – Stands! Lad dem være åbne. Vi har besøg.

Han siger ikke, hvem vi har besøg af, men det er heller ikke nødvendigt, for alle i kirken ved, at det er Helligånden, og publikum er fuldstændig solgt.

Da gudstjenesten er forbi og vi går ud gennem våbenhuset og forbi det sted, hvor far står og hilser på folket, kan både Hans og Tilte og jeg se, at han har et nyt og aldrig før set udtryk i ansigtet, og vi ved, hvor det er fra, det er kopieret fra Frelseren på altertavlen.

Da vi passerer far, standser Tilte op.

– Det var tilfældigt, siger hun.

Far smiler til hende. For de omkringstående sognebørn virker smilet muligvis barmhjertigt, for os børn virker det hjernepustet.

– Forsynet arbejder gennem det tilfældige, siger far.

Vi kigger på ham. Og vi ser det alle tre. Den indre elefant er ved at svulme op som en heliumballon.

– Far, siger Tilte. – Du er en klam bondefanger!

Desværre er dette sidste gang i lang tid, at et tænkende menneske når frem til far, og faktisk når Tilte ikke frem til ham, for hans smil bliver bare endnu bredere og mere tilgivende.

– Skat, siger han til Tilte, – du ved ikke, hvad du siger.

Jeg vil bede om forståelse for, at vi et øjeblik vender tilbage til Bermuda Svartbag Janssons månefartøj, for nu svinger hun pludselig bilen ind til siden og standser motoren og slukker lygterne, og jeg siger dig: Der er mørkt omkring os.

Finø er et af de sidste steder i Danmark, hvor natten kan blive virkelig sort. For bag os er der langt til Finø By, og foran os er Nordhavn skjult bag de store skove, og husene imellem de to byer er få og spredte, og månen har gemt sig, hvad der måske er den klogeste politik netop denne nat.

Rundt omkring os kan man fornemme det *space*, der er specielt for Finø, intet sted på øen er der under 50 kilometer til nærmeste fastland, som er Sverige, der igen er en ødemark. Tilte og jeg har en teori om at der er særlig fordelagtige muligheder for at lede efter døren her på Finø, for tanker er en hindring, de holder en inde i fængslet, og her bliver tanker ligesom suget ud af ens hoved og ud i verdensrummet, et forhold som naturligvis må være hårdt og belastende for eksempelvis Alexander Bister Finkeblod og Kaj Molester Lander, som i forvejen kun har få tanker, og de, der er, er af dårlig kvalitet. Men for personer som Tilte og mig, der har hovederne så fyldte med kraftige idéer, at vi konstant må frygte et kraniebrud indefra, for os er tomheden og rummet på Finø vederkvægende, som salmedigteren skriver, og det var også, hvad jeg skrev i turistbrochuren, det var mig der forfattede afsnittet om »Finø by night«, på grund af min fortid mente Tilte og Dorada Rasmussen, at jeg havde mere erfaring end de fleste med at være sent oppe.

– Er der noget galt, spørger Bermuda.

Man kan ikke være bedemand og jordemor uden at have en forfinet evne til at tolke andre menneskers stemninger, og både Tilte og mig bærer tunge vægte på vores skuldre.

136

– Far og mor er forsvundet, siger jeg.

Bermuda har, hvad jeg ville kalde et direkte og kontant syn på tilværelsen, hvad der nok kommer af hele tiden skiftevis at hjælpe med at sætte børn i verden og putte de døde i jorden. Så det er uvant for os at se hende kæmpe med et eller andet som nu.

– Ejnar skulle have fløjet for dem, siger hun.

Bermuda er gift med Ejnar Tampeskælver, som har taget flycertifikat for selv at kunne flyve til Norge og Sverige og Island og knytte en tættere kontakt til de skandinaviske filialer af foreningen Asathor, og for at samle flyvetimer flyver Ejnar finøboer til og fra fastlandet, bare de betaler benzinen. Han har fløjet for vores mor og far masser af gange, og de er i øvrigt de bedste venner.

– De skulle have været til Billund, siger Bermuda. – Men pludselig ville de flyve et døgn før. Ejnar kunne ikke, han havde en træning. Men han talte bagefter med ham, der fløj. De blev sat af i Jonstrup.

Det sker, at folk fra Finø bliver fløjet til den nedlagte flyveplads uden for Jonstrup. Men det er ikke vejen til La Gomera. Hvis man skal fra Finø til De Kanariske Øer, flyver man til Billund Lufthavn og står af dér.

– Jeg tænkte, jeg skulle sige det, siger Bermuda. – I denne specielle situation.

Tilte klapper hende på armen. Hun og Bermuda har et nært forhold. Der er ikke meget, der kan bringe mennesker så tæt på hinanden som at hjælpes ad med at lægge lig i kister.

Bermuda vender sig, bilen starter, vi kører ind i den måneløse finøske nat, kendt fra min beskrivelse i turistbrochuren.

Det er ikke behageligt, men vi skal igennem det, det skal gøres, alle de store vismænd har sagt, at der ikke er nogen spirituelle fremskridt uden ubønhørlig ærlighed, så jeg vender tilbage til min mor og far og deres næste skridt på nedturen, det bliver taget under prædikenen den følgende søndag, altså allerede ugen efter

137

de meteorologiske katastrofer, og selv om det næste skridt ikke ser ud af meget, er det dybt.

Dagens tekst står i Apostlenes Gerninger, og i det øjeblik far fortæller om opstandelsen fra de døde, kommer der en hvid due flagrende ned fra loftet, tager et par runder omkring den model af teklipperen *Skumdelfinen af Finø*, som hænger under hvælvingerne, og som mor har bygget, og derefter tager fuglen retning mod orglet og mod min mor, og jeg mærker en rislen koldt ned ad ryggen ved tanken om, at den om lidt sidder på hendes skulder og gnider næbet mod hendes næse og begynder at kurre kælent, men det sker ikke, den dykker ganske vist ned cirka det sted, hvor hun sidder, men så er den forsvundet i den blå luft.

At duen således virker bedre begavet end både tårnuglen og flere af mine klassekammerater, er den eneste trøst i en situation, der nu fyldes med deprimerende detaljer. Den første er, at kirkegængerne, der den søndag sidder helt fremme på bænken, fordi de vil se, om det, der skete sidste søndag, var tilfældigt, eller om det indvarsler en ny epoke, de er lige ved at lette.

Min far ser ganske vist på duen, men ikke på nogen overrasket måde, overhovedet ikke, han ser på den, som om den due er lige præcis, hvor den skal være, og så går han videre, og effekten i kirkerummet er højspændt, mennesker er rystede. Stille og roligt gør han prædikenen færdig, og mor spiller, og der bliver sunget, og mennesker forlader kirken i chok, alle undtagen os børn, vi er ikke i chok, vi er i depression, og vi går ud ad kirkedøren og forbi far uden at se på ham, undtagen Tilte, hun ser på ham med et blik af den slags, der normalt ville sende et menneske på intensiv afdeling og derefter, med meget stor sandsynlighed, på kirkegården, men det bider ikke på far.

Den dag samles vi på Tiltes værelse, og Hans prøver som altid, om situationen kan reddes.

– På en måde er det smukt, siger han, – måske kan det hjælpe mennesker frem til en dybere tro.

– Hansemand, siger Tilte, – det er galt nok hver søndag at

fortælle mennesker, at Gud er til, og at der er en mening med tilværelsen, hvis man ikke selv er et hundrede procent sikker, hvilket man kun kan være, hvis man har oplevet det selv, og det har far ikke, det har han jo selv indrømmet, det er én ting, og galt nok i sig selv. Men at han og mor nu fremviser noget, en hvid due, og lader skinne igennem, at det er et mirakel, det er at fuske med menneskers tillid til Gud, og den, der gør det, graver sin egen grav.

Vi bruger ingen tid på at tale om, hvor duen kommer fra, det er ikke nødvendigt, for hvert halve år er det os børn, der pudser den store messinglysekrone i kirken, og anordningen til at hejse den ned med er stemmestyret og sidder sammen med ophænget oppe mellem kirkehvælvingen og taget, og dér kan man komme hen ad en krybebro, hvorpå der har været rigelig plads til at anbringe et fuglebur, som det vil have været et fingerknips for mor at konstruere, med en bund, der kan udløses med fjernbetjening, så duen det ene øjeblik har kunnet sidde fredeligt på sin pind og følge med i gudstjenesten og det næste, til sin egen overraskelse, har befundet sig i frit fald midt i kirkerummet.

Hvor duen er kommet fra allerførst, er der heller ingen grund til at gå ind på, vores familie har en tæt kontakt til Grenå Dyrehandel, som har bragt os i forbindelse med den kennel, hvor vi har købt Basker I, II og III, ligesom det er denne stilfulde forretning, der altid har solgt os friske foderdyr til Belladonna og Martin Luther og friske fisk til sandtigerhajerne.

Hans prøver at tage mor og far i forsvar en sidste gang.

– Hvad med dine ekstensions? siger han.

Når vi prøver at hjælpe Tilte frem til en bedre økonomi ved at gøre hende opmærksom på, at hun har brugt en stor del af de rystende summer, hun har tjent i Finøs Bedemandsforretning hos Bermuda Svartbag og i *Seksuel-kulturel Coaching* hos Leonora Ganefryd på at få lavet hår i Århus, når vi høfligt gør hende opmærksom på det, så har Tilte altid svaret, at det dybest set har et spirituelt sigte, hun hjælper Gud med at udbedre de små detaljer, han ikke fik afrundet ved Skabelsen. Så det, Hans mener, er, at er det så ikke i orden at hjælpe Gud frem til en lidt bedre gudstjeneste.

Men nu skifter Tilte gear, nu bliver hun alvorlig og farlig på en måde, så svagere typer end Hans og mig ville have søgt dækning.

– Det med om Gud findes, siger hun, – det er det vigtigste i et menneskes liv. Hvad enten man tror på noget eller ej, hvad enten man ved det eller ej, så leder alle efter meningen med deres eget liv, alle prøver at finde ud af, om der er noget uden for fængslet, noget der har fået verden til at blive til og se ud, som den gør, og vi vil alle sammen gerne finde ud af, hvad der sker, når vi dør, og om vi var noget sted, før vi blev født, så det sted inden i os alle sammen, det skal man ikke fuske med.

Efter den klamamse er det svært at komme igen. Derfor bliver vi siddende uden at sige noget, selv om flere af os ikke er enige, det er noget af det interessante ved os søskende, vi kan være så uenige, at vi er ret tæt på manddrab, men mens det står på, er der alligevel noget, som det ikke ville være for meget at kalde gensidig respekt og værdsættelse.

Til sidst siger Tilte noget.

– De graver deres egen grav, siger hun. – Og det er ikke med en håndskovl. Det er med en gravko.

Det bliver det sidste ord i denne omgang.

Vi er kørt ind på den præsentable landejendom, der huser Finøs største advokatfirma, og som også er hjemsted for den buddhistiske Sanga på Finø, og ind i bilen er steget lama Svend-Helge, der ligner en sværvægtsbokser, og det var nøjagtig det, han var, inden han studerede jura og tog til Tibet og blev lama, og som sagt er han en ven af familien og også mors og fars advokat, alligevel hilser han ikke på os, og det er tydeligt hvorfor, det er Bermudas tilstedeværelse, der trykker ham, og om lidt vil det blive klart for dig hvorfor.

Vi nærmer os nu beboede egne, og da vi svinger ud på Finønæs, kan man ane lysene fra Nordhavn i horisonten, vi standser foran Gyllegård, der altså nu hedder Finø Puri Ashram, og ud kommer Gitte Grisanthemum og to af hendes kvindelige elever, alle tre klædt i hvidt.

Gitte nikker til Tilte og mig, men ikke til lama Svend-Helge, hvorpå hun og hendes veninder sætter sig ind, og så kører vi i nattemørket gennem forstæderne og ind i Nordhavn og standser foran Bulleblufhus, som er en karré af huse i byens centrum, hvor den islamiske moské ligger, og ud kommer stormuftien Sindbad Al-Blablab.

Sindbad er i virkeligheden ikke stormufti, han er bare imam. Men han har fuldskæg og et blik, der sikrede, at han blev castet som Long John Silver i Finø By Amatørteaters opsætning af *Skatteøen*, og den rolle tog han imod, hvad der har gjort ham vellidt på Finø.

Det har yderligere forstærket hans popularitet, at han er blevet gift med Ingeborg Blåballe fra Blåballegård, som er konverteret til islam og har iført sig burka og har overtalt sin veninde Anne Sofie Mikkelsen til at gøre det samme, hvad alle mener er et fremskridt for Finø. Rent personligt mener jeg, at burka kan være klædeligt, og jeg så gerne flere personer gå den vej, for eksempel Kaj Molester Lander, og i hans tilfælde behøver der ikke at være hul til øjnene.

Men selv om Sindbad er den joviale type, så sker der noget med ham, da han ser Svend-Helge og Gitte Grisanthemum, han værdiger dem ikke et blik, heller ikke Tilte og mig, selv om det er os, der sammen med Bermuda må bakse med hans rullekufferter, og der er så mange, at vi må stable dem omkring kisten, vi går ud fra, at det er o.k. med Vibe fra Ribe, ganske vist fandt hun sig ikke i noget, da hun levede, men som forholdene er nu, venter vi ikke protester fra den kant.

Tilte og jeg har en spirituel øvelse, som vi har fundet i vores studier af *advaita vedanta* på Finø By Bibliotek. *Advaita vedanta* er den højeste del af hinduismen, dens førstehold og svar på Finø Boldklubs AllStars, hvis du forstår, hvad jeg mener. Øvelsen går ud på, at man spørger sig selv om, hvem man egentlig er. Og når man så får et svar af sig selv, for eksempel at jeg er Peter Finø, én femoghalvtreds høj, 47 kilo, størrelse 39 i fodboldstøvler, så kigger man på det svar og spørger sig selv, om det rummer ens inderste væsen, og hvis det ikke gør det, så spørger man længere indad, efterhånden ikke med ord, men som en lytten, og uden at have forventninger om, hvad man vil møde, når man når helt ind, og forberedt på det værste.

Tilte og jeg leger tit den leg, når vi arbejder sammen, det er en stiltiende overenskomst, ingen kan se det på os. Heller ikke nu. Mens vi stille og roligt stabler Sindbads rullekufferter, spørger vi os selv om, hvem det egentlig er, der stabler, og da vi er færdige, tager vi en pause, det er en del af øvelsen og skulle være kraftigt anbefalet af Ramana Maharshi, der ifølge den almindelige mening på Finø skulle være en spirituel supersværvægter, netop når man står og puster ud og hviler på laurbærrene, skulle den normale virkelighed være meget tynd og døren lige i nærheden.

Så der står Tilte og jeg med sved på panden og ryggen til Bermudas rumfartøj og mærker indad og ser tværs over Nordhavn

Torv. På den anden side af torvet ligger storspilleren på verdens førende børser, pengeinstituttet Finø Bank.

Vi får idéen samtidig. Det er, som jeg har sagt, helt almindeligt, at når man begynder på den store spirituelle rejse indad, så støder man ret ofte på en idé. Det, man ideelt set skal gøre, er at slippe idéen og undersøge, hvor den kom fra. Men denne idé er så god og situationen desværre, det må vi indrømme, noget presset, så jeg stikker hovedet ind i bilen.

– Gitte, siger jeg. – Vi lovede mor og far at betale noget, de skyldte.

– Det er bokslejen, siger Gitte. – Deres bankboks. Men det er søndag.

Gitte er en bestemt dame. Når man tænker på, at hun bestyrer Finø Bank og kører en ashram og har en mand og tre sønner, der er på håndboldafdelingens førstehold i Finø Boldklub, hvor de spiller og opfører sig og ser ud som neandertalere, så er det måske endda ikke dækkende at sige, at hun er bestemt. Jeg vil sige, at Gitte er en dame, hvor der, hvis hun som nu ikke vil flytte sig, fordi det er søndag, er der brug for en kran.

Kranen kommer nu, for Tilte stikker hovedet ind gennem vinduet.

– Gitte, siger Tilte, – der er to ting i verden, som jeg troede aldrig var lukket ned. Den ene er den kosmiske medfølelse. Og den anden er Finø Banks omsorg for kunderne.

Bankens dør er lukket med to nøgler, og desuden må Gitte slå alarmen fra, banken er selvfølgelig tilsluttet Finø Vagtværn, det er beroligende, i tilfælde af røveri kan kunder og personale tage det roligt, Rednings-John vil være her efter højst tre kvarter med de neonfarvede sikkerhedsstøvler og Grev Dracula.

Kundernes bankbokse er anbragt i en særlig boks, der er stor som en hospitalselevator, og dens dør åbner lydløst som på en luftpude. Gitte har ikke tændt lys, måske for ikke at gøre nabo- erne urolige, i modsætning til os fra Finø By har indbyggerne i Nordhavn ry for at være lette at skræmme, men her er rigeligt lys fra gadelamperne udenfor.

Man kan åbenbart leje bankbokse i forskellig størrelse, der er nogle, der ville være store nok til svigermor, og andre hvor forlo- velsesringene i en tændstikæske akkurat ville kunne få plads. Den, Gitte nu åbner, er på størrelse med en billedbibel, jeg stikker hånden ind og finder noget, der er smalt og hårdt og pakket ind i en plasticpose med hvide gummibånd om.

Udenfor er der medmennesker, der venter os med længsel. Alligevel bliver Gitte stående, der er noget, hun vil sige.

– Har jeres mor og far det godt på La Gomera?

– Pragtfuldt, siger jeg. – Sol på maven, iskolde *margaritas* og bare tæer i strandkanten.

– Det må være dejligt. At komme væk. Der er jo meget om ørerne til daglig. Også for jeres forældre.

Vi har kendt Gitte Grisanthemum hele vores liv, men vi har ikke før set hende på den måde. Øjeblikket er stilfærdigt. Men man skal ikke undervurdere det stilfærdige.

– Banken, siger hun. – Ashramen. Familien. Det er ikke nemt.

Gitte Grisanthemums tre drenge scorer mål, som de trækker vejret. Men ned over dem alle tre regner udvisninger og advarsler som konfetti, de spiller som om de deltog i væbnet kamp, og jeg har aldrig helt forstået hvorfor, når de nu er opvokset med yoga og tarmskylninger og billeder af guder med elefantsnabel. Men lige nu er noget ved at blive synligt, som jeg ikke før har set, og det, der toner frem, det er elefanten inde i Gitte. Og jeg får den tanke, at måske kan den ene elefantpasser kende den anden, måske har Gitte set noget hos vores mor og far, som hun genkender.

Hun vil sige noget mere, men noget holder hende tilbage. Hun skubber boksdøren i.

Vi kører sydpå, ud af Nordhavn og op over Nordsandet, som er en gigantisk tilgroet klit, og med så høje skrænter ned mod vandet, at man ikke skulle tro, vi var i Danmark, og det er vi på en måde heller ikke, vi er på Finø.

Jeg ved ikke, om du har prøvet at sidde i en bil med religiøse overhoveder fra forskellige religioner, det er ikke sandsynligt, du har, for normalt vil sådanne strålende personligheder gå langt for at undgå hinanden, og jeg vil fortælle dig, at det er ikke en erfaring, man har lyst til at skrive hjem om. Sindbad og Gitte Grisanthemum og Svend-Helge og deres følge har indtil nu ikke vekslet ét ord med hinanden, jeg vil sige, at hver af dem ser ud, som om de andre ikke eksisterer, og det er ikke en holdning, der er gavnlig for atmosfæren i Bermudas bil.

Det bliver Tilte, der får en idé til noget, der kan opbløde den dystre stemning. På det sted, hvor vejen går helt ude på kanten af skrænten, og hvor der er et lodret fald på 50 meter på vores højre side og vi kan se bølgerne på stranden dybt under os, på det sted læner Tilte sig over mod Bermuda og griber fat i rattet og drejer det mod højre, så rustvognen tager retning mod autoværnet og bag det det tomme rum.

Autoværnet er så lavt, at det ser ud som om det er her for sjovs skyld, og vi er henne at strejfe det, da Tilte rykker i rattet igen, og bilen er tilbage på kørebanen.

I Tiltes og mine sammenlignende religionsvidenskabelige studier på Finø By Bibliotek og på nettet har vi kunnet glæde os over, hvor enige de store spirituelle personligheder altid har været om, at det at gøre sig klart, at man skal dø, er noget, der på et dybere plan skulle være rigtig godt for livsglæden og optimismen.

I hvert fald er det helt sikkert, at det virker nu, for efter Tiltes lille påfund er stemningen ikke mere som før.

Bermuda holder ind til siden og slukker motoren, og ansigterne i bilen er så blege, at de lyser i mørket.

Jeg ved ikke, om du kender udtrykket »gravens stilhed«. Det er et fænomen, som Tilte og jeg kender ret godt. Fra en periode, hvor Tilte havde lånt en ligkiste af Bermuda Svartbag Jansson, der får dem fra Anholt Ligkistefabrik, som har 12 forskellige modeller, alle pulverlakerede og med en meget smuk finish, og Tilte havde lånt en hvid model, som Hans og jeg hjalp hende med at bære op på hendes værelse, den var ret tung. Vi stillede den i hendes *walk in-closet*, det er den bagerste del af hendes værelse, hvor hun har opstillet tøjstativer, som mor har lavet. Det, der var Tiltes plan, som hun også satte i værk, var, at når hun havde veninder med hjem og de havde prøvet tøj og lagt ansigtsmasker og drukket te på Tiltes altan og set et afsnit af *Sex and The City*, så inviterede hun dem med ind bagerst i værelset og fik dem til at lægge sig i kisten og prøve at mærke, hvordan det føltes at være død, og hun lagde så låget på.

Tilte var meget tilfreds med projektet, hun sagde, at hun fik en dyb kontakt med sine veninder. Med udtrykket »dyb kontakt« mener Tilte det, der skete, når veninderne havde ligget i kisten og lyttet til gravens stilhed og hun bagefter fulgte dem hjem og snakkede med dem om, at selv om de var 14 eller 15 nu, så var de, i en lidt større sammenhæng, døde om et øjeblik, efter sådan en tur kom der, sagde Tilte, når hun satte dem af ved havelågen, ofte en dyb kontakt.

Desværre blev Tilte efter ret kort tid presset til at aflevere kisten, for der var mange af hendes veninder, og også drengevenner, der efter sådan en dybere kontakt var nødt til at sove i deres fars og mors seng i en fjorten dages tid og ikke kom i skole en uge, hvorefter forældrene talte med vores far og mor, og far måtte tage en af de samtaler med Tilte, som han kommer ud fra med store skjolder af sved under armene og et udtryk i ansigtet, som om det er ham, der har ligget i kisten, og desuden kom der en sidste og afgørende episode med Kaj Molester, som jeg vender tilbage til, og derefter blev Tilte nødt til at aflevere kisten.

Men inden da havde både Hans og jeg prøvet at ligge i den, Hans' ben stak udenfor, men jeg fik låget på og lå i mørket og fulgte Tiltes instruktion, hun havde forklaret mig, at jeg skulle forestille mig, at jeg var død og ormene spiste mig, og hun havde læst sig til, at ormene rent teknisk hed flæskeklannere, og hun havde forklaret, hvordan de så ud. Og jeg vil sige: I den kiste var der stille, og dér forstod jeg det med gravens stilhed, så det er derfor, jeg kan kende den, da den nu indfinder sig i Bermudas bæltekøretøj.

Så tager Tilte ordet.

– Peter er kun 14, siger hun, – men han har både stofmisbrug og omsorgssvigt bag sig. Han har en sprød personlighed, den knækker for et godt ord. Og lige nu føler han sig presset over stemningen. Så han og jeg vil spørge jer, om I ikke i det mindste vil hilse på hinanden, for så er der måske en chance for, at Peter ikke får en psykose undervejs, og der vil også være forhåbninger om, at vi når frem levende.

De andre er endnu ikke helt sig selv, men nu ser de i det mindste på hinanden og mumler noget, der med kraftig elektrisk forstærkning og god vilje godt kunne tydes som et pænt goddag.

Det er naturligvis ikke endnu et udtryk for, hvad man kunne kalde spontan og fra hjertet fremstrømmende venlighed, det er nok i nogen grad et udtryk for, at de er så bange for Tilte, at de er ved at tisse i bukserne. Men det er alligevel et første skridt.

Tilte har anstrengt sig og leveret varen, andet kan man ikke sige, så jeg lader hende falde tilbage på midtbanen og tager selv over.

147

– Der er endnu en ting, siger jeg, – vores far og mor er forsvundet og eftersøgt. Vi vil gerne finde dem inden politiet. Vi har brug for at komme med *Den hvide Dame* til København. Vi får brug for jeres støtte. I kender Kalle Kloak. Ingen, der kan risikere at koste ham så meget som en femkrone, bliver lukket ind, før deres retmæssige ærinde og identitet er blevet kontrolleret tre generationer tilbage. Ville der være nogen mulighed for, at vi kunne sige vi var med jer?

Ansigterne foran mig er lukkede.

– Hvis jeres forældre er eftersøgt, siger Svend-Helge, – og I er stukket af, så ville vi jo medvirke til noget kriminelt.

Der bliver stille i bilen, den eneste lyd er bølgerne mod kysten. Så siger Sindbad noget.

– Jeg har lagt mærke til jer, siger han, – da vi spillede *Skatteøen* og min kone fandt en snog i sin paryk. Da hun stod på scenen foran 400 mennesker. Jeg kan også huske, da du, Peter, stillede op til Mr. Finø. Og jeg tænkte på dig, da De forenede Danske Forsikringsselskaber sendte to privatdetektiver og en taksator herover, fordi der blev knust så mange ruder og stjålet så meget tørret ising i haverne.

Der er stille igen. Det bliver mig, der bryder stilheden. Ikke for at få deres hjælp, det har jeg opgivet. Men for at forklare noget.

– Det er egentlig ikke mest for vores skyld, siger jeg. – Vi børn skal nok klare os. Det værste er mor og far.

Jeg leder efter ord, der kan beskrive, hvordan mor og far er. Er de fortabte eller ligesom børn, eller er de faret vild, eller er de sådan set på ret kurs, men på en forkert måde, jeg finder ikke ordene.

– Det er ikke først og fremmest, fordi de skal komme tilbage og tage sig af os, siger jeg. – Tilte og jeg skal nok klare os, vi er dybt inspireret af tiggermunkene og barfodskarmelitterne, vi kan låne en orange dragt af Leonora og drage ud med tiggerskålen på Finøs landeveje.

Om jeg kan stå fuldstændig inde for denne erklæring, og om

jeg har Tilte og Basker med på det med tiggerskålen, det er jeg ikke helt sikker på. Men nogle gange må man rykke mod målet, selv om der ikke er medspillere i synsfeltet.

– Sagen er den, siger jeg, – som måske vil forbavse jer, der kender mor og far, sagen er, at vi elsker dem. Det er kærlighed.

Der sker et eller andet med ansigterne foran mig. Medfølelse er et voldsomt ord, specielt i en forsamling som den, jeg har foran mig. Men at der er sket en opblødning, er ikke for stærkt at sige.

– Der er et skriftsted, siger Sindbad. – I Koranen. Der står, at de små djævle tit er de værste. Men også dem, der har brug for den største barmhjertighed.

Nu, hvor stemningen er i hvert fald let tonet af forståelse for Tiltes og Baskers og min situation, og hvor Bermudas rustvogn pløjer sig videre gennem den skæbnesvangre finøske nat, som jeg kaldte den i turistbrochuren, vil jeg afslutte referatet af begivenhederne omkring min mors og fars første forsvinden.

De første måneder går mine forældre frem med en vis forsigtighed. Det kan være en susen af blæst lige på det rigtige sted i gudstjenesten, når far for eksempel taler om, at englene et eller andet sted i Johannesåbenbaringen lægger an til at blæse i basuner, og selv om der uden for kirken ikke er en vind, der rører sig. Eller det kan være et par orgelpiber, der begynder at hviske, lige da far læser, at »I skal råbe fra tagene, hvad der bliver hvisket jer i ørerne«, selv om mor ikke sidder bag orglet, men nede i kirken. Eller det kan være en begravelse, da far afslutter jordpåkastelsen og siger »af jord skal du atter genopstå«, så stiger der en lille smule hvid damp op fra graven, kun ganske lidt, nærmest som en fin røg, der er væk lige så hurtigt som den er kommet, men som alligevel er ved at vælte de efterladte. Og der er ingen, der får mistanke, det hele er så elegant gjort, der er ingen samlinger, og man mærker, at mor har været der med afretterhøvlen.

Dér, hvor vi kommer nærmest på at tage dem på fersk gerning, er, da Finø By Kirke får nyt tag i maj måned. Blytækkerne er kommet et lille hold og støber blypladerne uden for kirken, de har en bakke med sand, som de holder på skrå, og hælder flydende bly over, den størkner på stedet. Mens de er i gang, ser vi ved én lejlighed mor tale med dem, og da hun får øje på os, sender hun os et blik, der helt mangler den betingelsesløse kærlighed, med hvilken en mor altid bør se på sine børn, og selv om vi vender ryggen til og lader som ingenting, har vi set, at hun har givet blytækkerne et eller andet, hvis anvendelse hun nu er ved at

150

instruere dem i. Så da der to søndage senere sker det, at far fra prædikestolen igen har fat i Johannes' Åbenbaring, og denne gang er det noget med, at en by styrter sammen, og i samme øjeblik ryger en blyplade fra taget med et ordentligt rabalder, og da det samme gentager sig et minut senere, så beslutter Tilte og Hans og jeg os til, at vi på ubestemt tid ikke vil tale til vores forældre.

At vi ikke vil det, har desværre ingen effekt, mor og far opdager det ikke. Da vi går ind i maj måned, er kirken helt fyldt om søndagen, hvad der i første omgang ikke er alarmerende, min far og mor tilsammen har altid kunnet trække tilskuere. Men i slutningen af maj står folk i kø ude på kirkegården, og folk begynder at strømme til gudstjenesten fra først Anholt og Læsø, men derefter også fra Grenå.

Folk fra fastlandet har altid gerne ville giftes på Finø, især københavnere. Måske har det noget at gøre med, at det ikke er så nemt at stå på Blågårds Plads eller i Virum og love hinanden, at man bliver sammen for evigt, når alt, hvad man kan få øje på, når man ser sig omkring, er beviser for, at man skal være mere end snydeheldig, hvis de ting, mennesker lover hinanden, holder til på næste onsdag. Der er det lettere på Finø, hvor man er omgivet af bindingsværkshuse fra 1700-tallet og Finø Kloster fra middelalderen og horder af storkepar, og hvor man kan se i turistbrochuren, at Finøs urnatur ligger hen, som den altid har gjort, med morbærtræer og isbjørne og Hans i folkedragt og Dorada Rasmussens spraglede papegøje. Så menighedsrådet har for længst måttet oprette en venteliste for ikke at få fire bryllupper om ugen. Men nu begynder ventelisten at svulme faretruende, og der begynder at komme ansøgninger fra hele landet og fra kommende og nybagte forældre, der vil have deres børn døbt i kirken, og fra pårørende til folk, der er døde, som vil høre, om den afdøde kan blive begravet på Finø, selv om manden aldrig har sat sine ben på øen, mens han levede. Der kommer også et formfuldendt brev fra en ældre dame, som vi børn læser, fordi vi på det tidspunkt er blevet så urolige, at vi af og til tillader os at åbne fars og mors post. Damen spørger, om hun kan blive kremeret på Finø og bagefter få sin aske trillet til mejsekugler, der skal velsignes af far og derefter gives som foder til de Finøpapegøjer, som hun har hørt øen vælter med, således at hun bagefter kan være sikker på at blive skidt ud over hele den naturskønne ø, hvor hun har hørt, at Helligånden har taget bolig.

Det brev ville have advaret langt de fleste mennesker om, at man, ud over at tale til de helt almindeligt naive og godtroende, nu er ved at træde i kontakt med de rigtige *weirdos*, men mor og far ænser det ikke, de lever på det her tidspunkt i et ret smalt udsnit af virkeligheden.

I begyndelsen af juni bliver der kaldt på dem fra fastlandet. Det, der kalder, er i første omgang frikirkemenigheder, som altid leder efter præster, der kan tale i tunger eller bære jernbyrd eller gå på vandet, eller som på anden måde har noget af det dér ekstra, som folkekirken savner. Men snart er det også større virksomheder, som gerne vil høre noget om kristendom og etik og penge og gerne med en kombination af et foredrag og en gudstjeneste af den slags, de har hørt at far holder, og i juli tager mor og far af sted på deres første turné, og man kan måske sige, at hvor de indtil nu har soppet i strandkanten, så lægger de nu an til at gå i vandet med alt tøjet på.

Der er ingen i menighedsrådet og ingen uden for, der direkte siger, at de mener, at det, der er sket, er, at Helligånden er steget ned i far og mor og Finø By Kirke. Men det er det, der ligger i luften. Derfor bliver der uden problemer arrangeret noget så ekstremt og uhørt, som at der kommer en præstevikar fra Århus og en organistafløser fra Viborg, og at oldemoder kommer og passer os, mens far og mor drager på en måneds turné midt i Finøs sommersæson.

Ikke alene er der ingen problemer, der hviler en lys og let stemning over de kirkelige kredse på Finø ved tanken om, hvordan den endnu en gang og på en ny måde er ved at bekræfte sin naturlige plads på verdenskortet.

Far og mor er selvfølgelig også i den stemning, mens de pakker den ny stationcar, de har købt, og det køb er det første, men ikke det sidste tegn på, at ud over, hvad det her ellers handler om, så handler det desværre også om penge, og så har mor og far vinket farvel, og færgen er sejlet, og de er væk.

Den lyse og lette stemning over øen har ikke fat i os tre børn og Basker og oldemor, tværtimod, vi er tynget af dystre og rugende forudanelser.

De forudanelser bliver tungere, efterhånden som ugerne går og rygter og enkelte avisartikler når frem til Finø og fortæller, at publikum og frikirkemenighederne og de store erhvervsvirksomheder falder som billardkegler på grund af den helt specielle stemning, der bliver, når far prædiker, rygterne siger, at man ligefrem kan føle det guddommelige komme til stede i sakramenterne som en form for vibration, og da vi læser det, ser vi på hinanden.

Ganske vist har døren til mors og fars arbejdsværelser været lukket den sidste måned, men alligevel har vi fået et glimt af det rejsealter, mor har bygget, og vi børn husker, hvordan hun for nogle år siden byggede en forhøjning med en plade, man kunne stå på, når man havde stået på skøjter på Finø Iglesø, og som vibrerede op gennem hele kroppen på en behagelig måde, som vi glædede os over uden at ane, at det skulle vise sig at blive en byggesten til et svindelnummer.

Mindst én gang om ugen sender mor og far et postkort, hvis tekst altid er en variation over temaet »Det går ufattelig godt«, og som er vedlagt en check og en opfordring til, at vi skal gå ned på Svumpuklens gourmetrestaurant og spise en seksretters menu, og hver gang læser vi kortet og lægger checken ned til husholdningspengene, og den eneste, der siger noget, er Tilte, og kun én gang, hvor hun giver checken et dask med den knyttede hånd og siger: »Blodpenge!«

Da mor og far kommer hjem, er de trallende glade og strør om sig med gaver, som vi ikke tager imod, fodboldstøvler og ægte hår til ekstensions og et kamera, der kan monteres på stjernekikkerten, og to uger efter tager de af sted igen, og vikariatet i Finø By Kirke er forlænget, og oldemor er tilbage.

Denne gang tager de ikke af sted i stationcaren. De tager af sted i en ni personers bus, som har sort film for ruderne, og som de pakker i ly af nattens mørke, efter at mor har arbejdet i værkstedet syv døgn i træk for lukkede døre, og da de tager af sted, frygter vi det værste.

At vi er på det helt rigtige spor ved at frygte det værste, det får vi en fornemmelse af, da vi i Finø Folkeblad får øje på en stor annonce, som det viser sig far og mor har indrykket i alle de store aviser, hvor de tilbyder finansiel rådgivning, og hvoraf vi slutter, at de, som aldrig selv har kunnet få deres penge til at slå til, er begyndt at fortælle folk, hvordan de skal bruge deres opsparing.

Stemningen blandt os børn når et depressivt lavpunkt, da Finø Folkeblad citerer en artikel fra Børsen, der begejstret fortæller om en gudstjeneste med foredrag om kristendom og penge efterfulgt af direkte finansiel vejledning, som mor og far har holdt i Sammenslutningen af Danske Storbanker, og mødet har fundet sted på et gods ved Fakse, og journalisten skriver, at under gudstjenesten samledes de vilde dyr foran ejendommen, hjorte og grævling og pindsvin og flokke af fugle, og under den finansielle rådgivning kom der ejendommelige lysmønstre og tåger til stede i rummet.

Hvordan mor og far har grebet det med dyrene an rent teknisk, finder vi ikke ud af, men man må huske, at vores familie har zoologisk erfaring fra Belladonnas tid, foruden at vi har holdt fugleedderkopper og hajer og høns og foderkaniner i præstegårdshaven. Men hvad der er helt klart, det er, at mor og far er trådt over stregen og har bevæget sig ind på de egentlige mirakler.

De kommer hjem den følgende uge, og de kommer ikke i den bus, de forlod os i, for den har de hyret en chauffør til at bringe over den følgende uge, de kommer i en Maserati, og da de triller i land fra færgen, er rygtet rejst foran dem, så der står mennesker hele vejen fra havnen til Store Torv.

Jeg ved ikke, om du nogensinde har set en Maserati, så for det tilfældes skyld, at du ikke har, så kan jeg fortælle, at det er en bil for mennesker, der af natur af blottere, men som samtidig gerne vil vise, at de er for beskedne til at hive frakken til side. Det er kort sagt et køretøj, der er ved at eksplodere indefra af alt det, der ikke bliver vist frem. Da det holder foran præstegården og mor stiger ud, ser de forsamlede folkemasser, hvoriblandt Hans og Tilte og Basker og jeg desværre også befinder os, at hun er iklædt en minkpels, der når ned til jorden og får alle til at snappe efter vejret, undtagen de 800 mink der er gået til pelsen, og som for længst har snappet efter vejret for sidste gang.

Derefter kommer der 14 dage, hvor vi overvejer, om der skulle findes en kristelig og medfølende måde at råbe mor og far op på, skulle man for eksempel prøve at slå dem i hovedet med en jernstang og køre dem til akutmodtagelsen på Finø Sygehus' psykiatriske afdeling og prøve at få dem lagt i spændetrøje?

Desværre når vi ikke at bestemme os, før de tager af sted igen og vi børn ånder lettet op, fordi presset fra dem af vores kammerater, der håber at få far til at køre dem en tur i Maseratien med 200 i svingene, og 260 på langsiden ud mod flyvepladsen, eller som håber at få et glimt af min mor nøgen i minkpelsen, det pres aftager.

Den store hammer falder en uge senere, og den falder på den måde, at Tilte og jeg kommer hjem fra skole og finder vores storebror, som burde være på sin plads på Grenå Kostgymnasium bøjet over sin blækregning, siddende i sofaen ved siden af Bodil Flodhest, som er flankeret af tre andre personer af ildevarslende fremtoning, som viser sig at være professor Thorkild Thorlacius-Drøbert med hustru samt biskop over Grenå Stift, Anaflabia Borderrud.

Jeg har før nævnt, at jeg i min tidlige ungdom, altså fra fem til tolv år, enkelte gange er blevet presset og lokket til at deltage i tyveri af frugt og muligvis også en enkelt gang af pighvar fra et hyttefad, men at det er noget, der hører fortiden til. Alligevel har jeg måttet leve en stor del af mit liv som offer for uberettigede mistanker, hvad der har medført, at vi i præstegården en række gange har haft pludseligt fremmøde af udefrakommende personer, som har krævet en hurtig rettergang og en ekspedit henrettelse.

Alligevel vil jeg sige, at stemningen omkring Bodil og hendes *hit squad* er mere ildevarslende.

– Der går et stykke tid, før jeres forældre kommer hjem, siger hun. – Vi har fået plads til jer et par uger på Grenå Børnehjem.

Tilte og jeg har det standpunkt, at det, man har brug for, når man står i en situation, som det er svært eller umuligt at charme eller snakke sig ud af, det er lidt god karma.

Den viser sig nu helt overraskende at komme i skikkelse af oldemor, for pludselig står hun i døren, og da hun nu henvender sig til Bodil, er det med en tone, jeg ikke har hørt før, blid og indsmigrende, som man kunne forestille sig en nonne ville rette en hviskende henvendelse til abbedissen under højmessen med det formål at låne en halvtredser, og den ydmyghed narrer Bodil.

– Hvad skylder vi æren? siger oldemor.

– Vi har en nødsituation, siger Bodil. – Børnenes forældre er varetægtsfængslet. Mens sagen afklares, har vi fundet plads til dem på en institution i Grenå. Fra i aften.

– De ville have det bedre her hos mig, siger oldemor.

– Vi har talt med skoleledelsen, siger Bodil. – Den mener børnene ville have bedst af faste rammer. Og helbredsmæssigt tilsyn.

– Det jeg er bekymret for, siger oldemor, – det er medierne.

Dette er et *twist*, der kommer overraskende også for os børn. Vi ved ikke af, at oldemor overhovedet kender til mediernes eksistens. Hun ser ikke fjernsyn og læser ikke aviser, og hun har altid kigget på vores pc'er og mobiler, som om man i hendes barndom cirkulerede information på runesten og groft tilhuggede stentavler, og at det kunne man for hendes del udmærket være blevet ved med.

– Tænk, hvis det nåede frem til Finø Folkeblad, siger oldemor.

– At mindreårige børn er tvangsfjernet og anbragt blandt samfundets bærme.

Det er svært at forestille sig, at oldemor virkelig ville gå til avisen. Men hvad der begynder at blive tydeligt, det er, at i denne situation er den vej, hun er slået ind på, ikke sandhedens smalle sti, som far fortæller om i konfirmationsforberedelsen, men snarere den motorvej, man bruger, når man skal have sine pansertropper hurtigt i stilling.

Det er også den fornemmelse som Anaflabia og Thorkild Thorlacius og Bodil helt tydeligt er ved at få, først har de kigget på oldemor som på noget fra turistbrochuren, farverigt og eksotisk, men nu er de ved at skifte udtryk.

– Der er selvfølgelig ingen af os i denne familie, der ville fortælle noget til aviserne, siger oldemor. – Men jeg er 90. De ved måske, at mange på min alder har svært ved at holde på vandet. Det gælder ikke mig personlig. Jeg har altid kunnet klippe strålen over.

Oldemor klipper i luften med hænderne, som klipper hun hæk.

– Som skåret med en kniv. Kan De klare den?

Hun ser på Anaflabia Borderrud, der er begyndt at blive bleg om næsen.

– Men ordene, siger oldemor. – De løber fra mig. Måske er det en smule tidlig Alzheimers, der er halve dage, hvor jeg ikke kan huske, hvad jeg har sagt til hvem. Tænk, om jeg ved sådan en lejlighed kom til at snakke over mig. Om tvangsanbringelsen og miraklerne i kirken. Til en journalist fra Finø Folkeblad.

Dermed har vores gode karma drejet situationen. Thorkild Thorlacius og Bodil og Anaflabia foretager et hurtigt tilbagetog, og oldemor følger dem helt til dørs, med en strøm af detaljerede råd om, hvilke bækkenbundsøvelser, de bør lave, øvelser der ved hyppig gentagelse har udsigt til at føre dem frem til det succesrige højdepunkt, hvor man til hver en tid kan klippe strålen over som skåret med en barberkniv.

Det bliver Bent Betjent, der i de følgende dage fortæller os de nærmere detaljer: Der er sket det, at mor og far har holdt en kirkelig handling i Sammenslutningen af Danske Investeringsselskaber, og ved den lejlighed har de villet udføre et mirakel. De har villet afbrænde pengesedler, som derefter skulle komme til syne igen af asken. Afbrændingen er lykkedes. Men det er ikke lykkedes dem at få de 26 millioner kroner i blandede sedler til at komme til syne igen.

Det, der undrer os børn, er ikke, at mor og far har afbrændt noget stort. Det har de gjort mange gange. Det er alment kendt på Finø, at min mor er en erfaren pyrotekniker, der i flere år har lavet det meste af Finø Bys nytårsfyrværkeri. Når Finø Alhede skal afbrændes hvert andet år, fordi den er fredet, så er det min mor, der sammen med Rednings-John og Bent Betjent er den bærende kraft i at få heden ført tilbage til sit afsvedede og naturskønne udseende.

Så der er ingen af os, der undrer sig over afbrændingen, selv om pengesedler faktisk brænder ret dårligt, hvad vi ved, fordi Tilte engang brændte en hundredkroneseddel, som Vibe fra Ribe skyldte hende som løn, fordi Tilte havde ferieafløst i havnekiosken, og da Vibe til sidst, efter to måneders forsøg på at få sagen til at gå i glemmebogen, hostede op, så sagde Tilte at det havde været for princippets skyld, og nu ville hun gerne vise Vibe hvordan hun så på penge, og så holdt hun hundredekronesedlen ind i flammen fra hyggestearinlyset på disken, den brændte meget langsomt, men til sidst var den alligevel væk. Så selvfølgelig kan mor futte 26 millioner af. Det, der undrer, det er, at far og mor ikke har været smarte nok til at få dem til at komme tilbage igen.

Det får vi dog også en forklaring på, og den er ikke behagelig, og vi får den først efter et halvt år. I første omgang sker der det, at vi fra Bent Betjent i al fortrolighed hører, at mor og far er blevet sigtet efter bondefangeriparagraffen, og kort efter at sigtelsen er frafaldet på grund af manglende beviser, og derefter kommer

158

provstedomstolen og mentalundersøgelsen, der begge frifinder mor og far, og så vender de hjem til Finø.

Jeg ved ikke, om du fra din egen familie kender følelsen af, at det eneste, der er at glæde sig over, er, at ens far og mor i hvert fald lige nu er på fri fod, fordi anklagemyndigheden ikke har helt nok beviser til at rejse sigtelse, og at deres sidste nummer ikke er på forsiden af aviserne, fordi de, der er blevet svindlet, har holdt det hele hemmeligt, fordi de er bange for at blive til grin?

For det tilfældes skyld at du ikke selv har prøvet, hvordan sådan en familiesituation føles, så kan jeg fortælle dig, at det er en tid, hvor man går stille med dørene og taler med dæmpede stemmer, for at der ikke er noget glas, der pludselig skal springe, og hvor man sidder blege og tavse ved aftensbordet og stikker til maden, selv om det er fars fiskefrikadeller.

Der er ingen på Finø eller i Finø By Skole, der ved noget med sikkerhed, men der er mange, der har en anelse, men Tiltes og mine læber er forseglede, og mange har for megen finfølelse til at sige noget, og de, der ikke har så megen finfølelse, de har alligevel deres liv for kært, så vi gennemlever denne tid omgivet af en mur af spørgsmål, der aldrig bliver stillet.

Men tiden er den store læger af alle sår, og det er ikke bare tiden, men også konklusionen på mentalundersøgelsen, der viser, at mor og far er normale, men sandsynligvis utilregnelige i gerningsøjeblikket på grund af arbejdspres.

Da far står på prædikestolen igen og mor sidder bag orglet, falder der ro over feltet, og selv om både far og mor er blegere og tyndere end før og nogle gange får et udtryk i øjnene som grisene på altertavlen, er de stort set fattede.

Det varer heller ikke længe, før hverdagens almindelige katastrofer og triumfer har trængt billedet af fars og mors misgerninger i baggrunden, og da det er på dette tidspunkt, at Hans stiller op til Mr. Finø og vinder, og jeg som sagt af Kaj Molester Lander bliver lokket til at gå på podiet i den tro, at jeg skal modtage en sliderpræmie for min indsats på førsteholdet i Finø Boldklub, og jeg derefter finder et jernrør og går på jagt efter Kaj Molester, som flygter ud i de store skove for at leve som fredløs og først kommer hjem efter tre døgn, hvor min blødsødenhed har smeltet vredens is, som salmedigteren skriver, så forstår du, at for Finøs almindelige befolkning går mors og fars synder i glemmebogen.

Men ikke for os børn. Vi taler ikke til vores forældre, minderne ligger tungt på vores skuldre, og til sidst bliver det ubærligt for mor og far.

Det er en aften i køkkenet, far arbejder med sin ismaskine, som er det eneste, der økonomisk er blevet tilbage af deres eventyr, både Maseratien og minkpelsen er røget som en del af retsforliget, og mor arbejder med et nyt apparat til stemmeregistrering, der ligner et kukur.

Så rømmer far sig. ˈ

– Det, der skete, siger han, – det var at det mirakel, som jeres mor og jeg kanaliserede, det blev ligesom forskudt i tid. Det vil sige at sedlerne forsvandt som de skulle, men de dukkede ikke op igen. Stor er opstandelsen, men det bliver afklaret med investeringsselskaberne og myndighederne, og det lykkes mig at løse situationen til alles tilfredshed, og vi enes om ikke at gå videre med sagen. Helt overraskende sker der så det, at pengene pludselig dukker op igen en uge senere. Teologisk mener jeres mor og jeg, at det må forklares ved, at vi har at gøre med et mirakel, der ikke er øjeblikkeligt, men strakt ud over tid. Inden vi når at indstille os på og overveje den ny situation, bliver vi kontaktet af politiet, som ikke har åndelig dybde til at forstå situationens fulde spirituelle betydning.

– Hvor bliver I kontaktet af politiet, spørger Hans.

– Vi bliver kontaktet ved disken i en virksomhed, der hedder Dansk Diamant- og Ædelmetalinvesteringsselskab, i det øjeblik vi er ved at investere pengene i guld og platin med henblik på jeres fremtid.

Der bliver helt stille i køkkenet. Hvis du tænker, at denne stilhed må være fuld af sorg over, at vi har så plattenslageragtig et par forældre, og med respekt for, at det alligevel er lykkedes dem at overbevise investeringsselskaber og Kirkeministeriet og Rigspolitiet og den retspsykiatriske undersøgelseskomité om, at vi alle er bedst tjent med, at det her bliver holdt så tæt til kroppen, at man ikke kan få øje på det, hvis du tænker det, så har du ramt hovedet på sømmet.

Men der foregår også noget andet i stilheden, og det er meget sværere at forklare, det er, at far på en vis måde, måske med ti procent af sig selv, faktisk tror, at han og mor har udført det nummer med hjælp fra Det Høje, og at de på en måde har gjort det for at kunne forsøde vores barndom og fremtid med guld- og platinbarrer, så på en måde siger det her, at det gælder om at være vågen, for kærligheden kan komme i nogle forklædninger, så man næsten ikke kan genkende den.

Det øjeblik tilgiver vi mor og far. Der bliver ikke talt mere, emnet er droppet og vender ikke mere tilbage, undtagen måske forhåbentlig i mors og fars mareridt. Men Tilte og Basker og Hans og mig, vi indser det øjeblik, at hvis du har ambitioner om at bære over med andre mennesker, så er du nødt til også at kunne tilgive deres elefanter.

MULIGHEDERNES
HAV

Når man har plantet fire kilometer lindeallé op til dér, hvor man bor, og gjort alléen halvanden gange så bred som hovedvejen, så spænder man forventningen hos de besøgende. Den forventning er der ikke mange bygninger der ville kunne leve op til, men Finøholm kan, og i aften lever den op til forventningen to gange.

Finøholm ligger ved kysten, så man kommer til hovedbygningen oppefra, og når man runder det sidste sving, kører man mellem to store, cirkelrunde glaspavilloner med åkandedamme og tropiske træer og plads til 80 jagtgæster i hver, og foroven prydet med tre forgyldte sæler, der balancerer oven på tre forgyldte vildsvin, hvad der ligner et dyrenummer i cirkus, men hvad der i virkeligheden er en detalje fra Kalle Kloaks våbenskjold, som han fik tegnet, da han købte Finøholm.

Kalle Kloak har gået i skole med vores far på Finø By Skole, inden han – altså Kalle – tog til Frederikshavn og blev entreprenør og tjente en milliard, hvad der altså er tusind millioner, på at grave eller renovere de fleste af Midtjyllands kloakker, og derefter blev han indvalgt i Folketinget. Min far har fortalt, at allerede i skolen drømte Kalle om at blive herremand og prøvede at få de andre til at lege lege, hvor de skulle være tjenere og hovbønder, mens han var herremand og ridefoged og skulle bæres i bærestol. Så da han kom tilbage fra Frederikshavn, købte han Finøholm af greven af Finø, der var gammel og så fattig, at han kun havde råd til at fyre op i ét rum, og det var i folkekøkkenet. Derefter tog Kalle Kloak navneforandring til Charles de Finø, og byggede herregården om og ansatte 12 skovarbejdere og to skytter og to kokke og 20 arbejdsmænd og to forvaltere og stuepiger og rengøringshjælp og en mand, der er specialist i, hvordan det går for sig på de store godser på fastlandet, og der blev syet uniformer til de ansatte, så de, når Kalle Kloak holder jagt og jagtmiddag, kan gå rundt og ligne lakajerne fra Tivoligarden. Kalle købte også *Den hvide Dame af Finø*, dengang hed den noget på arabisk, der betød *Allahs Vilje*, men den fik altså navneforandring.

Selve herregården er i tre etager og med et tårn og en bred trappe op til hovedindgangen, og bag bygningen ligger nedkørslen til molen, hvor *Den hvide Dame af Finø* i dagens anledning er pyntet med flag. Alt er strålende oplyst, og Kalle Kloaks personale er i uniformer og ligner på afstand Finø Amatørteaters opsætning af *Jeppe på Bjerget*.

Tilte har sagt meget på denne tur, så det bliver min opgave at udtrykke det, som lama Svend-Helge og Sindbad Al-Blablab og Gitte og vi andre tænker.

– Hvorfor støtter Karl Kloak et religionsmøde i København?

Spørgsmålet er oplagt, for Kalle Kloak har aflagt mange og offentlige beviser på, at han i nærighed kun er et enkelt skridt bag Joakim von And, for eksempel fik boldklubben ikke en krone fra ham, da vi søgte sponsorer, og da Tilte og jeg forsøgte at sælge lodsedler til klubbens årlige og godkendte lotteri og trængte os forbi hans personale og frem til ham selv, så sagde han, at han desværre ikke havde nogen kontanter, men her var to dejlige gråpærer fra haven, de var deres vægt værd i guld, og farvel med jer to og kom rigtig godt hjem.

Alligevel er der ingen, der svarer på mit spørgsmål, hvad man godt kan undre sig over, når man tænker på, hvor meget visdom og også hvor meget kendskab til lokale forhold, der er samlet i Bermudas rustvogn. Så det bliver Tilte, der må svare.

– Han vil være minister, siger hun. – Han vil begynde med Kirkeministeriet. Og så sætte af derfra.

Vi holder på parkeringspladsen, der er dækket af perlegrus og stor som en halv fodboldbane. Så rømmer lama Svend-Helge sig.

– Jeg har naturligvis tavshedspligt, siger han. – Som advokat. Tilte og jeg nikker alvorligt, vi kender alle til vigtigheden af professionel diskretion.

166

– For tre uger siden var jeg til middag hos jeres forældre. Det er sidste gang, jeg har set dem. De havde bedt mig om at tage Karnovs Lovsamling med.

Vi kan godt huske den middag. Min far havde lavet helstegt pighvar. De pighvar, der fanges omkring Finø, er meget svære at stege hele, for de er murstenstykke og med en diameter som kloakdæksler, og der går frasagn i fjerne lande om min fars talent for at stege dem hele, og den aften var det igen lykkedes, og det fejrede han og lama Svend-Helge, som de plejer, ved at dele en kasse af Finø Bryggeris specialbryg, hvorefter de sidst på aftenen bringer orden i de teologiske spidsfindigheder, som findes der en skabende gud, og hvad er det, der reinkarnerer, hvis vi, som buddhisterne siger, ikke har en individuel sjæl, og hvorfor er der ikke mere øl, og kan vi ikke sende nogle af børnene op på tanken efter flere.

Vi kan også godt huske lovsamlingen, den er gul og tung som en døbefont.

– Det må have været sidst på aftenen, jeg skal på toilettet, men jeg tager fejl af dørene, det er en effekt af de lidt dybere meditationer, og jeg havde praktiseret intenst hen gennem middagen. Først kan jeg ikke orientere mig. Men så genkender jeg jeres fars arbejdsværelse. På hans skrivebord står denne her lille fotokopimaskine. Og den er tændt. Og ved siden af den ligger et bind af Karnov. Der er lagt bogmærke ind. Så jeg kaster et blik på opslaget, det er en vane fra kontoret, og jeg undrer mig, for den er slået op på et sjældent brugt afsnit, der vedrører obskure forordninger for politiet. Så jeg kigger på bunken af kopier. Og jeg ser, at det, de har kopieret, det er hittegodsloven. Og ikke bare paragraf 15 og cirkulære nummer 76, de har kopieret hele loven og alle domseksemplerne. Over halvtreds sider. Så jeg finder tilbage i køkkenet. Og jeg vil spørge dem om, hvad i himlens navn de vil med den lov. Men jeg bliver optaget. Af min praksis. Fisken. *Beurre Blanc'*en. De små nye kartofler. Så jeg får aldrig spurgt. Men nu, hvor de er væk, så kommer jeg til at tænke på, om de kan have mistet noget.

Tilte og jeg har på de sidste 24 timer modtaget adskillige bidder uforståelig og svært fordøjelig information om vores forældre. Dette er endnu en af slagsen.

– Hvis de har, siger Tilte, – kan det ikke have været kostbart. Det eneste af værdi, som vores forældre ejer, er os.

Finøholms hoveddør fører ind til en hall, der er stor nok til, at fire børnerige familier kunne have slået sig ned og fundet god plads på marmorfliserne og levet i mange år uden at have behøvet at sidde lårene af hinanden, ved døren står en mand i blå frakke og pudderparyk og tager imod gæsterne og giver dem en varm velkomst og sørger for, at der ikke slipper gratister ind.

Tilte tager Sindbad Al-Blablab i hånden, og jeg lister min spinkle hånd ind i Gittes store næve, og så er vi forbi kontrollen og inde i hallen.

I dagens anledning er her indrettet en garderobe, hvor tjenere tager imod overfrakker, mens de sveder under parykkerne og ser ud, som om de græder indvendigt over, at de ikke fik læst det, der stod med småt, da de skrev under på at lade sig ansætte som skovarbejdere.

Fra hallen kommer man til første sal ad en trappe, der ville være bred nok til et nummer fra en amerikansk musical, og fra den har man adgang til riddersalen, hvor der ikke er rustninger, men marmorstatuer af nøgne kvinder og mænd, som Leonora Ganefryd kaster et tankefuldt blik på. Foran statuerne er der indrettet en buffet, hvoraf det fremgår, at den tid, hvor man bespiste gæsterne med tre brød og fem fisk eller omvendt, er forbi, det ligner noget fra et romersk orgie, og oven i købet meddeler et skilt, at alt kød er *hallal*. Foran buffeten står Kalle Kloak.

Hvis man ikke har set ham, kan man gøre sig mange interessante forestillinger om, hvordan en mand, der af egen fri vilje har taget navnet Charles de Finø, ser ud, men man ville tage fejl, han ser ud som det, han er, nemlig en mand, der driver en stor forretning. Det eneste særlige er sulten, man kan se det i hans øjne, jeg har set den før, den minder mig om et eller andet, men jeg kan i øjeblikket ikke placere den, men det må være den, der har fået ham til at tage navneforandring og købe en herregård og få tegnet et våbenskjold. Måske er det derfor at han kigger ligesom hungrende på den, han taler med, som om han mener, at hans konversationspartner må vide, hvad det virkelig handler om. For hans konversationspartner er ingen anden end grev Rickardt Tre Løver, iført smoking af sølvlamé, skærf om maven af rosenrød silke og et par spidse laksko, som er så lange og blanke, at de stiller smokingen og mavebæltet i skyggen.

Uden om de to adelsmænd bølger et hav, der består af cremen af Finøs overklasse, det vil blandt andet sige lægerne og de to postmestre og sagførerne og brugsbestyrerne og direktørerne for værfterne og teglværket og fiskefabrikken og chefredaktøren for Finø Folkeblad og så de delegationer, der i nat skal afsejle til Den store Synode.

Det er et farverigt hav på grund af festkjolerne og mændenes smoking og kjole og hvidt og Karl Kloaks personale i liberi, Gitte Grisanthemum og hendes menighed i hinduhvidt og Sindbad Al-Blablab med turban og Ingeborg Blåballe i burka og buddhisterne i purpur og de tre medlemmer af den jødiske menighed i sorte hatte indendørs, og midt i paletten får jeg øje på Dorada Rasmussen, der i dagens anledning er i folkedragt.

Det er et syn, man ville kunne fortabe sig i og svømme hen i, hvis det ikke var, fordi vi står foran et overvældende problem, hvordan får vi billet og adgang til *Den hvide Dame*, det spørgsmål har der ikke været tid til at tage stilling til.

I det øjeblik fornemmer jeg, at der sker noget for Tilte. At sige at hun modtager guddommelig inspiration, direkte ind gennem den åbne dør, ville måske være for stærkt, og efter hvad der er sket for vores forældre og Jakob Aquinas, og efter Rickardt Tre Løvers forsøg på at få hovedrollen i *Den glade Enke* er vi blevet meget forsigtige med spørgsmålet om, hvor de store idéer kommer fra. Alligevel vil jeg sige, at det, jeg nu mærker strømme gennem Tilte, det er som minimum en høj vision.

– Gitte, siger Tilte. – Nu bakker du os op.

Gitte når ikke at svare, Tilte tager hende i den anden hånd, og vi tre pløjer os frem gennem menneskemængden, til vi står foran Grev Rickardt og Kalle Kloak.

Tilte slipper Gitte, rækker hånden frem mod aftenens vært, Kalle Kloak alias Charles de Finø.

– Tilte, siger hun. – Tilte de Ahlefeldt-Laurvig Finø. Og dette er min bror, grev Peter de Ahlefeldt-Laurvig Finø.

Min hjerne er slået fra. For mig er det, Tilte foretager sig, i klasse med et selvmordsforsøg. For vi står foran grev Rickardt, som er en intim ven, og Kalle Kloak, som ganske vist kun har set os én gang, men det er under et halvt år siden, og da var vi ikke adelige, men sælgere af lotterisedler til fordel for Finø Boldklub.

Man må derfor vente, at vi øjeblikkelig bliver genkendt og ført bort i natten og har brændt enhver chance for at komme fra Finø, før færgen sejler på onsdag, hvor alt vil være for sent.

Hvad der nu udspiller sig for vores øjne ligner derfor i første omgang et mirakel, ikke et af mors og fars, men den ægte vare, kendt fra Det Ny Testamente og Vedaerne og enkelte steder i Den buddhistiske Kanon, som ellers er noget fattigere på mirakler end de andre religioner.

Der sker det, at Kalle Kloak kysser Tilte på hånden.

Nu hører det selvfølgelig med til historien, at Tilte har rakt hånden frem, som om hun forventer at få den kysset. Og når Tilte rækker noget frem på den måde, om det så havde været en ko-kasse på en pizzaspade, så adlyder mennesker.

– *Den* Ahlefeldt-Laurvig, spørger Charles de Finø.

– *Den* Ahlefeldt-Laurvig, siger Tilte.

Jeg ser ind i Kalle Kloaks øjne, og jeg ser mange ting, benovelse, lykke, overvældelse, men jeg ser ingen genkendelse. Og jeg begynder at fornemme genialiteten i Tiltes plan. Hvis man henvender sig til et af de helt dybe steder i mennesker, så kortslutter den sunde fornuft, og et af de helt dybe steder i Kalle Kloak er ønsket om at være i nærheden af de adelige.

Hvordan Tilte har tænkt sig at komme videre herfra er det

171

spørgsmål, der nu naturligt melder sig, men svaret bliver udsat, for der sker noget med grev Rickardt Tre Løver. Fra han fik øje på Tilte og mig, og til nu har han stået helt stille, på den måde mennesker står stille på, når deres nervesystem har fået en bredside. Men nu genvinder han talens brug.

– Føj for den lede tralleraj!

Først tror jeg, at nu taber han masken, nu buser han ud med det hele og kommer til at angive os, og slaget er tabt. Men så følger jeg hans blik. Det er ikke os, hans udbrud går på. I døren ind til salen står Thorlacius-Drøbert. Og lige bag ham biskoppen over Grenå Stift, Anaflabia Borderrud.

Hvordan det er lykkedes så klart mistænkelige typer som dem at blive løsladt så hurtigt, er ikke til at sige. Og der bliver ikke tid til at overveje sagen, for Kalle Kloak lyser yderligere op.

– Dér er professoren, siger han. – Og biskoppen! De deltager i synoden. Som repræsentanter for folkekirken og naturvidenskaben.

Tilte og jeg handler samtidig. Det er det med at være en godt sammenspillet familie, som jeg har nævnt før, og så handler det om at have overblik i hele banens længde og bredde, og det har jeg, og jeg har set, at der kun er én dør, vi kan nå ud af i tide.

I tide vil sige inden Thorkild Thorlacius og Anaflabia får øje på os. Og ikke alene dem. For bag dem kommer Lars og Katinka til syne, og selv om de har hinanden i hånden, og selv om deres øjne lyser af, at de har taget nogle vigtige skridt i udfoldelsen af deres forelskelse, siden Tilte og jeg for et par timer siden hjalp dem til at finde sammen under akacietræet, så har det ikke slækket deres årvågenhed, for deres høgeblik scanner salen, og jeg vil give ti til én på, at det er os, de leder efter.

Det er en situation, der kunne være gået alvorlig galt. Men det øjeblik aflægger lama Svend Helge og Sindbad Al-Blablab bevis for enestående medfølelse og situationsfornemmelse, for med en upåfaldende bevægelse blokerer de udgangen og spærrer til vejen for Katinka og Lars og Thorkild Thorlacius og Anaflabia.

Tilte og jeg dukker os og udfører hundrede meter undervands-
svømning i menneskehavet, og så er vi ude ad døren.

Rummet, vi kommer ind i, er halvmørkt og køligt, og luften er tæt af lugten af mad. Frem af mørket træder konturer af anretterborde med retter til supplering af buffeten, kasser med øl og sodavand, batterier af vinflasker. På et andet bord ligger stabler af tøjservietter. Og på et tredje bord noget andet, jeg løfter det og folder det ud, det er stof. Ikke almindeligt stof, men det stof som Finøholms gardiner er lavet af, og som allerede hænger for ét af rummets to vinduer, og som ligger et sted mellem teltdug og teaterforhæng.

De gardiner, der hænger for vinduerne, er afsluttet med forgyldte flagliner og guldtrådsindvirkede kvaster så store som malerkoste. Men åbenbart er gardinmontøren ikke blevet helt færdig inden aftenens kalas og har derfor ladet en rulle stof blive liggende. En mulig forklaring kan være, at montøren har været identisk med Herman Molester Lander fra Finø Gardin- og Plissémontage, vores nabo og far til Kaj Molester, hvad der er rigelig grund til, at manden sidst på dagen kan være blevet ramt af en bekymring for, om hans hus står endnu, og derefter har ladet alt ligge og har skyndt sig hjem.

Jeg er klar over, at der skal handles hurtigt, og at det skal være mig, der skal gøre det, for Tilte er endnu helt fordybet i sin inspiration.

Jeg vover den påstand, at Askepot ikke fik bedre behandling af de små dyr som oplæg til sit møde med prinsen, med hvem hun lever lykkeligt til sine dages og så videre, end den, jeg nu giver Tilte. Jeg laver en turban til hende og en slags romersk toga, gardinmester Lander har heldigvis været så konfus, at han har efterladt både skræddersaks og sikkerhedsnåle. Bagefter snor jeg en turban til mig selv og en slags lang kjole, og til sidst laver jeg et slør til Tilte af det inderste stof, det, der er nærmest vinduet, og som er en mellemting mellem hospitalsgaze og fiskenet.

Vi er forvandlet til ukendelighed, og det har ikke taget fem minutter, og det øjeblik går døren op. Foran os står aftenens vært, entreprenør og medlem af Folketinget, godsejer Charles de Finø.

Det er en vanskelig situation, men Tilte surfer helt tydeligt stadig på en strøm af heldige indfald.

– Vi håbede, du ville komme, siger hun.

Kalle Kloaks øjne har endnu ikke vænnet sig til mørket, men han kan genkende Tiltes spæde stemme.

– Frøken Ahlefeldt-Laurvig!

Så får han øje på vores dragter, og man sporer en forvirring i hans system.

– Vi repræsenterer Advaita Vedanta Selskabet på Anholt, siger Tilte. – En af verdens højeste dogmefri meditationsformer.

Advaita Vedanta er selvfølgelig gjort alment kendt på Finø og på fastlandet ikke mindst gennem Ramana Maharsi, hvis kontrafej hænger på mange danske teenageværelser, så hermed skulle sådan set alt være forklaret. Kalle Kloak slapper af.

– Vi vil tale med dig om noget vigtigt, siger Tilte. – Yderst vigtigt. Det er den anden og afgørende grund til, at vi er kommet. Men vi må insistere på, at det forbliver dybt fortroligt.

Kalle Kloak nikker. Hans øjne har fået, hvad jeg ville kalde et vakant udtryk, et sikkert tegn på, at han er ved at blive suget ind i Tiltes atmosfære.

– Både min bror og jeg, siger Tilte, – og vores forældre beskæftiger os, hjemme på Anholt Slot, intensivt med et fænomen, som endnu kun ganske få mennesker i Danmark ved om. Vi kalder det: Det skjulte aristokrati. Idéen er, at der i de store adelsslægter har været en lang række børn uden for ægteskab, som i virkeligheden har været berettiget til titlerne. Men slægterne har prøvet at skjule det. For at holde sammen på de svimlende rigdomme. Men vi synes, det skal frem i lyset. Vi er begyndt at opspore de børn og deres efterkommere. Og vi har opdaget, at der er to ting, der kendetegner et menneske, der er aristokrat uden at vide det. Først og fremmest hvad vi kalder en »indre adel«, en følelse af at høre naturligt til i adelskredse. Og så en fysiognomisk lighed.

Jeg vil ikke sige, at jeg har forstået alt, hvad Tilte har sagt. Men jeg er sikker på, at hun har bevæget sig ud over sidste revle, hvor der ikke mere er fast grund under fødderne.

Men det bliver klart, at jeg kan tage det roligt. Kalle Kloaks vejrtrækning er blevet hurtigere, hans øjne ser nu mælkehvide ud, havde man ikke vidst bedre, kunne man frygte et sammenbrud, men manden er gammel jord- og betonarbejder, han har en råstyrke som en bryggerhest.

– Peter og mig, siger Tilte, – vi er vokset op blandt hundreder af familieportrætter. Og da vi så dig før, da gik der en sitren gennem os begge. Det er nemlig dybt påfaldende, hvor meget du, Charles, ligner en ægte Ahlefeldt-Laurvig Finø.

Igen står Tilte og jeg over for et eksempel på, at hvis man taler direkte til det dybeste i et menneske, så slår den almindelige tankevirksomhed fra. Kalle Kloak er dette øjeblik voks i vores hænder, og vejen frem mod en plads på *Den hvide Dame* ser ud til at åbne sig.

Så forestil dig min forfærdelse, da der lyder en stemme fra den mørkeste del af rummet.

– Er det flyveørerne?

Vi vender os. Bagerst i rummet sidder en kvinde med korngult hår, der er sat op som et hølæs, der er blevet permanentet, og med underarme som buffetens oksestege og med en kølig pilsner ved sin side. Både Tilte og jeg ved umiddelbart, hvem vi står over for, vi står over for Kalle Kloaks hustru, Bullimilla Madsen, som vi har set køre forbi i karet sammen med Kalle, og som efter sigende er uddannet smørrebrødsjomfru og har nægtet at skifte efternavn til de Finø, og som med sikkerhed er meget mere gavmild end sin mand, for dagen efter at Tilte og jeg var gået forgæves i vores forsøg på at sælge lodsedler på Finøholm, foroogte Hans, og han traf Bullimilla hjemme, og hun købte hele viften.

Så vi har et indtryk af et menneske med mange kvaliteter i sin personlighed.

Charles de Finø mener helt tydeligt, at der er brug for en præsentation.

– Tilte og Peter Ahlefeldt-Laurvig, siger han. – Iført ordensdragterne fra Den højere Veranda.

Kvinden smager på pilsneren.

– Det ligner ellers vores gardiner, lille Kalle.

Det er en skarpsindig bemærkning, men den når ikke frem til Kalle Kloak. Han har vigtigere ting på dagsordenen.

– Hvordan kommer vi videre, siger han. – Med det mulige – faktisk sandsynlige – slægtskab?

– Slægtsforskning, siger Tilte. – Det er vejen frem. Vi må have din stamtavle. Og så må vi til København. Til Rigsarkivet. Og Dansk Adelsforening. Desværre går der først båd på onsdag. Så det må vente.

– *Den hvide Dame* sejler i nat, siger Kalle. – Vi skaffer en ledig kahyt. Og min stamtavle.

Han står på hovedet i en skuffe. Bullimilla lader eftertænksomt den sidste halve øl løbe ned i svælget og tager en ny fra kassen.

– Det virker helt rimeligt, at du skulle være adelig, lille Kalle, siger hun. – Med den fine gamle familie. Fire generationer som lokumsrensere i Finø By. Og før det fortaber slægten sig på uldheden som fårepassere og halvaber.

Der er sådan set kærlighed i kvindens stemme. Men også træthed. Det falder mig pludselig ind, at også hun måske bor i hus med en elefantpasser.

– I aften, siger hun, halvt til sig selv, – har jeg set flere galninge end i alle de år, jeg bestyrede Kolding Rådhus' marketenderi. Og aftenen er kun lige begyndt.

Tilte vælger, som så ofte før, den direkte vej.

– Fru Madsen, siger hun, – hvad ville du sige, hvis det viser sig, at du virkelig er grevinde?

– Jeg ville betale for at blive fri, siger Bullimilla. – For jeg ville
være bange for, at det ville medføre endnu flere tossebanketter
som denne.

Kalle Kloak har rakt os en diskette og en bog indbundet i gyl-
dent læder, uden tvivl hans stamtræ med videre. Tiden er knap,
vi er på vej ud.

– Er der nogen chance for, at gardinerne kommer tilbage fra
Den højere hvad-var-det-nu-det-var?

Det er Bullimilla, der spørger.

– Det er helt sikkert, siger Tilte. – Og da vil de være velsignet
og stænket med vievand af førende religiøse personligheder.

Kalle Kloak holder døren, vi dykker ind i menneskemængden.
Det sidste, vi hører, er Bullimillas stemme.

– Bindegale, lille Kalle. Som dine andre venner. Og det her er
oven i købet bare børn.

Vi bevæger os igen gennem menneskemængden, men denne gang er vejen let, for vi er i skjul bag Kalle Kloak. Vi får et glimt af Thorkild Thorlacius og af Anaflabia og Lars og Katinka, men de ser ikke os, og den eneste virkelig uhyggelige overraskelse er, at jeg får øje på Alexander Finkeblod, hvad jeg skynder mig at bortforklare med, at han jo er ministeriets udsendte og tilhører toppen af den finøske intelligentsia, og så er vi nået frem til døren i den modsatte ende og befinder os så at sige på målstregen, da der kommer en kort standsning.

Den kommer fra Tilte, hun er standset op foran en person, hvis hud er for olivenfarvet til, at den kan blive rigtig spøgelseshvid, men den er blevet slemt gusten. I venstre hånd holder vedkommende en rosenkrans, men ved synet af Tilte går bønnen i stå.

– Må jeg præsentere, siger Kalle, – min kones nevø og min meget, meget gode ven, Jakob Aquinas Bordurio Madsen, der studerer teologi i København og sigter mod at blive katolsk præst, og som også sejler med til København. Jakob, dette er Tilte og Peter Ahlefeldt-Laurvig fra Den højere Placenta på Anholt.

Tilte løfter langsomt sløret. Jakob har naturligvis genkendt hende uanset kostumet, det er ikke sandt, at kærlighed gør blind, virkelig kærlighed gør seende. Men nu kan hun se ham direkte i øjnene.

Hun gør en bevægelse, der henviser til både hendes og min dragt.

– Hvis du skulle undre dig over det her, Jakob, siger hun, – så kan jeg fortælle dig, at jeg har modtaget en kaldelse.

Så er vi ude gennem døren, der lukker sig bag os.

Vi er kommet ud på en høj terrasse, neden for den ligger en rosenhave, for enden af haven holder tre kareter, der får vores karet fra Blågårds Plads til at ligne en roetransport, og de er hver forspændt med seks heste af racen finøsk varmblod, der får de vælige gangere fra Blågårds Plads til at ligne en aflivningsopgave for dyrlægen.

– Gæsterne til skibet bliver kørt derned, siger Kalle. – Under fyrværkeri. Om ti minutter. I er i den første karet.

Han bukker og kysser Tilte på hånden og trykker mig på næven og klapper Basker på hovedet, som om Basker nok også er en Ahlefeldt-Laurvig, og så skrider vi ned gennem roserne.

Da vi er alene, giver jeg efter for den forargelse, der har tynget mit hjerte de sidste fem minutter.

– Tilte, siger jeg, – alle de store verdensreligioner giver sandheden en varm anbefaling med på vejen. Hvad skal man mene om den smældfede løgn, du lige har fortalt Kalle Kloak?

Jeg kan mærke Tilte vride sig, hun er ikke glad.

– Der er en historie i den buddhistiske Pali-kanon. Hvor Buddha slår 500 pirater ihjel. For at de ikke skal begå mord. Når bare ens hensigter er gode, kan man give sig selv en lang line.

– Du er ikke Buddha, siger jeg. – Og Kalle Kloak er ikke pirat. Han kommer til at blive meget skuffet.

Tilte standser op. Hun har et svar under udarbejdelse. Det er ikke nemt, det er et klassisk teologisk problem hun står over for, hvor hårdt kan man vride armen om på andre med henvisning til, at det tjener et højere formål?

Hun når ikke frem til svaret. En kendt skikkelse åbner karetens dør for os.

– De herskaber, siger grev Rickardt. – Tre minutter til vi kører. Et kvarter til skibsafgang!

Jeg vil sige, at turen i karet ned til *Den hvide Dame af Finø* under 10 minutters uafbrudt japansk fyrværkeri er en oplevelse, som Tilte og Basker og jeg normalt ville give os selv lov til at nyde.

Men vi løber ind i nogle små vanskeligheder, og den første af dem står nu foran os i skikkelse af grev Rickardt Tre Løver.

– Hillemænd, hvor I ser godt ud, siger greven. – På én gang orientalske og nordiske.

– Også dig, siger Tilte. – På én gang fornemt tilbagetrukket og blotteragtigt helt fremme i skoene.

Greven smiler lykkeligt.

– Vi har kahytter lige ved siden af hinanden, siger han.

Tilte og jeg stiver os af mod døren.

– Du skal med? spørger Tilte. Med stemmen fuld af håb om, at vi har hørt forkert i larmen, fyrværkeriet er allerede begyndt.

– Jeg er en af værterne, siger grev Rickardt. – Filthøj Slot er mit barndomshjem. Glæd jer! Et fantastisk sted. Vi driver biodynamisk landbrug. På fuldmånenætter er der tykt af elementaler.

Hverken Tilte eller jeg har overskud til at spørge om, hvad elementaler er. Vi har nok at gøre med at komme os over chokket.

Det er ikke sådan, at vi ikke holder af grev Rickardt. Vi betragter ham som sagt som et familiemedlem. Men et familiemedlem af den slags, som man må se i øjnene altid vil være til fare for den offentlige orden og sikkerhed.

– Desuden er det jo en konference om religiøse erfaringer, siger greven. – Min boldgade.

Der er ikke noget, vi kan gøre. Andet end at glæde os over, at han tilsyneladende ikke har fået ærkelutten med.

Hestene rører på sig, vi træder op i kareten.

Her viser sig endnu et arbejdspunkt.

Længst væk i hjørnet sidder en ældre dame med hatten godt trukket ned over brillerne og sover med åben mund, så ingen problemer fra den kant. Men ved siden af hende sidder Thorkild Thorlacius og ved siden af ham hans kone og ved siden af hende Anaflabia Borderrud.

Jeg løfter med det samme Basker op under gardinet. Tilte og jeg er uigenkendeligt maskerede. Men Basker har vi ikke haft tid til at drapere.

Vi sætter os. Greven hjælper endnu en person ind, det er sekretæren Vera, så tager han selv plads. Kusken slår knald med pisken, hestene rykker, ikke som hvis det havde været vores bror Hans på bukken, men heller ikke som om det er et forspand af vinbjergsnegle.

Grevens ansigt stråler.

– Et sidste ord, folkens, siger han, – til jer gæve søfolk: Fyr den af, for helvede!

Jeg kan se bølger af trækninger glide hen over Thorkild Thorlacius' og biskoppens ansigter. Af de trækninger kan man slutte sig til, at af de lidelser, som de har gennemlevet de sidste 12 timer, har mødet med greven ikke været den mindste.

Jeg må indrømme, at hverken Tilte eller jeg fuldt ud kan koncentrere os om fyrværkeriet. Vi sidder nemlig midt i den dobbelte risiko for, at grev Rickardt lader munden løbe og siger noget, der afslører os, og at Thorkild Thorlacius eller Anaflabia genkender os.

Og nu kan jeg mærke professoren stirre skiftevis på min turban og Tiltes slør.

– Har vi ikke set hinanden før, spørger han.

– Vi kommer fra Den vedantistiske Sangha på Anholt, siger jeg. – Kan det have været dér?

Thorkild Thorlacius ryster på hovedet. Hans øjne er nu blevet smalle.

– Er der en voksen med jer, siger han langsomt.

Jeg nikker mod den sovende dame i hjørnet.

– Kun abbedissen, siger jeg.

Jeg kan mærke store kræfter blive mobiliseret i Thorkild Thorlacius og Anaflabia, hele den skarpsindighed og kombinationsevne og psykologiske indsigt, det har krævet at blive biskop og verdensberømt hjerneforsker. Det står helt klart, at om ganske kort tid kan det blive nødvendigt for Tilte og mig at springe for livet.

182

I dette strategiske øjeblik lægger den gamle dame hovedet til rette på Thorkild Thorlacius' skulder.

Jeg vil sige, at rent personligt har jeg det med mirakler på samme måde, som jeg har det med folks historier om, hvor blændende fodbold de spiller: Jeg vil godt lige se bolden i nettet først. Men på den anden side må jeg sige, at når vognens skumplen i netop dette øjeblik får den gamle dames hoved med hat og briller til at rulle over og finde hvile på Thorkild Thorlacius skulder, så kan det ikke undgå at give en følelse af, at døren må stå åben, og at der udefra bliver gjort noget af det helt saftige for Tilte og Basker og mig.

Men hvis der er nogen, der tror, at vi nu bare læner os tilbage på første parket og nyder håndsrækningen fra Forsynet, hvis det altså er det rigtige ord, så tager de fejl. Og selv om vi måske skulle have haft lyst til at læne os tilbage, får vi ikke mulighed for det, for samtidig med at damens hoved triller, så glider hendes hat op, og det bliver klart, hvem det er, det er Vibe fra Ribe.

Mere naive typer end Tilte og mig ville måske tænke, at nu er enhver tvivl om, at der findes mirakler ryddet af vejen, for Vibe er stået ud af kisten og har iført sig hat og briller og har taget plads i kareten, syv dage henne i dødsprocessen. Men den køber Tilte og jeg ikke. Vi kan begge to mærke, hvordan det rykker i grev Rickardt, og det fortæller os, at han har et eller andet at gøre med, at Vibe pludselig igen er iblandt os.

En mand med Thorkild Thorlacius' videnskabelige erfaring skulle kunne se, at der er noget gustent ved Vibes udstråling. Men han er så grebet af sin mistanke til os, at det slører hans falkeblik. Så nu lægger han hånden på Vibes arm.

– Frue, siger han. – Øh, frøken, kender De disse unge mennesker?

Så trækker han hånden til sig.

– Fy for satan!

Det rykker i biskoppen. Hun er vant til, at hendes tilstedeværelse virker som et definitivt sprøjtemiddel mod bandeord. Men man forstår godt professoren. Vibe har ligget på tøris. Alligevel samler han sig overraskende hurtigt, og her kan man mærke hans finske sisu og faglige overblik.

– Frøken, siger han til Vibe. – Tillader De? En lægelig vurdering. De er tæt på underafkøling.

Nu er situationen, der et øjeblik så lysere ud, igen ved at tilspidses og kræver indgriben.

– Det er hendes træning, siger jeg. – Hendes meditative træning. Den går hun altid ind i under transport. Kropstemperaturen falder. Der er næsten ingen vejrtrækning.

Thorlacius har vendt sig mod mig. I samme øjeblik bevæger Basker sig heftigt under min ordensdragt. Jeg kan mærke, at alle blikke i vognen flytter fokus, fra Vibe til min mave.

– Maverulning, siger jeg. – Bevægelse af de dybe mavemuskler. En særlig yogisk teknik.

På dette sted indtræffer endnu en af de begivenheder, som jeg helt ærligt vil siges føles som et lille klap bagi af Vorherre: Vognen standser, en af de liberiklædte hovbønder åbner døren og beordrer os til at stige om bord.

Anaflabia og Vera og Thorlacius og hans kone følger pudderparykken. Jeg kan mærke, at de hellere ville blive og gå videre med mistanken rettet mod os, men det sjove er, at rigtig mange voksne, selv fødte generaler som Thorlacius og Anaflabia mister noget af deres dømmekraft når de modtager en ordre fra en mand i uniform, så på et øjeblik er de væk, og tilbage er Vibe, Basker, greven, Tilte og mig, og nu slår vi kreds omkring grev Rickardt, og han er klar over, at hvis han ikke leverer en forklaring, står han foran som minimum svær legemsbeskadigelse.

– Det var min ærkelut, siger han. – De tog den fra mig. Mørke kræfter tog den fra mig, pludselig var den væk. Men den må og skal med. Jeg har jo lovet at spille til konferencen. Musik er en direkte vej til religiøse oplevelser. Og så er lutten væk. Situationen er kritisk. Men nisserne kommer til hjælp. De viser mig, hvor den er låst inde. Og hvor nøglen er. Men hvordan skal jeg få den med

184

om bord? Gode råd er dyre. Men så er det, at nisserne fortæller om kisten. Jeg får den op. Med stort besvær. Man er jo ikke just håndværker. Lutten passer perfekt. Den er oven i købet foret.

– Og så sætter du Vibe ind i kareten?

– Kender desværre ikke hendes navn. Men jeg fulgte nissernes anvisning. Du fredsens, hun er koldere end en kold tyrker. Jeg måtte have handsker på. Og finde en hat og et par solbriller til hende.

– Rickardt, siger Tilte, og hendes stemme er ildevarslende. – Gav nisserne også anvisning på, hvordan du nu skal få hende om bord på skibet?

Greven ryster på hovedet.

– Det er nogle gange problemet. De giver kun den igangsættende inspiration, hvis I forstår, hvad jeg mener.

At sige at Vibe fra Ribe, mens hun levede, var alment elsket, ville være at omgås lemfældigt med sandheden. Man er nærmere kendsgerningerne, hvis man indrømmer, at de fleste har anset det for givet, at hun på fuldmånenætter har forvandlet sig til en varulv. Så hun har ikke sat sig et eftermæle, der kunne få Tilte og mig til at bryde grædende sammen ved tanken om at efterlade hende på kajen. Men på den anden side har Bermuda Svartbag og alle de store verdensreligioner sagt, at det er vigtigt, at vi behandler de døde med respekt og nænsomhed, og desuden ved både Tilte og jeg, at når det bliver opdaget, at Vibe mangler, så kommer der en eftersøgning, og hvis der er noget, man ikke har brug for, når man rejser under falsk identitet, så er det et søforhør med efterfølgende ransagning af kahytterne.

– Rickardt, siger jeg, – hvordan fik du hende fra rustvognen og ned til kareten?

Grev Rickardt åbner transportkassen bag på kareten, op af den fisker han en sammenklappelig kørestol. Tilte og jeg ser på hinanden. Telepatisk er vi enige om vores næste skridt.

Landgangen er en trappe, ved trappen står skibets kaptajn i hvid uniform og guldtresset kasket sammen med Kalle Kloak for at ønske alle en god rejse. Da Kalle ser os, lyser han op i et stort smil, og så falder hans blik på Vibe i kørestolen.

Et kort øjeblik frygter jeg, at Tilte vil præsentere Vibe fra Ribe som endnu en Ahlefeldt-Laurvig, men dér føler Tilte åbenbart ligesom jeg, at det ville være at spænde buen det hårdeste.

– Lederen af Den vedantiske Sangha, siger hun.

Kalle lægger an til at kysse Vibe på hånden, men det får jeg forpurret ved at kaste mig imellem.

– Desværre, hvisker jeg til Kalle, – kyskhedsløfte og alt det der. Ingen mand må røre ved abbedissen.

Kalle træder respektfuldt til side, der bliver hentet en aluminiumsrampe, og muskuløse søfolk triller Vibe om bord og viser os vej til vores kahyt. Jeg strejfes af et let vemod over, at Vibe ikke kunne opleve dette, mens hun levede, at blive håndteret af indtil flere muskuløse unge mænd på én gang ville med garanti have glædet hende endnu mere end de hule iskugler. På vejen passerer vi skibets restaurant og køkken, og Tilte og jeg veksler et sigende blik, for hvor der er en restaurant er der et køkken, og hvor der er et køkken, er der et kølerum, og hvis der er noget man leder efter, når man har ansvaret for en afdød, der har forlagt sin kiste, så er det et kølerum.

Den, der tror at skibskahytter altid er små kosteskabe med faste køjer og et glughul, de har snydt sig selv for oplevelsen af *Den hvide Dame af Finø*. Vores kahyt er stor som en dagligstue og ligner 1001 nat, sengen er en hjerteformet himmelseng betrukket med rødt fløjl, der er et sofaarrangement og et marmorbadeværelse, hvori der er fremlagt slåbrokker og persiske tøfler, og under

186

andre omstændigheder ville Tilte og jeg have tilladt os at nyde denne yppige luksus. Men så snart søfolkene er forsvundet, triller vi Vibe fra Ribe ud på gangen og tilbage til den tomme restaurant og igennem det forladte køkken, og bagerst i køkkenet finder vi det kølerum, vi har håbet på.

Det er et kølerum, der vil frem i verden, det er stort som en campingvogn, fra gulv til loft hænger heste, grise, køer og får, der er pelsede og halalslagtede, og allerbagerst, hvor hun kan nyde sejladsen uforstyrret, indtil vi får lokaliseret kisten og får hende på plads, parkerer vi Vibe og trækker et par poser af hvid plastic over hende og stolen, og så er vi tilbage i kahytten, tager plads i de plyssede og lægger pakken fra mors og fars bankboks foran os på bordet.

Under indpakningspapiret gemmer der sig en sort papæske af den slags, far gemmer sine prædikener i. Æsken rummer forskellige papirbunker, der er holdt sammen af elastikker, vi starter med en, der indeholder avisudklip.

De handler om Den store Synode, og der er flere hundrede, og først forstår vi ikke, hvor mor og far har dem fra, for de er fra mange forskellige aviser, og i præstegården holder vi kun den internationale publikation Finø Folkeblad. Men forklaringen viser sig at være, at det er udprint fra nettet, som er klippet til, og de går tre år tilbage i tiden, de første nævner konferencen som en spinkel mulighed, derefter bliver de mere og mere sikre og sensationelle i tonen, og til sidst er det stensikkert, at det hele bliver til noget, og der er billeder af de deltagere, der har givet endeligt tilsagn, og aviserne skriver, at de kommer fra hele verden, fra kristendommen, islam, hinduismen, buddhismen, jødedommen og fra forskellige naturreligioner og trolddomsskoler.

Der er et stort billede af Dalai Lama, der ser frem for sig med en særlig, jeg ville kalde det gennemtrængende venlighed, der får en til at tænke, at *stylet* op med hvidt skæg og nissehue ville han være en suveræn julemand til den store juletræsfest i Finø Bys forsamlingshus. Ved siden af ham står paven med et smil, der ikke kommer til at presse Dalai Lama i udtagelsen til julemand, men som ville kvalificere til posten som den legeonkel, der plejer at tage sig af de helt små børn under julerevuen. Der er billeder af metropolitten af Konstantinopel, og et par metropolitter til, og man må medgive Tilte, at Bent Betjent kunne dublere enhver af dem til en gudstjeneste, hvis bare han holdt munden lukket og lod Mejse blive derhjemme. Der er også flere stormuftier, og som sagt er jeg usikker på, hvad den titel dækker, men et mere heftigt outfit end det, de har på, har jeg ikke set, siden Finø Bys Amatør-teater sidste år opsatte *Kaliffen af Bagdad*. Derudover er der billeder af munke fra Athos og af mongolske troldmænd og spanske karmelitternonner, og aviserne skriver, at det er det største møde for repræsentanter for verdensreligionerne nogensinde, og at det er første gang i historien, man vil prøve at tale om religiøse erfaringer. Derefter går journalisten amok, fordi mødet skal være i Danmark, i Nordsjælland, på det historiske gods Filthøj, og det er fantastisk, det viser igen, at selv om vi ser os selv som små, så er vi alligevel de største, i tolerance og plads til alle, og man kan mærke på journalisten, at den største og mest udbredte af alle religioner, det er og bliver alligevel selvglæden.

Da Tilte og jeg har læst så langt, kommer chokket. For det næste udklip i bunken har ikke selve konferencen i fokus, men noget andet. Øverst er der et billede af en spids sort hat, som kunne se ud til at tilhøre en stor troldmand, og et billede af nogle små mørke statuer, der ligner røverkøb fra et loppemarked, og ved siden af billeder af juvelprydede diademer af den slags, man køber over nettet hos Fætter BR, og som Tilte gik med, indtil hun blev fem år. På det sidste billede ser man noget som ligner en blanding af likøræg og strandsten, men så kommer teksten:

»Den store Synode ledsages af en stor og ambitiøs koncert-række med religiøs musik. Og samtidig med synoden åbner den største udstilling af religiøse kostbarheder, der nogensinde er fremvist samlet. Fra det tibetanske flygtningesamfund udstiller

The Karmapa Trust relikvier fra klostret Rumtek i Indien, blandt andet karmapaernes sorte krone. Fra den islamiske verden er der vævede gobeliner, der aldrig har været fremvist uden for Mekka. Fra Japan kommer højdepunkterne fra Tokyo Nationalmuseums udstilling af kimonoer og sværd udfærdiget af zenmestre og så kostbare, at de aldrig har været i handelen. Fra den indiske hinduisme guldstatuer fra Tantramuseet i Lahore. Fra Vatikanet enestående helgen- og kristusrelikvier og en samling af juvelbesatte krucifikser fra renæssancen. Alene krucifikserne er forsikret for en milliard kroner, og på grund af forsikringspræmien bliver udstillingen, der over de næste tre år skal vises i 12 lande, den dyreste rejsende udstilling nogensinde.«

Tilte og jeg ser på hinanden. Skibet gynger under os.

Det er klart, at vi ikke forsømmer denne lejlighed til at kigge indad og spørge os selv om, hvem det er, der dette øjeblik mærker denne totale lammelse.

Men derefter er vi nødt til at give plads til forargelsen.

Det er jo ikke sådan, at man ikke er glad for at se mennesker udvikle sig, og især ikke når det er ens forældre. Men det er ikke nok at vide, at der er udvikling, man må også kigge på, hvor den er på vej hen. Og lige nu, foran avisudklippene, er Tilte og jeg fælles om den tanke, at det ser ud, som om vores mor og far er på vej til at tage et stort udviklingstrin hen i retning af mindst otte års fængsel.

Den næste bunke papirer er fakturaer, og først giver de ingen mening. Alt er indkøbt inden for de sidste tre måneder, fra måske tyve forskellige firmaer, nogle i udlandet. Vi bladrer tilfældigt og finder regninger på elektronik købt hos El-Skov i Grenå, beslag fra Møll og Madammen i Anholt By, kedeldragter i imprægneret bævernylon fra Rugger og Rammen på Læsø. Der er en regning på to mobiltelefoner og sim-kort, på noget, der hedder *closed cellfoam benbeskyttere*, og to regninger fra Grenå Pumpefabrik på noget, der hedder »sprøjtepumper«. Der er regninger på stopure, på tovværk af neonpropylen og en uforklarlig faktura på noget, der hedder en *18-fods wavebreaker*, som har kostet 50.000, hvortil kommer en påhængsmotor, som er på 40 heste og koster 50.000 oven i hatten. Og dét, når man ved, at mor og far aldrig frivilligt er gået om bord i noget mere ustabilt end Finøfærgen. Så er der flere regninger på sprog, vi ikke kan læse, og så er der en, vi kigger særlig eftertænksomt på, og det er en kvittering for, at der er betalt for fem to hundrede liters dunke med brun sæbe i Samsø Sanitet A/S.

Vi ser på hinanden.

– Det er grej, siger jeg. – Til at udføre røveriet.

Vi åbner den sidste pakke, den rummer et usb-stik, intet andet.

– Vi må besøge Leonora, siger Tilte. – Og appellere til den buddhistiske medfølelse.

Vi tillader os at træde ind uden at banke, Leonora er ved at tale i telefon. Hun sender os et fingerkys.

– Hør godt efter, søde, siger hun til kvinden i røret, – jeg er på vej ud i rum sø, der er ikke mobildækning, forbindelsen ryger om et øjeblik. Det, du gør, det er, at du strammer galgeknobet, giver ham fem friske med fiskestangen, ser ham ind i øjnene, og så siger du: »Mærk kærligheden, Bassemand«.

Den desperate husmor i den anden ende protesterer.

– Selvfølgelig kan det lade sig gøre, siger Leonora tålmodigt. – Men kærlighed uden filter, det er for voldsomt. Det er derfor, vi er nødt til at starte med tommelskruerne og dildoen og garrotten. Det er en slags solbriller, fordi lyset ellers er for skarpt. Så du tilvænner ham gradvis. Til efteråret erstatter du spankingen med et kærligt sugemærke. Inden året er omme, kan han nøjes med fodlænkerne og flodhestepisken.

Forbindelsen ryger. Leonora mumler et mantra for at få ærgrelsen under kontrol. Tilte lægger usb-stikket foran hende.

Vi er samlet om skærmen, selvfølgelig har Leonora sin pc med, og selvfølgelig har *Den hvide Dame* en højhastighedsforbindelse.

190

Maskinen starter, Leonora kaster et blik på skærmbilledet, og denne gang er det ikke nok med et mantra, hun bander fælt.

– Der er en adgangskode. Der er ikke noget at gøre.

– Du knækker koden, siger Tilte.

– Det tager tre døgn. Vi er fremme om ni timer.

Tilte ryster på hovedet.

– Bortset fra det med stemmegenkendelsen er far og mor fatsvage med it. De kan dårligt nok komme ind på skolens hjemmeside og se, hvornår der er forældremøde. Kodningen må være for skolebørn.

– Selv standardkoder kan være labyrinter, siger Leonora.

Tilte og Basker og jeg siger ikke noget. Men i vores tavshed ligger der et mildt pres.

Mange, mange gange, når det har været for meget med vegetarretterne, har Leonora lavet en kort afbrydelse af sit retreat og er kommet listende ned til præstegården, hvor far har serveret *Kalvefilet Cordon Bleu* og grisesylte og anderilletter og et par trekvartliters flasker af Finø Bryggeris specialbryg.

Så vi er svære at komme uden om, og Leonora ved det. Og ud over opgivelsen til det uundgåelige kommer der noget i hendes blik, som man ret tit ser hos voksne, der har kendt én længe, og som måske er en undren over, at de selv står stille, mens vi andre i fuld fart er på vej fremad.

– Da I var små, siger Leonora, – da var I ligesom blide.

Hun åbner kahyttens barskab og finder en flaske kold hvidvin.

– Det er min *tsok*, siger hun. – Det er tibetansk for skat, det er en måde at videregive noget af det, man har erhvervet på retreatet. Til *tsok*'en må man gerne drikke alkohol.

Den bemærkning lader Tilte og jeg stå uantastet. Der er kun én ting, der er længere ude end begrundelserne for de store verdensreligioners regler, og det er begrundelserne for at bryde dem igen.

– Vi er stadig blide, siger Tilte. – Men nu på en mere insisterende måde.

Vi står på agterdækket og ser på, at Finø synker i havet. Det er nødvendigt med en mundfuld luft, når man har fundet ud af at ens forældre har kurs mod at tyvstjæle krucifikser til 200 millioner dollars, plus hvad de ellers regner med at kunne få op under neglene. Månen har vovet sig frem, og vi kan se øen som en lang, mørk forhøjning med enkelte prikker af lys og af og til Nordfyrets fejende lyskaster, og dér, på dækket, bliver jeg pludselig klar over, at Tilte og jeg aldrig kommer tilbage, og det har noget at gøre med, at vi er tæt ved at være fuldvoksne.

Nu vil du måske sige at hold kæft, manden er 14, og søsteren er 16, hvad forestiller han sig, har han tænkt sig at bo på gaden, men lad mig lige forklare: Der er mange, der aldrig nogensinde får sagt farvel til deres barndomshjem. Rigtig mange af dem, der er født på Finø, de flytter før eller siden tilbage, og hvis ikke de gør det, så melder de sig ind i Finø Hjemstavnforenings afdeling i Grenå eller Århus eller København og går til torsdagsmøder i folkedragt, og danser til tonerne af Finømenuetten i halmforede træskostøvler. Og det er ikke bare Finø. Overalt længes mennesker tilbage til dér, hvor de er født, og i virkeligheden er det måske ikke stedet, de længes efter, for der er efter sigende flere historiske eksempler fra de sidste 200 år på, at mennesker, der er født på Amager, har længtes tilbage dertil.

Jeg har mistanke om, at det handler om noget andet, nemlig mor og far. Den danske familie har en bagside, og på den bagside er der klister. Det er noget, der bliver meget tydeligt, når man spiller fodbold, masser af gange har man set førsteholdsspillere på 18 eller 19 år, der har mor og far stående skrigende på sidelinjen, og lille Frigast spæner som en sindssyg, og man tænker: »Hvad foregår der, skal han også have far og mor med på toilettet?«

Det interessante for Tilte og mig, som vi står her på agterdækket, det er, at vi mærker en frihed. Den kommer af, at vi på en måde har mistet vores forældre, og på en måde er det forfærdeligt, tænk engang, dreng på 14 år ladt alene. Det er, som om et tæppe er trukket væk under os. Men den interessante mulighed, som sjældent bliver nævnt, det er, at når tæppet først er væk, så har man for første gang chancen for at finde ud af, hvordan det føles at stå på den bare jord, og det føles ret godt, bortset fra at det jo selvfølgelig ikke er jorden, men *Den hvide Dame*s skibsdæk, vi står på.

Det er jo helt klart, at man skal bruge sådan et øjeblik til sin aldrig hvilende spirituelle træning, og jeg vil sige, den træning har dette øjeblik kronede dage, for pludselig er vi ingens søn eller datter eller lille hund, vi svæver lige over Mulighedernes Hav, og jeg siger dig, det er rystende, men det er også berusende.

Desværre er der to agterdæk, og på det andet, som vi kigger ned på, får vi dette øjeblik et glimt af Alexander Finkeblod, der også er ude for at se bagud mod Finø og formentlig glæde sig til den dag, han skal sejle bort for aldrig mere at vende tilbage, så vi trækker os tilbage, eftertænksomme, og det, vi tænker på, er, hvad i alverden Alexander Finkeblod laver om bord på *Den hvide Dame.*

For at forklare Tiltes og min skyhed over for vores skoleleder, er jeg nu nødt til at sige, at der desværre er meget, der tyder på, at Alexander Finkeblod har fået et uheldigt indtryk af min familie, og endda af mig personligt.

Den dag, hvor han havde haft sit første sammenstød med Tilte om det med den fulde betydning af ordet Kattegat, da var Basker og jeg om eftermiddagen på vej ned til nogle kammerater, der tidligere havde presset mig til at deltage i tyverier af tørret ising, for at fortælle dem, at jeg ville begynde et nyt og afkriminaliseret liv.

På vejen mødte Basker og jeg Alexander Finkeblod, som var

ude at gå med Baronessen, og da Basker og Baronessen så hinanden, ville de udtrykke deres forelskelse, hvis du forstår, hvad jeg mener. Dette hidsede Alexander Finkeblod op, og han begyndte at slå efter Basker, hvorefter jeg prøvede at berolige ham ved at sige, at det kunne blive smukke hvalpe, tænk, hvis de fik Baskers hurtighed og intelligens og fine hjerte og Baronessens lange ben, måske kunne vi grundlægge en ny Finørace og avle på den og få dens billede i turistbrochuren, og skulle vi ikke hellere hente en taburet til Basker, for Baronessen er halvanden meter høj, så det var svært for ham at nå op.

Mod forventning beroligede det ikke Finkeblod, han lagde Baronessen i sele og trak af sted med hende. Jeg følte, det var vigtigt at prøve at genoprette den gode stemning, når man er spirituelt søgende, er arbejdet med hjertet helt afgørende, så jeg gik efter ham og sagde, at jeg alligevel godt kunne forstå ham, det han var bange for var sikkert, at hvalpene fik Baronessens udseende og intelligens og Baskers pels, så ville der ikke være andet for end at fodre Belladonna med dem. Desværre nåede jeg heller ikke med det rigtig frem til Finkeblod, i stedet for begyndte han at slå efter mig med hundeselen, og det var præcise slag, så måske er han blevet dr.pæd. på sin ekspertise i afklapsning af elever med hundeseler, så Basker og jeg måtte have vores bedste spurt frem.

Nu ville skæbnen så hverken værre eller bedre, end at de kammerater, jeg besøgte, og som jeg ikke vil kalde Finøs mafia, fordi både den sicilianske og den østeuropæiske mafia, hvis de skulle finde på at prøve at slå sig ned på Finø, vil opdage, at de er Danmarks Radios Pigekor ved siden af de typer, vi har herovre, de kammerater fik mig alligevel overtalt til en sidste gang at stjæle tørret ising. Og den have, hvori jeg lidt senere befandt mig, på toppen af stativet med ising og i fuldmånens skær, det var haven til den gamle fyrmesterbolig, som ejes af ministeriet, og hvori de havde installeret Alexander Finkeblod og Baronessen, og de var først blevet færdige med renoveringen dagen før, så vi havde ikke en chance for at vide, at huset var beboet. Og ved et sort uheld kommer Alexander og Baronessen ud for at beundre månen, og de spotter mig, og det viser sig, at det eneste Finkeblod synes om ved Finø, er tørret ising, og det er kun, fordi Basker og Baronessen begynder igen, og fordi jeg laver et Fosbury flop over havemuren, at jeg undslipper.

Alt dette ville, tror jeg, kunne være reddet ved min opvakthed og flid i skolen og ved min generelle opmærksomhed på vigtigheden af at gøre et godt indtryk, hvis det ikke var, fordi jeg få dage efter disse fatale begivenheder bliver offer for et slag fra skæbnens side. På dette tidspunkt er jeg ved at lægge sidste hånd på mit skruede direkte frispark med venstre yderside, som allerede da fylder Finø AllStars' modstandere med en sand rædsel for dødboldsituationer, og som er så krumt, at folk på Finø ikke mere kalder det et papegøjespark, men taler om Præstens Peters Hestesko, og dette er uden at overdrive og sagt i al beskedenhed.

Jeg er sikker på, at du ved, hvor meget træning det kræver at få den skruede yderside til at ligge helt stabilt, og at det er en helt nødvendig del af denne træning, at man finder en velegnet mur. Og nu er situationen så enormt uheldig, at den bedste mur i Finø By, der jo er hjemsøgt og plaget af bindingsværk fra 1700-tallet og munkestensmurværk fra middelalderen, der er vindt og skævt som en ulykke, den mur er det vinduesfri tre etagers pragtstykke, som er materialbygningens gavl, der støder op til den gamle fyrmesterbolig. Og lige det øjeblik jeg bryder igennem, da sker det ved, at jeg snitter bolden så rent, at den skruer som en billardkugle uden om materialbygningens mur og derefter dykker stejlt ind mod den store panoramarude i den gamle fyrmesterbolig, bag hvilken Alexander Finkeblod og Baronessen nyder deres eftermiddagste.

Fra da af, selv om erstatningen for længst er betalt, og selv om jeg skrev et brev for at sige undskyld og på brevet tegnede de hvalpe, som jeg mente Baronessen i heldigste tilfælde ville kunne få med Basker, for at gøre det helt tydeligt hvad jeg havde ment den dag, selv efter alt det er stemningen ikke blevet den bedste.

Og det er noget af grunden til, at Tiltes og min uro ved at se Alexander og Baronessen på agterdækket.

Jeg vil gerne tilføje en sidste ting, inden Tilte og jeg går under dæk, og med risiko for at det lyder forstyrret vil jeg gerne sige, at jeg dette øjeblik omfatter min far og mor med varmere følelser end nogensinde før. Måske fordi de er tumpede vedhæng til deres indre elefanter, og måske fordi det i virkeligheden er lettere at holde af mennesker, når det er lykkedes at fortynde klisteret og livlinen mellem dig og dem en lille smule.

Vi træder ind i Leonoras kahyt, hun vender sig mod os, og to ting er sikkert: Hvidvinen er næsten tømt, og vi står foran en kvinde, der føler, hun har grund til at være tilfreds med sig selv.

– I buddhismen taler vi om de fem sindsgifte, siger Leonora.

– Det er de fem grundlæggende skadelige psykologiske tilstande. Én af dem er stolthed. Derfor hører I mig ikke sige, at jeg er stolt nu. Men jeg er inde.

Vi trækker stole hen ved siden af Leonora.

– Der er syv filer, siger hun, – det er lyd- og billedfiler, én for hver ugedag, de er mærket 7.-14. april.

Det suser i pc'ens højtalere, en billedflade træder frem på skærmen, en gråsort firkant med en sort cirkel indeni.

Leonoras fingre spiller på tastaturet, kontrasterne ændres, nu kan vi ane et rum. Men kun ane, kameraet må sidde ret højt og have en buet linse, man ser hele rummet halvvejs oppefra og krumt.

– Det er et overvågningskamera, siger jeg.

Jeg behøver ikke at sige mere, kvinderne stoler på mig. I disse tider, hvor flere og flere boliger får private alarmsystemer, kan man ikke samtidig have haft ry for at have været Finøs mest dumdristige frugttyv og være uvidende om, hvordan overvågningskameraer fungerer.

Rummet på billedet er tomt, bortset fra et mørkt, cirkelrundt tæppe ved den ene endevæg. Der ikke så meget som et billede på væggene, men det må være et stort rum, der er seks vinduesfag i begge sider.

– Kan vi bladre, spørger Tilte.

Leonoras fingre danser, vi springer 12 timer frem, nu er billedet kun en grå flade.

– Klokken 23, siger jeg, – dagslyset er væk, prøv at speede tiden op.

Leonoras fingre danser.

– Hastigheden sat op 200 gange, siger hun, – en time varer mindre end 17 sekunder.

Vi stirrer på billedet. Lyset tager til, rummet dukker frem, det er pludselig fyldt med mennesker, de er borte, de fylder det igen, Leonora fryser billedet.

Det er mænd i hvidt arbejdstøj, det kunne være malere, det ser ud, som om de er i gang med at bygge møbler. En af dem har ryggen til kameraet. Tilte peger ham ud.

– Kan vi zoome ind?

Leonora går til arbejdet, mandens ryg fylder det hele. På hans hvide arbejdsskjorte er trykt et stort »V« med noget, der ligner en lille nodenøgle.

Leonora sætter filmen i gang, de hvide mænd springer som lopper, der blændes ned for lyset, det er nat, Leonora skifter fil, der blændes op, håndværkere springer som lysglimt, Tilte giver tegn. Leonora fryser billedet.

Det sorte tæppe er dækket af noget, der ligner et spejl.

– Det er en slags rundt bord, siger Leonora.

– Det er en udstillingsmontre, siger Tilte. – Den skal stå på tæppet.

– Det er ikke et tæppe, siger jeg, – det er et hul i gulvet.

Leonoras fingre danser en jitterbug, vi ryger 18 timer tilbage, nu kan vi alle se det, det er ikke et tæppe, det er et cirkelrundt hul i gulvet. Det er endda markeret af en line på tynde standere, vi så det bare ikke før.

– Spol frem, siger Tilte.

Leonora spoler frem, et nyt hold håndværkere er i gang med noget, der ligner store kloakrør.

– Det ligner noget, siger Leonora, – det ligner elevatorskakte. Den svarer Tilte og jeg ikke på. Vi rejser os.

– Hvad er det der foregår, siger Leonora, – hvor stammer de her optagelser fra?

– I buddhismen, siger Tilte, – er det da ikke sådan, at man tilstræber en neutral ligevægt, lige meget hvad der dukker op, så slipper man det med et ubekymret smil på læben?

– I Finø-buddhismen, siger Leonora, – er der rigeligt med overskud til at bekymre sig om ens vanvittige venner. Og deres forskruede børn.

Det er nye toner fra Leonora, der ellers altid har talt til os med en vis ærbødighed. Jeg ved, at Tilte dette øjeblik tænker som jeg. At risikoen ved at hjælpe mennesker frem til en bedre selvfølelse og en bedre økonomi, det er, at de pludselig en dag rejser sig op og svarer igen.

– Leonora, siger jeg. – Jo mindre du ved, jo færre løgne behøver du at fortælle i Landsretten.

Vi lukker døren bag os. Det sidste, jeg ser, er Leonoras bebrejdende blik i et blegnende ansigt.

Vi er tilbage i vores kahyt, klogere, end da vi forlod den, men også med færre forhåbninger om en lykkelig og tryg afslutning på vores barndom.

– Der vil også være montrer i de andre rum, siger Tilte. – Men perlerne vil befinde sig i den runde montre. Det er, ligesom da vi var med skolen i London og så kronjuvelerne i Tower, det er det samme på Rosenborg i København. De mest værdifulde klenodier ligger samlet ét sted, og hvis alarmen går, så synker hele montren i jorden.

Vi tænker alle tre. Og jeg synes ikke, at jeg træder ud over vores naturlige beskedenhed, hvis jeg siger, at når Tilte og Basker og jeg samtidig lægger hovederne i blød, så er der ikke en sten, der ikke bliver vendt.

– Hvad har de skullet med optagelserne? siger Tilte. – Og hvor har de fået dem fra?

Det sidste spørgsmål lader jeg ligge. For at give det første hele min kærlighed og omsorg.

– De har skullet sikre sig. Mod at nogen har afsløret dem.

– Det betyder, siger Tilte, – at deres plan, hvad den end går ud på, har en installation, der ville kunne ses, måske af håndværkere, sikkerhedsfolk eller andre.

– De må have været derovre, siger jeg. – Mor var af sted, en enkelt overnatning, kan du huske det, de fik Bermuda til at stille blomster i kirken.

Jeg strejfes blidt af en erindring, frem af lommen henter jeg det sammenfoldede papir med blyantsnotaterne. Jeg folder det ud og vender det om. Arkets hoved er trykt med blåt. Der står *Voicesecurity.* V'et er fremhævet. Og inde i V'et svæver en lille nodenøgle.

Tilte og Basker og jeg ser på hinanden.

– Hun kan have arbejdet for dem, siger Tilte langsomt. – For *Voicesecurity*. Sådan må det have været. Hun har været deres konsulent. På sikkerheden.

Vi kender ikke firmaet *Voicesecurity*. Men vi tænker på dem med medfølelse. De har uden tvivl villet gøre det så godt. Og så har de inviteret en ulv ind i hønsehuset. Eller rettere: En elefant.

Vi bladrer langsomt avisudklippene igennem. Og man kan roligt sige, at det er med skærpet opmærksomhed.

Det sidste udklip er fra i mandags, altså dagen før mor og far forsvandt. Det viser en form for snigpremiere på udstillingen, journalister og udvalgte gæster har fået lov at se kostbarhederne. Og de har taget indbydelsen alvorligt, folk er i deres stiveste puds, det ligner afdansningsballet på Ifigenia Bruhns Danseinstitut.

Det ser ud, som om der er en kilometer udstillingsmontrer, bag glasset glitrer og funkler det af guld og juveler, det er svært at se detaljer, men man kan fornemme, at hvis man fik fingrene ned i bare en enkelt montre og kunne lave en langtidsaftale med sin samvittighed, så var ens likviditetsproblemer løst og ens *cashflow* sikret for de næste tre-fire hundrede år.

Et af billederne er taget i det værelse, vi netop har skimmet syv døgns webcam-optagelser fra, på billedet er montren fyldt, man kan ikke se med hvad, men det er noget, der reflekterer på en måde, der på én gang er skarp og flydende, som et neonrør under vand. Omkring lyset står der mennesker. Deres ansigter er overbelyste på grund af reflekserne fra ædelstenene, og derfor er trækkene udvisket, undtaget ét ansigt. For det er mørkere end de andre. Et mørkt, tankefuldt ansigt under en grøn turban.

– Må jeg bede om mine himmelblå, siger Tilte. – Det er hende, det er Ashanti, fra Blågårds Plads!

Det er rigtigt, det er Ashanti, og bag hende står to mænd. De er i jakkesæt, og deres ansigter er næsten væk. De er kun akkurat så synlige, at man kan genkende de to livvagter med BMW'en og den fornemme spurt.

200

Vi synker tilbage i sofaer og lænestole, vi er ved at have de fleste brikker på plads, men den vigtigste mangler. Basker knurrer sagte.

– Basker vil sige noget, siger Tilte. – Han vil sige, at man kan sige meget om mor og far. De har deres svagheder, deres bløde punkter og deres huller i hovedet. Men de har også altid haft en snedighed, en bondesnuhed. Det ligner dem ikke at lave en plan, som de er villige til at risikere alt på. Deres frihed, deres børn, deres hund, deres erhverv og gode navn og rygte. Og så efterlade et tykt spor i en bankboks, som de glemmer at betale.

– Og at rejse på den måde, siger jeg, – over hals og hoved.

Vi tænker alle tre. Rummet vibrerer.

– Det var en pludselig indskydelse, siger Tilte.

– De opdagede noget, siger jeg. – Som kom bag på dem.

Nu spiller Tilte og jeg sammen.

– Det har været noget stort, siger Tilte.

Jeg gentager det langsomt, dels fordi Basker trods alt kun er en hund og nogle gange fatter langsommere end os andre, dels fordi det er så underligt, at det kræver at blive sagt igen.

– Mor og far planlægger et tyveri fra den udstilling, der ledsager Den store Synode. De har det hele klart. Og så opdager de noget. Og det er sket inden for de sidste, få dage. Noget, der får dem til at tage af sted med det samme. Og som gør dem ligeglade med eller får dem til at glemme at slette deres spor.

Der var dem, der ville mene, at efter alt det, Tilte og jeg har udrettet den sidste time, har vi fortjent en pause. Det ville vi selv synes. Men hvis der er noget, der er farligt, så er det, efter en benhård første halvleg med en endnu hårdere anden foran sig, at lade sig synke ned i bløde lænestole i pausen, for pludselig er trykket gået af, og man har ikke de sidste reserver, og det ved Tilte og Basker og jeg.

– Vi mangler to ting, siger Tilte. – Vi skal have Vibe tilbage i kisten. Og vi skal have talt med Rickardt.

I det øjeblik ryger vi op fra stolene, sikre på at vi står foran det mirakel, der hedder bilokation, som er kendt fra alle religioner, og som betyder at visse, højt udviklede individer skulle kunne manifestere sig selv ud af den tynde luft og glæde andre med deres selskab flere steder på én gang. For ved siden af os hører vi en stemme, som med sikkerhed tilhører Kalle Kloaks kone, Bullimilla Madsen.

– De herskaber, siger hun. – Det er mig en glæde at kunne meddele, at der er serveret lidt til den tomme mave og den tørre plet i halsen i den agterste salon.

Al respekt for Bullimilla, men hun er ikke den første, man ville tiltro evnen til bilokation. Og det bliver også tydeligt, da vi ser os omkring, at lyden kommer fra højtalere, som om bord på *Den hvide Dame* har en kvalitet, så man føler, at den talende har lagt sine læber til ens øre.

Tilte og Basker og jeg er på benene. Ikke alene fordi vi har en tom mave eller en tør plet, som fordi den yderste salon er den, vi passerede før, hvor der dengang ikke var nogen mennesker, og i hvis køkkens kølerum vi har deponeret Vibe fra Ribe.

202

Vi er fremme på sekunder, og først ånder vi lettet op. Vi er de første, bortset fra Bullimilla og en serveringsjomfru. Og det, de står klar til at servere, er et vognlad af, hvad der ligner koldt smørrebrød, hvilket giver os håb om, at køkkenet kunne være ledigt, så vi kan komme til at hente Vibe, inden der kommer flere mennesker. Og ganske rigtigt, køkkenet er tomt, og ingen har set os, for vi har kigget frem fra vores skjul bag en dør med forsigtighed, og nu er vi nede på alle fire, og i ly af borde og stole kravler vi bag om den høje serveringsdisk, der skiller køkkenet fra salonen, og dér er vi uden for synsvidde.

Vi er forberedt på et kommandoraid, hurtigt ind i kølerummet, fat i Vibe, vente på et ubevogtet øjeblik, og så ud af vagten, for Tilte og mig vil det være som at plukke en moden frugt i en af Finø Bys haver. Men der indtræffer nu en række begivenheder, som gør det forståeligt, hvorfor Eckhart og zenpatriarkerne og de vediske seere og sufisheikerne efter sigende har været fuldstændig enige om i hvert fald én ting: Når man har bedt dem om at beskrive verden med ét ord, har de alle sammen sagt: »Ustabil.«

Det første, der sker, er, at grev Rickardt Tre Løver pludselig træder ind i salonen. Han har sin ærkelut med, og på det spjæt, som vi fra vores skjul kan se det giver i Bullimilla, får jeg bekræftet den mistanke, jeg længe har haft, nemlig at det er hende, der lige inden afrejsen har forsøgt at gemme instrumentet for Rickardt, uden tvivl af angst for, at han skal begynde at performe midt i maden.

– De damer, siger grev Rickardt, – jeg har ladet mig overtale til at synge til maden. Det bliver fra *Den glade Enke.*

Bullimilla prøver en lam protest.

– Det er kanapéer, de passer måske ikke så godt til musik.

Vi kan høre grevens sporer klirre hen over gulvet, han tager anretningen i øjesyn.

– De dér små hutter, siger han. – De skal synges ned.

I det øjeblik har Tilte fået lænet sig frem og gjort tegn til Rickardt og lagt fingeren på læben og trukket sig om bag disken igen. Grev Rickardt skifter kurs.

– Jeg tester lige akustikken, siger han forklarende til Bullimilla.

Så er han rundt om den høje disk og ude hos os, og vi trækker ham gennem køkkenet og ud i kølerummet og fjerner poserne fra Vibe.

– Vi skal have hende tilbage, siger Tilte, – inden det er for sent, hvor er kisten?

Rickardt virker ikke begejstret for gensynet med Vibe.

– I min kahyt, siger han.

I det øjeblik begynder døren ind til kølerummet at gå op, vi får plasticposen på plads og dukker os alle tre bag kørestolen.

Den person, der kommer ind i rummet, er måske den, vi sidst havde ventet, nemlig Alexander Bister Finkeblod. Han står stille et øjeblik for at vænne sig til den svagere belysning. Så bevæger han sig hen mod kørestolen.

Han stopper en halv meter fra os. Havde han taget ét skridt til, så havde han set os, og der havde foreligget en situation, som det ville have været meget krævende at forklare sig ud af.

Men han ser os ikke. Hele hans opmærksomhed er koncentreret om en hylde, på hvilken der ligger en række af noget der ligner, og sandsynligvis er, vakuumpakkede fårehjerner, sikkert af de højt besungne Finøfår, og ved siden af dem står to flasker champagne. Finkeblod føler på flaskerne, er ikke helt tilfreds, stiller dem tilbage, vender sig og er ude og væk.

Vi ånder lettet op, og når man ånder lettet op i et kølerum, så står udåndingsluften som hvid damp i rummet. Vi åbner døren, køkkenet er tomt, grev Rickardt triller Vibe ud, Tilte og jeg og Basker er som forposter henne ved disken, hvor vi lægger os ned på gulvet og kigger forsigtigt frem for at se, om der er klar bane.

Det er der desværre ikke. Bordet tættest ved køkkenet viser sig nu at være optaget. Af sekretæren Vera, af Anaflabia Borderrud, af professor Thorkild Thorlacius og af hans kone, og denne intense gruppe har fået selskab af Alexander Bister Finkeblod og af de to kriminalbetjente fra politiets efterretningstjeneste, Lars og Katinka.

Tilte og jeg behøver ikke at kommunikere verbalt, vi ved, hvad den anden tænker. Den anden tænker, at hvad har ministeriets udsendte til Finø at gøre med Anaflabia og Thorkild Thorlacius? Vi kommer ikke til at vente på svaret.

– De mangler, siger Alexander Finkeblod med tilfreds stemme, – fem minutter. Champagne skal og må ned under 10 grader. Og særlig ved en lejlighed som denne. Og vores bedårende køkkenchef har fundet krystalglassene frem.

Bullimilla stiller glas på bordet. Da hun er væk, læner Anaflabia sig frem. Hun taler dæmpet, hvilket for hende vil sige, at hvert ord stadigvæk ville kunne høres på fordækket.

– Jeg har netop modtaget en mail. Fra Bodil Fisker, kommunaldirektør i Grenå kommune. De har modtaget professor Thorlacius' vurdering af situationen, efter at vi har beset præstegården og talt med børnene. Vurderingen lyder på »svær endogen depression«. Kommunen bakker os op. Så i morgen meddeler Kirkeministeriet og menighedsrådet i en fælles udtalelse, at Konstantin Finø er afskediget som præst og Clara Finø som organist. Vi skriver ikke noget om deres psykologiske habitus i pressemeddelelsen. Men til udvalgte journalister lader vi sive, at der foreligger ekspertudtalelser lydende på, at de begge har en svær depression. Bodil har lovet os, at socialforvaltningen fjerner børnene, og så snart de er fundet, bliver de skilt ad. Vi har sagt, at vi skønner, at særlig pigen har en dårlig indflydelse på den mindreårige bror. Han kommer på børnehjem i Grenå, hun bliver indtil videre anbragt på sikret ungdomspension på Læsø. Ingen journalister får at vide, hvor de er. Det betyder, at uanset hvad forældrene er i færd med, kan vi dysse det ned eller i hvert fald sige, at det blev udført af personer, som kirken har skilt sig af med og taget afstand fra. Fra Alexander Finkeblod har vi hele børnenes synderegister fra de sidste to år, en liste, der i sig selv skriger på indgreb fra kriminalforsorgen, og hvoraf det for eksempel fremgår, at drengen har vand i hovedet. Så kære venner: En meget vanskelig situation er faldet på plads. Vi har ærligt fortjent et glas!

På dette sted, inden jeg kan fortsætte referatet af begivenhederne, er jeg nødt til at rense mig selv for enhver mistanke og forklare det her med vand i hovedet.

Det sker for to år siden, mens mor og far er på den mellemste af de tre turnéer, der fører frem til varetægtsfængsling og provstedomstol, og på det tidspunkt har Conny og jeg kendt hinanden, fra vi var små, som alle i Finø By Skole gør. Men siden dengang i tønden, som ligger otte år tilbage, og som på en måde gav mig et chok, selv om jeg selv bad om det, siden da har der aldrig været en nærmere kontakt, og jeg vil sige det helt ærligt, at sådan som jeg har det med hende bare på afstand, så er der heller ikke udsigt til, at jeg får samlet nok mod til, at der nogensinde skal komme det.

Jeg ved ikke, om du kender piger, der hele tiden sætter deres hår på en ny måde, men det gør Conny. Bare man har ladt hende ude af syne i for eksempel ti minutter, så har hun skiftet frisure, og det betyder, at hendes nakke, når man sidder bag hende i klassen, kommer til syne på stadig nye måder.

I den situation, som det her drejer sig om, er Alexander Finkeblod netop indtrådt som skolebestyrer, og han har selv påtaget sig nogle undervisningstimer for at forvisse sig om vores ringe niveau, og dette øjeblik har vi ham i historie, han er ved at opridse nogle uforglemmelige detaljer om general Hannibals tur over Alperne, da jeg får øje på Connys nakke fra en aldrig før set vinkel. Øverst er der hendes brune hår med en antydning af rødt, måske som den første anelse af solopgangslys gennem kastanjetræerne, når man har været ude at finde mågeæg og er på vej hjem til præstegården klokken fire om morgenen, hvis du forstår, hvad jeg mener. Dernæst kommer et område med små dun, der bliver gradvis mere gyldne og til sidst forsvinder, og derefter er huden hvid, men på en dyb måde, som perlemor i store østersskaller fundet ude ved Nordfyret, som om man kan se ned gennem huden. Da min undersøgelse er nået dertil, så kommer forestillingen om, hvordan det sted mon dufter, og hvordan det ville føles, hvis man rørte ved det, og på det tidspunkt er Hannibals tur over Alperne trådt noget i baggrunden, og pludselig står Alexander Finkeblod foran mig, og han udstråler en hel del af den militære vrede, som man kan forestille sig, at Hannibal har plaget sine omgivelser med.

Han tager mig i armen, og man må lade ham, at han har et greb som en rørtang.

– Du stiller dig ud på gangen, siger han, – og venter, til timen er færdig. Hvorefter vi to går over til Birger, så vi tre kan tale om, hvordan du har det med boglig viden.

Birger Farmand er souschef på Finø By Skole, Alexander har haft ham med fra fastlandet, og rygterne siger, at han har opgivet en lovende karriere inden for forsvaret for i stedet at rense ud på Finø By Skole. At møde ham er aldrig behageligt, men denne gang og sammen med Alexander Finkeblod ligner det en virkelig nedtur.

I det øjeblik kommer noget op i mig. Jeg mener selv, at det er min spirituelle træning, for på det tidspunkt har Tilte for længst opdaget døren, og vi er begyndt på det, der inden for mystikken hedder en dybere proces. Det, der sker, er, at jeg mærker mig selv rejse mig selv op i mine fulde en meter og femoghalvtreds og se direkte ind i Finkeblods øjne, der dette øjeblik ligner kanonmundingerne på Fregatten Jylland i Ebeltoft Havn, hvortil Finø By Skole er på udflugt hvert år den første søndag i september.

– Til hver en tid, hører jeg mig selv sige, – vil jeg bytte al boglig viden i verden for et glimt af Connys nakke!

Der indtræffer først et ubestemt tidsrum af den tidligere omtalte gravens stilhed.

Derefter bærer Alexander Finkeblod mig ud af klassen og bekræfter herunder, at han har meget mere rå muskelmasse, end hans slanke og velplejede ydre lader ane, og på vej ned ad gangen mod Birger Farmands kontor trøster jeg mig ved en ganske let stolthed over, at de mener, det er nødvendigt at være to om henrettelsen.

Men så standser Alexander Finkeblod op, og det gør han, fordi Tilte spærrer ham vejen.

– Alexander, siger hun. – Jeg vil gerne veksle et par ord med dig under fire øjne.

På nuværende tidspunkt er det lige så selvfølgeligt for dig, som det er for mig, at Tilte kan standse et godstog i høj fart, så selvfølgelig standser Finkeblod op, som om han er frosset af en dødsstråle fra en *alien*, og derefter slipper han mig og følger Tilte ind på bogdepotet, med et tomt og glaseret udtryk i øjnene.

Tilte lukker døren bag dem, og derinde udveksler de to replikker, som ville være forseglet for eftertiden af deres diskretion og tavshedspligt, hvis ikke jeg var kommet til at læne mig op ad den lukkede dør ud for nøglehullet og derfor modstræbende kommer til at overhøre samtalen.

– Alexander, siger Tilte, – jeg ved ikke, om du er klar over, at min lillebror, Peter, har en mindre hjerneskade, han har vand i hovedet, det går tilbage til et uheld ved fødslen.

Finkeblod siger, at det var han ikke klar over, og han taler med den matte og noget mekaniske stemme, som mange mænd får, når de er på tomandshånd med Tilte.

– Det er den ene grund, siger Tilte, – til, at jeg foreslår, at du ikke tager ham med ned på kontoret. Den anden, og vigtigere, er, at du derved ville kaste en helt uberettiget mistanke på din egen undervisning, der ellers her på skolen er kendt for at tryllebinde eleverne.

Finkeblod gør et forsøg på en kontra, idet han fremstammer noget med, at jeg er en stadig pestilens for det gode læringsmiljø. Men Tilte møder angrebet, inden det når op til midtbanen.

– Peter er i behandling, siger hun, – der bliver indopereret en hane, så vi kan tappe vandet derhjemme hver morgen, inden han går i skole.

Den lukker Finkeblod ned, og jeg når lige at komme væk fra døren, inden de kommer ud og han ser på mig med noget, der kunne ligne mildhed, så jeg kan regne ud, at det har været et dybt møde, selv om han ikke har været en tur i Tiltes berømte kiste, og derefter går vi tilbage til klassen, hvor folk stirrer på mig, som om jeg var en zombie, som man må erkende bevæger sig, men som man ikke for alvor tror kan være i live.

Et stykke henne i timen får jeg med en kran hævet øjnene fra gulvet og vover et blik over mod Conny. Over hendes nakke hviler et skær af eftertænksomhed.

Det er næste eftermiddag, at Sonja kommer op på siden af mig og spørger fra Conny, om vi skal være kærester.

Det her er man nødt til at vide for at forstå, hvad der nu sker i *Den hvide Dame*s salon, og det skulle nu være klart, hvor Alexander Finkeblod har det her med vand i hovedet fra, og at det var en heroisk redning fra Tiltes side, men samtidig et eksempel på, hvordan karma fungerer, for det, der var en lille hvid nødløgn, rammer os nu ligesom bagfra.

Ud under serveringsdisken, som vi ligger gemt bag, kan vi se Lars og Katinka holde hinanden i hånden under bordet.

– Vi har fulgtes med børnene fra København, siger Katinka.
– Jeg synes ikke, de virker som typisk kriminelle.

Der bliver en frossen stemning omkring hende.

– Jeg har holdt øje med dem i to år, siger Alexander Finkeblod.
– Og med deres hund. Den har forsøgt at parre sig med Baronessen – min afghanermynde. Flere gange. Og ikke som hunde normalt gør. Det har været voldtægtsagtigt.

Selv om Katinka og Lars har ryggen til Tilte og mig, kan vi mærke, hvordan en svag undren begynder at snige sig ind i deres system.

– Jeg er helt enig, siger Thorkild Thorlacius. – Som læge og psykiater. Den måde, drengen optrådte som krybdyr på. Og jeg

210

har mistanke om, at de kunne være her om bord. Som repræsentanter for en religiøs sekt.

Både Tilte og jeg kan mærke Lars' og Katinkas undren fordybes, det er klart, at deres tillid til Alexander og Thorkild Thorlacius er vigende.

Nu rejser Alexander Finkeblod sig.

– Vi lader propperne springe, siger han. – Når børnene bliver taget i forvaring, vil jeg gerne personlig aflive hunden.

Det er sandsynligvis ment som en morsomhed, men det er ikke sikkert, at Lars og Katinka fatter pointen, for de stirrer eftertænksomt efter Alexander, da han bevæger sig ud for at hente champagnen.

Vi giver tegn til Rickardt, som bakker tilbage i kølerummet og lader døren falde i. Tilte og jeg dukker os bag stablerne af tøjservietter og duge.

Der går et øjeblik, så kommer Alexander Finkeblod ud. Han har champagnen med. Men han har fået samme farve i hovedet som de vakuumpakkede fårehjerner.

Han går rundt om disken, hen til bordet og bliver stående.

– Der er et lig i kølerummet, siger han.

Han siger det med høj stemme og det, salmedigteren kalder gravrøst.

Bullimilla har hørt det. Og nu nærmer hun sig bordet. Og hun har et udtryk i ansigtet, så man tænker, at det er godt for Alexander, at hun ikke har en af de store kødøkser lige ved hånden.

– Det håber jeg der er, siger hun. – Vi har over tre tons af det fineste økologiske kød i den køler.

– Menneskekød, siger Alexander.

Den specielle tavshed fra før er blevet dybere. Tilte og jeg kan mærke, at Katinka og Lars begynder at se skarpt på Alexander som på en type, der måske ikke burde gå frit rundt. Og Bullimilla ser på ham, som om hun overvejer, om det med menneskekød i køleren måske kunne være en idé for fremtiden, og måske skulle man starte med ham.

– Det kan være kvinden fra hestevognen, siger Thorkild Thor-
lacius pludselig. – Der sad en ældre kvinde ved siden af mig. Jeg
vil sige, at hun var døende. Fra et lægeligt synspunkt.

– Og nu, siger Katinka venligt, – er hun måske gået op og har
lagt sig i kabyssens kølerum for at ånde ud?

– Sat sig, korrigerer Alexander Finkeblod. – Hun sidder i en
stol.

Katinka rejser sig langsomt.

– Lad os kigge derud, siger hun.

Hun nikker til Alexander.

– Dig, mig og køkkenchefen.

Tilte og jeg er oppe som en mis, åbner døren til kølerummet,
får greven og Vibe vinket ud, skubber kørestolen om bag bordet
med servietter, hiver en dug over Vibe og stolen og greven og
dukker os selv, og alt det inden de andre har fået rejst sig og taget
det første skridt.

Alexander Finkeblod, Katinka og Bullimilla går ind i køle-
rummet. Døren lukker sig bag dem. Et minut rinder gennem ti-
meglasset. Døren går op, de kommer ud. Nu ligner Alexander
snarere noget af det, der er flået og hænger på kroge og venter på
kokken. De vender tilbage til bordet uden at kaste så meget som
et blik i retning af os.

– Det var en fejltagelse, siger Katinka. – Måske havde hr. Fin-
keblod en hallucination.

Man kan mærke, at stemningen ikke mere er til champagne,
flasker og glas står ubenyttede og forladte på bordet. Selskabet
bryder op. Kun Katinka og Lars sidder tilbage.

Der er begyndt at komme mennesker i salonen. Men Lars og
Katinka ænser dem ikke, man kan se, at de er rystede. Lars åbner
den ene flaske champagne og skænker op til dem begge.

– Vi skulle have lyttet til ham landbetjenten, siger han. – Med
hunden der lignede et ryatæppe. De typer, de skulle ikke have
været løsladt. Heller ikke hende biskoppen. De er en opgave for
retspsykiatrien.

212

– Han er hjernespecialist, siger Katinka. – Ham den skaldede med dræberblikket.

De sukker dybt.

– Vi kunne søge over til bedrageriafdelingen, siger Lars. – 40 rolige papkasser med aktstykker til hver sag, ikke de der galninge. Folk, der bedrager andre, er som regel charmerende. Men de, der bedrager sig selv …

De ser hinanden i øjnene. Skåler.

– Børnene, siger Lars. – Man ville selvfølgelig ikke ønske det var ens egne. Medmindre man havde en ranch i Australien og kunne lukke dem ud om morgenen på hundrede acres blandt alligatorer, kænguruer og pungløver. Men de er ikke forbryder-typer. På en måde har de ført os sammen. Stadig ikke noget på aflytningen af deres telefoner?

Hvis man som Tilte og jeg er trængt dybt ind i de religiøse mysterier gennem studier på nettet og på Finø By Bibliotek, så opdager man, at flere af de største, og lad mig nævne gode folk som Jesus, Mohammed og Buddha har sagt, at man behøver fak-tisk ikke at lave sig selv om, man kan udmærket nå frem til de højeste indsigter med et temperament som for eksempel Ejnar Tampeskælver Fakirs.

Det er en side ved mystikken, som jeg rent personlig er glad for. For selv om mange i Finø Boldklub mener, at præstens Peter er kommet langt med forædlingen af sin personlighed, så er der stadig nogle rester tilbage af det, man kunne kalde den blodrøde vrede, og det er den, der flammer op bag stablerne af tøjserviet-ter, da jeg hører, at Politiets Efterretningstjeneste aflytter min og Tiltes telefoner.

I det øjeblik falder mine øjne på Katinkas dametaske, en flad, elegant sag af blankt, sort læder, der står ved hendes fødder. Mange kvinder ville nok have hængt den over stolen. Men Ka-tinka er kriminalassistent, hun har den under bordet, hvor den ikke kan ses, i hvert fald ikke medmindre man som jeg lever skjult og i gulvhøjde, og hvor hun med sin skosnude kan holde kontakt med den, og sikre sig, at den ikke bliver stjålet.

Normalt ville det være meget vanskeligt at komme til den taske. Men jeg ligger gunstigt, mindre end en armslængde fra den. Og Katinka er indsvøbt i Lars' nærhed, under bordet har hun direkte taget foden væk fra tasken, for, under dugen, at lægge et ben ind over Lars'.

Så jeg rækker ud, åbner tasken og lader min hånd glide rundt i dens mørke. Jeg mærker nøgler, noget der kunne være en notesbog eller kalender, i et særskilt rum er der noget, som må være kosmetik, lommespejl, neglefil. Jeg støder på noget koldt, behageligt nubret, men mærker håret rejse sig, for det må være et revolverskæfte. Og jeg fortsætter og finder to mobiltelefoner, en børste og et stykke fladt plastic.

Katinkas fod er på vej tilbage mod tasken. Jeg bestemmer mig for den ene af mobiltelefonerne. Det er selvfølgelig en lille smule gammeltestamentligt med hævn og en mobiltelefon for en mobiltelefon. Men vi er jo ikke længere, end vi er, og som de store sagde, man behøver ikke lave sig selv om.

Tilte giver tegn, vi kan ikke vente længere. To forelskede betjente kan blive hængende over to flasker champagne den halve nat. Og der kommer stadig flere mennesker ind i salonen. Så vi trækker tre sorte duge over Vibe, samler et par kilo kanapéer i et viskestykke, venter til Bullimilla bliver kaldt ned i den anden ende af lokalet, og så triller Rickardt og Tilte og jeg den tildækkede kørestol gennem lokalet.

Vi bliver fulgt af Lars' og Katinkas spørgende blik, og så gennemtrængende er det blik, at det måske endda kunne have fundet Vibe under dugen. Men til Tiltes og min overraskelse bliver det Rickardt, der glatter folderne ud.

– Jeg skal synge, siger han forklarende til betjentene. – Til maden. Det her er min lille transportable scene.

Vi er gennem rummet og fremme ved udgangen til korridoren, da en person træder ind i salonen og må vige til side for vores lille optog, det viser sig at være Jakob Aquinas Bordurio Madsen. Han siger ikke noget. Men man får en idé om, hvad der foregår inden i ham, når jeg fortæller, at der høres en sprød lyd, da han taber rosenkransen.

Det sidste, jeg hører, da vi kanter kørestolen ud i korridoren, er en hvisken fra Katinka.

– Lars, siger hun. – Vi kunne også søge over i et helt andet erhverv. Gartneri for eksempel.

Jeg når ikke at høre svaret, vi er ude i korridoren.

Et af de spørgsmål, hvor Tilte og jeg har måttet sige til verdensre-ligionerne, at dér er vi ikke sikre på, at vi kan bakke op, det er spørgsmålet om, hvorvidt der er retfærdighed i tilværelsen.

Det, der nemlig sker, da vi er på vej tilbage til Rickardts kahyt i fuldt firspring, det er, at da vi drejer om hjørnet, begynder hans dør at gå op, åbnet indefra, og ud kommer lama Svend-Helge, Gitte Grisanthemum og Sindbad Al-Blablab.

Det er klart, at det må glæde enhver at se Gitte og Sindbad og Svend-Helge gå gennem livet skulder ved skulder som slyngven-ner, det tyder på, at den gode stemning og kontakt, som Tilte og jeg har skabt under bilturen, holder, og det betyder, at der er grund til at håbe, at den personlige goodwill, som vi også har oparbejdet, stadig holder. Det, man kan tvivle på, det er, hvad der vil ske med den goodwill, når de om lidt løber ind i os og vi frem-træder som gravrøvere og ligskændere.

Grev Rickardt er blevet stiv af skræk, og man kan mærke, at Tilte ikke har nået at komme sig over det sidste møde med Jakob Bordurio, det er tydeligt, at ansvaret hviler på mig, og det er dér, man kommer i tvivl om den kosmiske retfærdighed, for vi er lige kommet ind i smult vande, og nu blæser det op igen.

En af hemmelighederne ved at spille wing, det er at man un-dertiden kan ligge helt oppe ved *off side*-grænsen, som en kat i solen, men ved en pludselig stikning er man rykket, før bolden har sluppet græsset, og det er det, jeg gør nu. Inden Svend-Helge og Gitte og Sindbad har fået lukket døren bag sig og fået øje på os, har jeg trukket Tilte og Rickardt med Vibe i kørestolen tilbage om hjørnet igen, har åbnet den nærmeste dør og hevet dem med mig ind og lukket døren efter os.

Noget af det allervigtigste, når man fortæller om så skæbne-svangre begivenheder som disse, det er, at man ikke kan mistæn-

216

kes for på nogen måde at ville underholde, det er derfor, jeg har brugt enhver lejlighed til at bidrage med Tiltes og mine studier af den højere mystiks kildeskrifter. Og nu kommer der helt af sig selv igen en sådan lejlighed. For rummet vi står i, er bælgmørkt, og jeg kan først ikke finde kontakten. Det kan ikke undgå at minde mig om, at et flertal af de spirituelle sværvægtere, der har levet efter det elektriske lys blev opfundet, de har sagt, at hvis man for alvor slipper ud af fængslet, så føles det, som om man får installeret en fast kontakt. Før ravede man i blinde, men nu kan man, hvad øjeblik det skal være, trykke på kontakten, og derefter er der fest.

Jeg har været helt åben og ærlig omkring, at helt så langt er Tilte og jeg ikke endnu. Men vi har en følelse af at være godt på vej, og det bliver bekræftet nu, for jeg finder kontakten og tænder, og derefter ser det hele på flere forskellige måder lysere ud.

Vi står i den gynækologiske klinik, som jeg har nævnt hørte til *Den hvide Dames* tidligere ejers harem. Foran os er der to af de brikse, man ligger på hos lægen, der er stålborde med vaske, hvide fliser på væggene, en operationslampe i loftet, i glasskabe hænger blanke instrumenter, stroppet fast med sorte gummibånd, så de vil kunne klare søgangen, og på en bøjle hænger en hvid kittel.

Greven og Tilte er stadig ikke inde i spillet, og udenfor kan jeg høre skridt nærme sig. Et menneske, der følte sig mere sikker på den himmelske retfærdighed, ville måske blive stående og nyde atmosfæren, men ikke jeg. Jeg hiver den hvide lægekittel ned fra bøjlen, det er gudskelov af den slags, der lukker i ryggen, jeg lægger den omkring Vibe, smider hendes hat i en pedalspand, får hendes hår op under en lille hvid hat, der også hænger på bøjlen, på et bord står en pakke med masker af den slags kirurger bruger, dem sætter jeg over Vibes mund, og prikken over i'et er det stetoskop, jeg giver hende om halsen.

Helhedsindtrykket er ikke så dårligt. Det får selvfølgelig ikke én til at tænke, at man står over for en person, man ville tigge om

217

at føre kniven, hvis man skulle opereres for pungbrok. Men Vibe kan holde til et hurtigt blik.

Et hurtigt blik er faktisk, hvad hun får, for nu bliver der banket på døren, den går op og ind træder Svend-Helge og Gitte og Sindbad.

Selv om om det er tre intelligente og dybe personligheder, er det forståeligt, at de virker overraskede. Det er tydeligt, at ingen af dem før har mødt grev Rickardt Tre Løver, og bare smokingen i sølvlamé og mavebæltet kunne få enhver til at tvivle på sin sunde fornuft og dømmekraft. Derudover er det klart, at de ikke genkender Tilte og mig i vores forklædning, men det er også tydeligt, at de har en følelse af at have set os før.

I denne vanskelige situation er det forståeligt, at de henvender sig til rummets naturlige autoritet.

– Doktor, siger Gitte til Vibe, – De skulle vel ikke vide, hvem kahytten lige om hjørnet tilhører?

Nu er grev Rickardt vågnet til live.

– Det er min, siger han.

Gitte og Svend-Helge og Sindbad stirrer på greven. Mange spørgsmål ligger dem på tungen. Det bliver Gitte, der stiller det mest nærliggende.

– Hvorfor er kisten dér?

Tilte har hvilet ud på udskiftningsbænken, nu er hun tilbage på banen.

– Det er skibslægens råd, at Rickardt her spiller *raga*'er for den døde. For at støtte hende i efterdødstilstanden.

Nu kigger Svend-Helge og Sindbad og Gitte på Rickardt med fornyet interesse og sympati. For hvis der er noget, de store religioner er enige om, så er det, at det er godt med en hjælpende hånd i efterdødstilstanden.

– Doktor, siger Gitte. – Vi er meget taknemmelige for denne omsorg. Og jeg vil gerne benytte denne lejlighed til at vende spørgsmålet om livet efter døden med Dem.

Tilte retter sig op. Hun åbner døren ud til gangen.

218

– Lægen står foran en vanskelig operation, siger hun.

Store operationer rydder bordet, Sindbad og Svend-Helge forlader klinikken. Gitte er modstræbende.

– Det er en enestående mulighed, siger hun. – Til at fortsætte dialogen mellem spiritualitet og naturvidenskab. De er en åben person, doktor. Ikke ukritisk, men åben. Det kan jeg mærke.

Tilte fører Gitte ud gennem døren.

– Måske senere, siger hun. – Lægen løber ingen steder. Hun vil altid være parat til en meningsudveksling.

Tilte, Basker og jeg er kollapset på den hjerteformede haremsseng i vores kahyt. Vi er enedes om, at vi er for trætte til at bakse Vibe på plads i aften, og at Rickardt i stedet vil synge lidt for hende på klinikken. Vi har sagt godnat til Rickardt og gjort rent bord med kanapéerne, og at sige vi er trætte, er ikke nok, vi er dødeligt udmattede og parat til den sidste olie.

Men tankerne kværner. Det er det, der er problemet. Al forskning, også Tiltes og min, viser, at alle de store mystikere har peget på, at vi er tankefabrikker, på hvilke maskinerne aldrig står stille, og i al den larm kan man ikke høre, om der i stilheden skulle være bare begyndelsen til et svar på de lidt større spørgsmål, som hvorfor er vi kommet til verden, og hvorfor skal vi ud af den igen, og hvorfor er der nu nogen, der banker på vores dør?

Døren går op, det er grev Rickardt Tre Løver med sin ærkelut.

– Jeg kan ikke lide at være alene, siger han. – Det er ligesom hun kigger på mig. Jeg modtog så et råd fra mit indre vejlederniveau, om at jeg skulle sove hos jer.

Basker ligger mellem Tilte og mig, vi ville ikke drømme om at have dyr i sengen, men Basker er ikke et dyr, han er en slags menneske. Nu skubber vi ham til siden og gør plads til greven.

– Jeg gjorde ellers mit bedste, siger Rickardt. – Et potpourri af Milarepas sange, byzantinske højdepunkter fra Athos, Ramana Maharshis oder til Arunachala. Men hun svinger ikke med.

I det øjeblik får Rickardt øje på avisudklippet med billedet af den cirkelrunde montre og Ashanti og de to livvagter.

– Det er dér, jeg skal synge, siger han. – I den gamle slotskirke. Akustikken er fremragende.

Tilte og jeg sætter os ikke op. Men vi bliver meget stille.

– Det er et af Filthøj Slots mest stilfulde rum, siger Rickardt.

– Det bliver en meget, meget skøn ramme om Den store Synode.

Der går et øjeblik, hvor vi er stumme, det er Tilte, der først genvinder talens brug.

– Rickardt, siger hun, – under gulvet i det rum, hvad er der dér?

– Kasematter, siger Rickardt. – De gamle kloakker. Men ombygget til hvælvinger. Med en skøn stemning. Jarlen af Bluffwell ligger begravet dér. Var på besøg i Danmark i 1700-tallet. Døde af alkoholforgiftning. Storslåede rum. Vi tørrede vores pot dér, da jeg var dreng. Legede læge, med køkkenpersonalets små sønner og døtre. Velventilerede rum, konstant luftfugtighed, behagelig temperatur.

– Rickardt, siger Tilte, – fortalte du mor om de kældre?

– Jeg viste hende dem. De ledte jo efter et sted, hvor herligherderne kunne bringes i sikkerhed ved indbrud eller brand. Så jeg siger til hende: »Sådan et rum findes allerede. Og der er allerede åbninger i gulvet, dækket af fliser. Hvor de gamle trapper har været.« Jeg beskrev for hende, hvordan hun kunne lave det. Jeres mor var begejstret over min skarpsindighed. Det mindede mig om, da jeg var lille og min egen mor sagde: »Rickardt, det bliver ikke let for dig at finde en plads i verden, der kan rumme din store hjerne.«

– Hvornår viste du mor den, spørger jeg.

– Jeg rejste jo med hende derover. Tre gange. Jeg vil sige, det er en fornøjelse at rejse med jeres mor. En tiltrækkende kvinde. Hvis det ikke var, fordi det var jer, jeg havde valgt. Men måske er det ingen hindring. Kunne være pikant. Både mor og datter og sønner. Man kunne have et harem. Passende for en voldsom seksualitet som min. Og skibet her opfordrer jo ligefrem til det.

– Rickardt, siger Tilte. – Er der en vej ud fra de kasematter?

Rickardt sænker stemmen. Blinker til os.

– Sig det ikke til nogen, mine små balsambøsser. Officielt er der ingen vej. Men som børn opdagede vi tunnelen. Fører stik øst. Hemmelig gang. I virkeligheden bare den gamle kloak. Lukket med en murstenvæg. Med en hemmelig dør. Sikkert sat i under svenskekrigene. Vi brugte den, når vi havde husarrest. Og ville på *Perlen* i Vedbæk Marina. Den munder ud i klinten. Inde i slottets bådehus. Lige ud til Øresund. Vi havde en lille gummibåd holdende. Med en ordentlig kleppert af en påhængsmotor. Og festtøjet i vandtætte sække. Vi stod på skateboard gennem tunnelen. Med pandelamper. Den har selvfølgelig en let hældning. Fra da den var kloak. Men vi må lade det blive mellem os. Det er jo en vej, der fører lige ind til den underjordiske sikkerhedsboks. Ikke at det ville betyde noget. Hvis nogen fandt derind. Den er af hærdet stål og jernbeton. Boksen. Indbrudssikker. Brandsikker. Og den vejer to ton. De hejsede den ind fra slotsgården med en kran.

– Rickardt, siger jeg. – Kan du have vist mor den tunnel?

Rickardts ansigt bliver eftertænksomt.

– Det er muligt. Det er et romantisk sted. Tunnelen. Fliser på gulvet. Livlig astral aktivitet. Et glimrende sted at ryge en joint. Der kan have foresvævet mig en drøm om måske at stjæle et lille kys. Det er ikke ofte, man har jeres mor på tomandshånd. Sig det ikke til nogen. Desværre sagde hun nej. Men jeg har ikke givet op. Nogle kvinder kalder på en længere belejring.

Rickardt lægger sig til rette.

– Jeg får en søvnløs nat, siger han. – I sengen mellem tre sveskeblommer.

Det er en replik, man må opfatte som en kompliment. Men den kan ikke være dybfølt, for i næste øjeblik er Rickardt faldet i søvn, med lutten i favnen.

Vi ligger vågne i mørket, på trods af udmattelsen er der noget, der ikke vil give slip.

– Petrus, siger Tilte, -- ville du sige, at far og mor var tyveknægte og røverbaroner, som typer?

– Nej, siger jeg.

– Ville du sige, at de var besat af penge?

Her må jeg tænke mig om et øjeblik. For ethvert barn ville jo gerne svare nej til det spørgsmål. Selvfølgelig var de glade i de måneder, hvor de havde minken og Maseratien, og hvor guldet flød. Men hvis man lagde deres glæde under mikroskopet, så var det, som om den mest skyldtes, at min far nu kunne køre mine klassekammerater ture og komme op på de 260 eller måske endda 280 på det lige stræk ude ved flyvepladsen. Og for mor var det, som om hun på film havde set voksne damer gå nøgne rundt i pelse indendørs foran ild i kaminen og nu også selv måtte prøve.

– Maseratien, siger jeg, – og minken. Det var egentlig mest for at give andre en religiøs oplevelse. Det er det, de lever for. Det med pengene var bare et middel. Og ikke så heldigt valgt.

– Så Petrus, når nu mor og far ikke er de fødte røvere og egentlig ikke for alvor pengegriske, kan vi så tro på, at de vil ofre deres arbejde, deres hjem, deres børn og deres halvgode navn og rygte og gå frivilligt ind i en tilværelse, hvor de er efterlyst af Interpol i 50 lande, bare for et par akvarier med sten, der blinker, og som det sandsynligvis vil være meget svært at sælge?

Vi ser på hinanden. Indtil nu har vi været så optaget af at forstå, hvad der foregår, at vi ikke har kunnet se tingene ovenfra. Men det begynder vi at kunne nu.

– Alligevel har de planlagt et røveri, siger Tilte. – Men de må have haft en anden idé end at stikke af med tyvekosterne.

Trætheden er forsvundet, håret rejser sig på mit hoved.

– Hittegodsloven, siger jeg. – Der må stå noget om findeløn.

Nu har vi begge to sat os op.

– Hvis de kunne få det til at se ud, som om nogle andre havde stjålet det, siger Tilte. – Og så levere det tilbage. Og hæve findelønnen.

– De ville ikke engang behøve at åbne boksen, siger jeg. – De skulle have den til at forsvinde.

– Men to tons, siger Tilte.

– Mor ville have udtænkt en løsning, siger jeg.

– De ville få ti procent, siger Tilte, – findeløn plejer at være ti procent. – Krucifiksene alene var vurderet til en milliard. Ti procent af det er 100 millioner. Det måtte man så slå sig til tåls med.

223

Vi har lagt os ned. Der går rygter om, at de store mystikere, når de når et bestemt trin, ikke sover rigtigt mere. De ligger måske nok med lukkede øjne, men de registrerer alt omkring sig.

Det er ikke noget, jeg personlig har haft mulighed for at kontrollere, men hvis jeg får det, hvis der for eksempel skulle flytte en stor mystiker til Finø, så vil jeg lige undersøge det, inden jeg tror det. For eksempel vil jeg liste ind om natten, mens han eller hun sover, og lige så stille løfte gebisset fra skålen med vand på natbordet, og næste morgen vil jeg så lægge mærke til, om den pågældende helgen kan udpege mig som gerningsmanden.

Indtil det sker, vil jeg betragte det som en god historie og et tegn på, at Tilte og mig endnu ikke er fuldt oplyste, for når vi sover, sover vi tungt, så den, der står uden for kahytsdøren og hamrer på den, har sandsynligvis stået en rum tid, før vi opdager det og lukker op.

Det er Leonora Ganefryd. I natkjole og med sin pc og vildt opspærrede øjne.

– Der er slettet i filen, siger hun.

Først forstår vi ikke, hvad hun mener. Og desuden tager det nogle minutter for Tilte og mig, når vi bliver vækket efter midnat, at skrue op for fuld intellektuel styrke.

Leonora sætter pc'en foran os, kalder en af filerne frem. Ud gennem de indre tåger ser vi det, vi nu ved er den gamle slotskirke på Filthøj, på skærmen er klokken syv om morgenen, og der er ikke en sjæl i sigte, og det er klogt, klokken syv om morgenen ligger alle kloge folk og sover, Tilte og mig ønsker, det var os. Vi ser det blive lysere, det bliver dag, altså på skærmen, håndværkere kommer og går, det bliver aften og nat, på et lille felt nede i hjørnet racer tiden forbi. Så sænker Leonora hastigheden, nu går sekunderne ganske langsomt, klokken er 2.50 om morgenen, så er den 2.58, 2.59, og så springer den til 4.00.

– Der mangler en time, siger Leonora.

– Strømafbrydelse, foreslår Tilte.

– De sker ikke på klokkeslæt, siger jeg. – Og alarmer har altid en nødstrømforsyning.

Vi ser på hinanden.

– Der er slettet en time, siger Leonora. – Jeres forældre har slettet en time.

– Leonora, siger Tilte. – Har du ikke engang sagt, at man principielt kan genfinde alt, der nogensinde er slettet fra en computer.

– Principielt, siger Leonora. – Men ikke klokken halv et om natten. Desuden føler jeg mig urolig. Når man kender jeres far og mor. Det er søde mennesker. Men også risikable. Tag det ikke personligt. Jeg er urolig over, hvad de mon har gang i. Det er ikke sjovt at ligge alene og vende sig i sengen, og tænke på hvad der venter forude. Jeg tænkte, om jeg kunne sove hos jer.

Sengen er nu tæt ved overbefolket, jeg folder hænderne, her i nat drejer min aftenbøn sig om, at jeg ikke håber, at vi får besøg af flere, der vil op til os og trøstes.

GUDERNES BY

– København er et globalt, spirituelt centrum, siger grev Rickardt Tre Løver, – det er gudernes by, og jeg kan lugte det.

Den hvide Dame er på vej ind gennem indsejlingen til Københavns Havn, vi står på fordækket med grev Rickardt og de få andre passagerer, der har klaret at arbejde sig ud af sengen, og op gennem følgerne af buffeten på Finøholm efterfulgt af Bullimillas kanapéer og champagne.

Det er en kold og klar morgen med skarp sol og blå himmel og himmelblåt hav og hvide måger.

– Det begynder nordpå, siger greven. – Med wellnesscentrene i Nordsjælland, makrobiotiske diæter, yoga, Dr. Bachs blomstermedicin og balinesisk massage. Det accelererer med centrene for tibetansk buddhisme, Sufiakademiet og de katolske privatskoler i Hellerup. Swedenborginstituttet og Martinus' institut og teosofferne på Frederiksberg. Det bliver ekstatisk, når vi kommer ind mod centrum: Københavns Domkirke, Det teologiske Fakultet, Den katolske Kirke i Bredgade, Den russiske Kirke, yogaskolerne i den indre by, moskeerne, synagogerne. Og længere sydpå tager det en okkult drejning. Den okkulte Skole på Christiania, Satanistisk Konsortium på Amager Strandvej, de astrologiske institutter på Gammel Køge Landevej. For så at slutte fejende flot med Asathor og den store blotplads på Amager Fælled.

Greven tager luft ind.

– Jeg kan lugte det. Røgelsen. Duften fra det *satviske* køkken. De usyrede brød. Halalslagterne i Nansensgade. Vokslysene tændt for Den hellige Jomfru. Offerrøgen fra Kløvermarken. Og jeg kan høre det. Lyden af tarmskylningerne. Klukken fra neti-kanderne. Kirketonearterne. Kirkeklokkerne. Bønnerne mod Mekka. Jeg har skrevet en sang om det.

Inden Rickardt har fået ærkelutten op over rælingen, har vi søgt dækning.

Det har ellers været en god morgen. Vi har sovet som sten, og er vågnet tidligt og som født på ny. Vi har taget bad, og det har ikke været som hjemme i præstegården, hvor man igen og igen må falde i undren over, om det er arv eller miljø, at kvindelige brusebade aldrig varer under en time og altid tømmer varmtvandsbeholderen, for om bord på *Den hvide Dame* er der ubegrænsede mængder af varmt vand, og der er to bruserum, et til Tilte og et til Basker og mig, og stabler af hvide håndklæder og to hårtørrere, jeg bruger dem begge to samtidig til Basker, det får ham til at se ud, som om det store teologiske spørgsmål, om hvor Paradiset ligger, hvis det findes, er løst, hvis man står mellem to hårtørrere, der er skruet helt op, så er man ifølge Basker nået frem.

Derefter ifører vi os ordensdragterne og vimser ind på klinikken og ønsker Vibe godmorgen, hun er stadig fint kold, og vi triller hende ind på Rickardts kahyt og hjælpes ad med at få hende op i kisten, og da låget er skruet på, ånder vi lettet op og begiver os på vej til skibets restaurant.

Der er mange af de store religioner, som har det standpunkt, at hvis man bare læner sig tilbage i sædet, skal det hele nok gå, og det er en skole som Tilte og jeg har sympati for, og her til morgen er der rigtig meget der falder i hak af sig selv. På vej til restauranten gennemgår Tilte sine sms'er, og fortæller, at det er lykkedes hende at låne en lille lejlighed af en veninde, så vi ikke skal sove i en papkasse i storbyens gader, og da vi kommer ned i restauranten, står vi foran en morgenbuffet, der får en til at ønske, at man gik med hat indendørs, så man kunne knæle foran fadene og blotte hovedet.

Det må være, fordi vi et øjeblik senere er fordybet i maden, at vores opmærksomhed svigter. For da vi løfter blikket fra frugtsalaten og de smørbagte croissanter og de sprøde pandekager med ahornsirup og flødeskum, og en kaffe, som kunne være efterladt af *Den hvide Dames* første ejer, for den dufter af Arabiens krydderimarkeder, da vi løfter blikket fra alt det, så ser vi, at restauranten lige så stille er blevet fyldt, og at vi foran os har Anaflabia Boderuds nakke.

Der er ikke noget galt med Anaflabias nakke, absolut ikke. Både den og hendes opsatte frisure ville i sig selv være et opmuntrende syn, selv om den ikke, som Connys nakke, er noget, jeg direkte ville risikere mit liv for. Det, der er problemet, det er, at ved siden af Anaflabia sidder Vera og ved siden af hende Thorkild Thorlacius' kone og ved siden af hende Thorlacius selv, og det øjeblik jeg ser op, møder jeg hans blik, hans øjne er stift rettet mod os, og Tilte har ikke sløret nede, hun har løftet det, for at det ikke skal hænge i vejen for indskovlingen af pandekager.

– Ja ha, siger Thorlacius. Og derefter noget højere: – Ja ha!

Jeg vil sige, at havde han fået lov til et tredje »Ja ha«, så havde han henledt andre menneskers opmærksomhed på os. Men i det øjeblik sker der noget uventet.

Det, der sker, er, at Alexander Finkeblod kommer ravende gennem lokalet som en beruser, vælter stole og borde, synker ned ved siden af Thorkild Thorlacius.

– Der er sket en forbrydelse, siger han.

Alexander Finkeblod er en person, der til hver en tid er i stand til at skaffe sig ørenlyd og opmærksomhed. Oven i dette naturlige talent kommer så ved denne lejlighed det forhold, at hans øjne er vidt opspærrede, hans hår stritter, som om han har haft fingrene i en stikkontakt, og han har Baronessen med sig, og også Baronessens hår stritter, det stritter så hun ligner et hulepindsvin.

Så han har hele lokalets opmærksomhed, også Katinkas og Lars', de to betjente sidder ved nabobordet.

– Jeg har været til læge, siger han. – Her tidligt i morges!

Katinka giver sig tid til at synke det sidste af en kanelsnegl.

– Det synes jeg lyder som en fremragende idé, siger hun.

For mig og Tilte er det tydeligt, at på trods af forelskelsen og på trods af kaffen og kanelsneglene er Katinka og Lars ved at være en lille smule trætte af selskabet, og måske især af Alexander Bister Finkeblod.

– Klokken var fem, siger Alexander, – og jeg vågner med forstyrret peristaltik. Kramper. Og min første tanke er: Kanapéerne! Min anden tanke er: Jeg må vække Dem, professor! Men jeg ved ikke, hvilken kahyt der er Deres.

Man kan mærke på Thorkild Thorlacius, at lettelsen over ikke at være blevet vækket klokken fem i morges for at tage stilling til Alexander Finkeblods fordøjelse har fået ham til at glemme Tilte og mig for et kort øjeblik

– Så jeg vakler gennem korridorerne. Pludselig befinder jeg mig foran skibets hospitalsklinik. Jeg formelig falder ind gennem døren. Og forestil Dem min lettelse, da jeg står foran den kvindelige læge. Jeg fortæller hende detaljerne. Beder om en undersøgelse. Trækker bukserne ned, lægger mig på briksen. Men hun virker fuldstændig upåvirket af mine smerter. Så jeg synker sammen foran hende. Tager hendes hånd. Den er iskold. Jeg mærker på halspulsåren. Ingen puls. Hun er død.

Op bag Alexander er nu kommet Bullimilla, og man kan se på hende, at antydningen af, at hendes kanapéer kan have været årsag til et ildebefindende, har vakt hendes misbilligelse.

– Kvinden fra kareten, siger Thorkild Thorlacius. – Det må have været skibslægen. Jeg advarede hende. »De er døende, frue« det var, hvad jeg sagde.

Men Alexander Finkeblod er ikke færdig med sin historie.

– Jeg vakler skibet igennem. Plaget af smerter. Først på kommandobroen finder jeg et medmenneske. En styrmand. Men han tror mig ikke. Men jeg får ham med ned til klinikken. Vi åbner døren. Den er tom. Liget er borte.

Tilte og jeg veksler blikke. Ved en fantastisk timing har Alexander været borte, netop mens vi har hentet Vibe og geninstalleret hende i kisten. Det er sådan et sammentræf, der kan lede en i retning af at tage det med den kosmiske retfærdighed op til fornyet overvejelse.

– Jeg forlanger en undersøgelse. Man gør nar af mig. Antyder at jeg har drukket for meget i går. Så nu er jeg kommet her. For at anmelde et dødsfald. Muligvis en forbrydelse. Nogen har skaffet liget af vejen.

Den hvide Dame duver let, vi har anløbet Langeliniekajen, der er en murrende vibration i skroget, som fortæller, at en landgang bliver sat.

Katinka rejser sig langsomt.

– Hvis jeg må opsummere, siger hun. – Den døende skibslæge kører i går i karet til landgangen. Påmønstrer og går op i restaurantens kølerum, hvor hun tager sig et lille hvil. For I husker nok, det var dér, vi så efter hende i går. Derfra går hun til skibets klinik, møder ind på sin vagt, hvor hun afgår ved døden. Kun for tidligt i morges at blive ført væk.

– Ja, siger Thorkild Thorlacius. – Det er sådan, det må være gået til.

– Der er bare detaljen med, hvor liget er blevet af, siger Katinka.

– Ja, siger Thorkild Thorlacius. – Det er den eneste lille uklarhed.

Fra min plads over for ham kan jeg mærke, at Thorkild Thorlacius er imponeret over Katinkas evne til at trække fakta sammen. Men han er mindre opmærksom på den sammenbidte politiironi i hendes stemme.

– I går, siger Katinka, – hvor Lars og jeg løslod jer fra arresten ved, hvad vi i dag må erkende var en bitter fejltagelse, præsenterede De – her peger hun på Thorkild Thorlacius – Dem som hjerneforsker. Jeg foreslår, at De her fra Langelinie kører Dem selv og Deres kumpaner et sted hen, hvor De alle kan få Deres hjerner gået efter i sømmene. Og jeg synes, De skal tage den herre med den stive frisure med.

Det siger hun, samtidig med at hun nikker mod Alexander Finkeblod.

Derved tager hun et øjeblik øjnene fra Thorkild Thorlacius.

Det skal man være forsigtig med. Det sidste døgns begivenheder har åbnet Tiltes og mine øjne for, at Thorlacius har et temperament som en spansk donna, og det er nu forstærket af de slag, som skæbnen har tildelt ham her på det sidste. Og så har han sin fortid i Akademisk Bokseklub.

Og ganske rigtigt. Han har rejst sig op som en trold af en æske og langet Katinka et hook til mellemgulvet.

Det er et slag med masser af vægt bag. Var det nået frem, ville Katinka have fået noget at arbejde med. Men det når aldrig frem. For en hånd, der er tung som en kødøkse, falder på professorens arm og standser slaget. Hånden tilhører Bullimilla.

– Hvad var det jeg hørte om kanapéerne? siger hun.

Det er egentlig ikke Thorkild Thorlacius der er den rette til at besvare det spørgsmål, men det gør han alligevel, og svaret er en lige venstre til Bullimillas tinding.

Heller ikke den når frem. For Katinka kommer bagfra, griber professorens hånd, vrider den om og presser ham ind over bordet. I samme glidende bevægelse har hun et sæt håndjern fremme, og for anden gang på under 24 timer har professoren begge hænder lænket på ryggen.

Tilte og jeg har med stor interesse læst om, hvordan der omkring de store mystikere danner sig et mønster af det modsatte køn, som for eksempel kvinderne omkring Jesus og Buddha og Ejnar Tampeskælver Fakir, der aldrig går ud uden at være ledsaget af sin mor og sine døtre og mindst to kvindelige topspillere. Tilte og jeg har talt om, at måske er det et system, der går i gang, hver gang en formidabel personlighed folder sig ud, og den teori får næring her ved bordet, hvor det bliver tydeligt, at kvinderne omkring Thorkild Thorlacius ikke har tænkt sig at sidde og gnave stiltiende på wienerbasserne, mens altahannen bliver ført væk.

Det ene øjeblik sidder hans kone og nipper til urteteen og

knækbrødet uden smør, det næste spyr hun ild og røg ud af næseborene og kaster sig over Katinka og Bullimilla.

Tilte og jeg vælger dette strategiske øjeblik til at liste af. Mens vi er på vej ud, ser jeg Lars lægge en hånd på sekretæren Veras arm, sandsynligvis for at forhindre hende i at forsvinde.

– Jeg kan ikke tåle at blive rørt ved, siger Vera.

Hun siger det med en stemme, som ville have fået Lars til at slippe, hvis han havde hørt den. Men han er optaget af den *catfight*, der er ved at udfolde sig, og som er på vej ud af kontrol.

– Slip hende, siger Anaflabia, – hun er min sekretær!

– Om hun så havde været din sminkør og personlige *shopper*, siger Lars, – så skal I to med til stationen og aflægge forklaring.

På det tidspunkt viser Vera, hvor meget alvor der er bag påstanden om, at hun ikke kan tåle at blive rørt ved, og det gør hun ved at sætte et knæ i maven på Lars.

Det er det sidste, Tilte og jeg og Basker ser, så er vi ude i det fri og på vej ned over landgangen.

Det er ikke alene en modtagelseskomité, der venter os på Lange-
liniekajen, det er en folkemængde på måske hundrede personer,
heriblandt en del journalister og fotografer og folk med tv-kame-
raer, hvad der igen siger noget om Finøs betydning i den store
sammenhæng.

Tilte og jeg er ude på at forsvinde i mængden, for nu er vi
kommet så langt uden at blive genkendt af Lars og Katinka, det
ville være tragisk, hvis det skulle ske nu, så vi er de første, der er
nede ad landgangen.

Men vi har glemt at regne med journalisterne. For det viser sig
nu, at det er en befolkningsgruppe, der kan lave en forsvarsmur,
som om Tilte og jeg skulle tage et frispark helt inde ved straffe-
sparksfeltet, og de er over os som høge og retter mikrofoner mod
os og spørger, hvilken konfession vi tilhører, og hvad vores for-
ventninger er til konferencen, og jeg må indrømme: Det rammer
os uforberedt.

I sådan en situation, hvor ens planer bryder sammen, der vil
de store spirituelle træningssystemer gnide sig i hænderne og
sige, at netop her ligger verden frisk og åben i al sin chokerende
uventethed, og zenbuddhisterne ville sige, at man skal mærke sin
vejrtrækning, og vedantahinduismen ville sige, at man skal spørge
sig selv, hvem det egentlig er, der oplever dette malabariske sam-
menbrud, og nonnerne i Teresa de Alvilas klostre et sted i Anda-
lusien ville sige man skal bede *Guds vilje ske,* og på en måde er det
alt det, Tilte og jeg prøver at gøre på én gang.

Men dér kommer forglemmelsen og distraktionen ind, det,
der sker, er, at jeg glemmer at holde fast på Basker, som er blevet
træt af at sidde oppe under Kalle Kloaks gardiner, og vil ud og
have a piece of the action og snor sig og river sig fri og løber op ad
landgangen for at finde et højt sted med overblik.

På netop dette, det dårligste tidspunkt af alle, kommer Alexander Finkeblod og Thorkild Thorlacius og de tre kvinder til syne, alle i håndjern, og bag dem Lars og Katinka.

Lars har et blåt øje, der allerede nu er så stort, at man burde anbefale ham og Katinka at vente med brylluppet i hvert fald de fem til seks måneder, det vil tage før hævelsen har lagt sig. Men det forhindrer ham ikke i at spotte Basker, og nu ser Katinka ham også. De ser ham, og de genkender ham, og de drager den slutning, at så kan Tilte og jeg ikke være langt borte. De ser på Tilte og mig, og dér standser deres tanker op, rystet af forklædningen. Men så fejer logikken al smålig tvivl til side, de ved, det må være os, som de skal bevogte, og som er undsluppet for mindre end 24 timer siden.

Lars har indtil nu holdt fast i Alexander Finkeblod og Thorkild Thorlacius, men nu slipper han dem og sætter i løb, ned mod os.

Det er på en måde smukt, også for Tilte og mig, at være vidne til, hvor ivrig en kriminalassistent, selv i denne pressede situation, er for at gøre sin pligt. Det er den iver, der gør, at vi alle sammen kan sove roligt om natten.

Desværre er det også den iver, der nu svækker det kølige overblik. Selv ville jeg ikke efterlade to typer som Alexander Finkeblod og Thorkild Thorlacius ubevogtet, i hvert fald ikke i deres nuværende sindstilstand. For det er netop sådan en lille uopmærksomhed, der kan få læsset til at vælte.

Jeg vender mig mod journalisterne foran os. De har ikke mærket ret meget, og det, de har mærket, har de ikke haft mulighed for at forstå. De står stadig og venter på at få svar på, hvem Tilte og jeg er.

– Vi er bare korsangere, siger jeg. – Vi akkompagnerer de to store trancedansere, Alexander og Thorkild, som står deroppe på trappen.

– De er i håndjern, siger en af journalisterne.

– Det er for, at de ikke skal gøre skade på sig selv, når de er i trance, siger jeg.

237

– Hvor de kontakter de afdøde, tilføjer Tilte.

Tilte og jeg er ikke helt klar over, hvordan journalister priori-
terer deres tid, men nu bliver det tydeligt, at trancedans og kon-
takt til afdøde er højt oppe på listen, for hele forsvarsmuren sæt-
ter sig i bevægelse op ad landgangstrappen, hvor den fanger Lars
og presser ham tilbage mod rækværket.

Her skinner hans overlegne fysiske form igennem, for han fe-
jer en fem-seks journalister af vejen, som var det bowlingkegler,
og et kort, truende øjeblik har han frit udsyn.

Så bliver han lukket inde for alvor. Og det, der lukker ham
inde, er lama Svend-Helge, Gitte Grisanthemum, Sindbad Al-
Blablab og deres følge, og det ser næsten tilfældigt ud, som om de
bare skal hen at se sig omkring, men Tilte og jeg ser deres ansig-
ter, og i dem ser vi den forfinede medfølelse, der er de store reli-
gioners adelsmærke.

Vi er på nippet til at vende os og forsvinde i menneskemæng-
den, da den første journalist når frem til Thorkild Thorlacius og
med høj stemme spørger ham, om han mener, at trancedans bli-
ver en stor ting på konferencen, og vil han tage et par trin for
seerne.

Vi er tryllebundet og kommer derfor også til at høre det andet
spørgsmål, det er til Alexander Finkeblod, og det er, om han har
været i kontakt med nogen afdøde for nyligt.

Efter det spørgsmål lyder et skrig, af hvilket det helt klart
fremgår, at Alexander, da han jo ikke har hænderne fri, har valgt
i stedet at sparke journalisten. Derefter eksploderer der på land-
gangstrappen noget, der må kaldes almindeligt håndgemæng.
Men da har Tilte og Basker og jeg taget en hvid pind i munden
og har gjort os usynlige.

Vi snor os mellem tilskuerne, og vi glider forbi de holdende biler. Hvis man som vi har været spærret inde med en skibsladning uberegnelige typer og nu med ét har den vide verden liggende foran sig, så føler man trang til at udstøde et jubelskrig, og det er det, vi lægger an til, da grabben fra en havnekran lukker sig om os og løfter os op i luften.

Der er mange, der i denne situation ville have kastet håndklædet i ringen, men ikke mig. Jeg har scoret mange mål fra sådan en position, klemt mellem fire forsvarsspillere, der kunne være taget til Hollywood og have spillet King Kong uden at det havde været nødvendigt at maskere dem. Jeg har kun en hundrededel millimeter at rotere på. Men for den, der er stærk i troen, er en hundrededel millimeter nok, også nu, jeg roterer og losser til manden bag mig.

Det er ligesom at sparke til et hårdt pumpet traktordæk, det giver sig, men det flytter sig ikke, og der kommer ikke en lyd, jeg kender kun én person, der har den slags modstandskraft, så jeg lægger nakken tilbage og ser ind de blå dukkeøjne, der tilhører vores storebror Hans.

– Et fint lille hug, brormand, hvisker han, og jeg kan høre på stemmen, at jeg trods alt har forstyrret hans vejrtrækning.

Så åbner han døren til den bil, vi står ved siden af, sætter os ind på bagsædet, glider ind foran rattet, og så er vi kørt.

Selv om det kun er et glimt, vi har fået af Hans' ansigt, er det tydeligt, at der er noget forandret ved det, også ved den handlekraft, han nu optræder med. Noget af forklaringen på det får vi med det samme, på bagsædet af bilen sidder i forvejen en person i en kendt sweater og løbesko, det er den lysebrune sangerinde fra Blågårds Plads.

239

– I har jo mødt Ashanti, siger Hans.

Jeg vil være helt ærlig og sige, at i det øjeblik han siger det, får jeg ligesom et stød i hjertet. Selv om der burde være andet at tænke på, vi er på vej ned ad Langeliniekajen, og mange spørgsmål om fortiden og fremtiden står i kø for at blive besvaret, på trods af alt det er det et kort øjeblik noget andet, der fylder. For da Hans siger hendes navn, Ashanti, så udtaler han det på en måde, som hun, der engang var min elskede, altså Conny, som nu er borte med blæsten, udtalte mit navn på, og som er en måde, der er uefterlignelig og kun opstår, når et menneske nærer ægte kærlighed til et andet.

Det er derfor sikkert som amen i kirken, at der på denne korte tid er sket et eller andet mellem sangerinden og vores bror, som fuldstændig har ommøbleret ham indvendig og trukket en stor del af ham fra stjernerne og ned på jorden, og gjort ham sønderlemmende forelsket. Og selv om det er, hvad Tilte og jeg altid og allermest har ønsket for ham, så er det alligevel rystende, nu hvor man står over for det. For nu bliver jeg klar over, at jeg aldrig rigtig for alvor har troet, det ville ske. Dybest inde har jeg regnet med, at Hans ville være omkring til at passe på mig til det sidste, helt frem til vores dages ende, og nu er dagenes ende pludselig helt tæt på, og det er ikke sjovt, det giver et stik i hjertekulen.

Bilen, vi sidder i, er en Mercedes, et bilmærke Tilte og jeg de sidste par dage er begyndt at tage for givet, den drejer op mod Langeliniebroen, Hans kører ind over cykelstien, ind på græsset og standser motoren. Tilte og jeg holder os nede i bunden af bilen, men ser forsigtigt ud, vi ser taxaer passere, bag dem de limousiner, der har hentet Gitte, lama Svend-Helge og Sindbad Al-Blablab, en rustvogn med Vibes kiste, to politibiler og en sort kassevogn med gitter for vinduerne, vi fanger et glimt af Alexander Finkeblod bag gitteret, hans ser frem for sig med et udtryk, som om han pønser på at bide sig vej ud gennem stålpladerne for at kunne kaste sig over tilfældige forbipasserende.

– Vi skal til Toldbodgade, Hansemand, siger Tilte. – Ligger det i en del af galaksen, som du kan finde frem til uden astronomisk navigation?

Det er jo bare et lille spøgefuldt drilleri, er der nogen der ville sige. Men under den uskyldige overflade kan jeg høre noget andet, jeg kan høre, at Tilte har det ligesom jeg med Hans og Den Skønne. Vi under ham det af hele vores hjerte. Og vi har fået endnu en af de arbejdsopgaver, der lige skal klares, hvis det med den lykkelige barndom skal bringes i hus til de andre pokaler.

Vi kører ad Esplanaden, Tilte giver tegn, vi standser, hun står ud, går ind i en kiosk og kommer tilbage med et taletidskort, hvad der er en handling fuld af tidløs visdom, for selv om Katinka har haft en kraftig formiddag, så vil en begavelse som hendes meget snart opdage, at hun mangler sin telefon, og få den spærret.

Tilte sætter sig ind ved siden af mig. I det øjeblik Hans gør klar til at svinge ud fra kantstenen, får hun og jeg samtidig øje på noget, der får os til samtidig at sige »Vent!«

Esplanaden er en fornem gade og helt klart et udflugtsmål for Foreningen til Hovedstadens Forskønnelse på deres byvandringer. Sandsynligvis dvæler medlemmerne på de vandringer ved den ejendom, der ligger skråt bag os, for den har en udstråling af velholdt fornemhed, der får selv os, der jo er godt vant fra præstegården, til at føle os som den lille pige med svovlstikkerne, og det er selv om vi sidder i en Mercedes.

Ud til vejen har bygningen en glasdør, der er bred som en vognport, ved siden af døren sidder en marmorplade, det er den, der har fanget Tiltes og min opmærksomhed, på pladen er indgraveret *Bellerad Shipping*.

At Tilte og jeg nu handler som to synkronsvømmere, er svært at forklare, alt hvad jeg kan sige er, at vi er styret af en følelse af at være i overensstemmelse med et højere formål og i overensstemmelse med vores omfattende erfaring med at bane sig vej til selv de mest utilgængelige steder for at sælge lodsedler til fordel for Finø Boldklub.

– Du kører tre meter bagud, siger Tilte til Hans. – Så stiger du ud og holder døren for Peter og mig. Og når vi stiger ud, så gør du honnør. Og derefter åbner du glasdøren for os.

Som sagt tyder alt på, at Hans har gennemgået en rivende udvikling. Men træerne vokser ikke ind i himlen, og han er endnu

242

ikke nået til det avancerede stadium, hvor man kan begynde at overveje at modsige Tilte. Så han bakker bilen, står ud, åbner døren og gør honnør. Hvorefter han holder glasdøren for os.

Vi kommer ind i en stor reception. Bag et bord sidder en midaldrende kvinde i begyndelsen af 30'erne, som er en af de typer, der er kendt fra de store religioner, hvor de vogter et eller andet kostbart med en gurkakniv eller et flammesværd.

Men lige nu har hun paraderne nede, det er på grund af Mercedesen, Hans' honnør og retstilling og så Kalle Kloaks gardiner draperet som Den højere Vedanta.

I situationer som denne har Tilte og jeg en arbejdsfordeling. Det er mig, der bryder igennem forsvaret, mens Tilte ligger lidt længere tilbage for at opsamle reboundsene.

Jeg ser mig om efter inspiration. På væggene hænger billeder af rederiets skibe. Det første, man lægger mærke til, er, at det ikke er optimistjoller, det er containerskibe og supertankere fra 100.000 bruttoregistertons og opad. Det næste, der falder i øjnene, er navnene. Skibene hedder for eksempel *MosterLalandia Bellerad*, *Granfætter Gævørn Bellerad* og *MorbrorMakler Bellerad*.

Af den information udleder jeg to ting: Rederiet Bellerads skibe sejler ikke med kokosnødder eller med turister på Gudenåen. De sejler med fuelolie og tungt gods i Den persiske Golf. Og Bellerad er en person, der er stolt af og nært knyttet til sin familie.

Jeg læner mig frem mod tærskelvogteren.

– Jeg kommer fra den saudiske ambassade, siger jeg. – Med mig har jeg prinsesse Til-te Aziz. Vi er kommet for at fortælle Bellerad, at han er blevet tildelt Kong Abdul Aziz-ordenen.

Ved siden af kvinden står tre mænd. De har ryggen til, og de har været i færd med at studere et verdenskort, der hænger på væggen. Nu vender de sig langsomt mod Tilte og mig.

De to af mændene er skaldede og firskårne og har en udstråling, så jeg et kort øjeblik tænker, at Tilte og jeg måske alligevel ikke skulle have fulgt den højere impuls, men være blevet ude i bilen.

Men det er manden i midten, der nu bliver genstand for det meste af vores opmærksomhed. Vi ved, at det er skibsreder Bellerad *himself*, og hvis du spørger mig, hvordan vi kan vide det, så kan jeg ikke svare andet end, at hvis du en dag befinder dig foran Hannibal eller Anaflabia Borderrud eller Napoleon, altså foran en af historiens store generaler, så vil du heller ikke være i tvivl.

Det gode ved situationen er, at vi har angrebsfordelen. Bellerad og de to skaldede mænd og kvinden med flammesværdet er simpelthen paf. Så der er mulighed for, at Tilte og jeg virkelig kan svælge i det første, nøgne indtryk af skibsrederens psykologi.

Vi mærker tre ting: Den første er, at Bellerad er et menneske, der ligner de fleste af os andre ved at begynde at dirre indvendigt, da han hører, at han er udset til en uventet medalje, han ville kunne vise frem for moster Lalandia, granfætter Gævørn og morbror Makler.

Den anden er, at han er en mand, der fra et langt liv ved, at når et menneske forærer noget til et andet menneske, så er det, fordi det første menneske ved, at det er muligt at hente det dobbelte hjem til gengæld, og nu er spørgsmålet, hvad der er indgraveret med småt på denne medaljes bagside.

Den tredje oplysning, som Tilte og jeg tapper direkte af det nøgne indtryk, det er at Bellerad er en mand, der har noget at skjule. Vel at mærke ikke en af de almindelige *mediumsize* hemmeligheder, vi alle sammen har, Bellerads er en stor og vred hemmelighed. Tilte og jeg får følelsen af at stå over for en af de gamle hanelefanter, der er blevet bortvist fra flokken på grund af dårlig opførsel og nu holder gode miner til slet spil, men venter på en lejlighed til at slå kontra.

– Medaljen vil blive overrakt på Den store Synode, siger jeg.

– Med kindkys af kongen selv. Og af prinsessen.

Tilte og jeg trækker os baglæns mod glasdøren. Bellerad og de to håndgangne mænd er ikke typer, man bryder sig om at vende ryggen til. Hans åbner døren for os, åbner bildøren og gør honnør, sætter sig ind, vi trækker ud i trafikken.

En enkelt gang ser jeg bagud. De er alle fire kommet ud på fortovet, hvor de står og stirrer efter os.

Vi fortsætter forbi kontorbygninger og flere af Foreningen til Hovedstadens Forskønnelses udflugtsmål, Tilte peger, og vi drejer til venstre. Vi er tavse og eftertænksomme, og det, vi tænker over, er, at vi håber, at Bellerad ikke har opdaget, at mor og far har hacket sig ind på hans private korrespondance, for han ligner ikke en mand, der vil se stiltiende til, mens andre læser hans private breve, han ligner snarere en, der ville have en bazooka liggende på hattehylden til netop sådan en lejlighed.

Vi får et glimt af noget, der engang har været et pakhus, men som har fået en kærlig hånd til 200 millioner og nu ligner et sted, man kun ser udefra og på afstand, hvis man ikke har scoret 13 rigtige i tips. Bilen kører ned i en parkeringskælder og standser ved en gitterport med trykpanel, Tilte har tastet en kode på Katinkas mobiltelefon, og døren glider op, og vi er i en kælder, der er af en klasse, så man snildt kunne leje parkeringsbåsene ud som hotelværelser, hvis man rejste nogle skillevægge og stillede en seng op. Vi parkerer bilen og kører til vejrs med en elevator, der er lavet af spejle og ædeltræ, den skyder i vejret som et projektil og bremser op som et mågedun, og vi træder ud på en repos med orkidéer i marmorkummer, fra en af kummerne henter Tilte en nøgle, og vi træder ind i den lille toværelses, hun har lånt af en bekendt.

Det er helt rigtigt, at der er to værelser. Hvad Tilte ikke har sagt er, at hvert værelse er hundrede kvadratmeter. Og hvis man alligevel skulle føle sig hæmmet i sine bevægelser, er der en terrasse i hele lejlighedens længde ud mod havnen og det blå vand.

I stuerne er der møbler af den slags, der ser ud, som om snedkermesteren har signeret dem personligt, og det er sket i går, for alt er nyt, der er endnu ikke nået at komme billeder på væggene.

Først har jeg lyst til at spørge Tilte, hvem hun har lånt lejligheden af, men så sænker en tanke sig som et sort skydække: Hvad hvis Tilte har lånt lejligheden af en beundrer, og med en beundrer, der har sådan en god smag, kunne det godt være alvor. Det ville betyde, at om et års tid er Tilte gift og forlovet og flyttet hjemmefra. Det vil sige, at så mangler vi bare, at Basker finder en sød hunhund og stikker af med hende, så er jeg alene tilbage, min mor og far er forsvundet, mine søskende er i vej, tilbage i den store forladthed sidder Peter Finø.

Vi har sat os tæt sammen i snedkermøblerne. Nu rejser Ashanti sig lige så stille og går gennem lejligheden til den fjerneste ende, hvor stuen glider over i et åbent køkken. Selv om hun ikke siger noget, kan jeg mærke, hvorfor hun går, hun vil lade os søskende alene, og i det ligger der en finhed, som gør, at man er nødt til at begynde at holde af hende, selv om hun måske er kommet for at bortføre ens storebror.

Alligevel mærker jeg en kedafdethed indvendigt. Ingen af os siger noget, og følelsen bliver kraftigere, det er ikke for meget at kalde den sorg, og grunden til, at den er her, begynder at tone frem. Af en eller anden grund er det pludselig tydeligt, at Tilte og Hans og jeg ikke skal være sammen for altid. Det er det med Ashanti og Hans, der har sat det i gang, men det er ikke bare det med kærester. Man kan pludselig mærke, at til sidst kommer vi til dagenes ende, og så er der først en af os, der skal dø og bagefter de andre.

Nu vil du måske sige, at hvad så, alle mennesker ved, de skal dø, og det er rigtigt, men normalt er det kun med hovedet, vi ved det. Det, at man skal dø, er aldrig her og nu, det er noget, der ligger ude i fremtiden og så langt ude, at man næsten ikke kan se det, og derfor ikke behøver at tage det alvorligt.

Men dette øjeblik bliver det ret pludseligt her og nu.

Jeg ved, at du kender den fornemmelse, det er noget, alle har oplevet. Jeg ved ikke, hvor følelsen kommer fra. Men jeg ser på Hans' hånd, som den ligger på stoleryggen, den er stor og firkantet på en helt bestemt måde, og den er altid solbrændt, og pludselig forstår jeg, at der kommer en dag, hvor den hånd ikke mere vil tage om mig og løfte mig op, så jeg kan se verden oppefra.

Jeg ser hen på Tilte. Hendes ansigt er mørkebrunt af solen, selv om vi kun er i april, det er noget, hun har arvet fra mor. I Tiltes ansigt ligger alderen ikke fast, når man ser på hende, kan man ofte ikke sige, om hun er syv eller seksten eller sekstenhundrede år gammel, for det er, som om hendes øjne hele tiden kigger ud over meget lang tid. Og så er der en nysgerrighed over Tilte, hun vil vide alt om andre mennesker, og der er en venlighed, og selv om det er af den meget skarpslebne og grovfilede slags, så er det en venlighed så stor, at det kun er oldemor, der ligger foran, og hun har haft 93 år til at nå sin nuværende form.

Den venlighed og de ligesom gamle øjne vil jeg engang komme til at se ind i for sidste gang, det er det, der nu bliver tydeligt. Og kedafdetheden fordyber sig, som om sidste gang er kommet nu.

Men så sker der noget, som er så stille og usynligt, at ingen opdager det. Der sker det, at jeg bliver siddende, jeg går ikke væk fra sorgen og angsten.

Normalt kan man ikke holde det ud. Det kan være slemt nok at vide, at man skal dø med hovedet, men at mærke det i hjertet, helt virkeligt, det kan mennesker normalt ikke stå model til. Heller ikke mig, jeg er ikke modigere end dig. Men når man har en søster, sammen med hvem man har kunnet begynde at udforske vejen hen mod døren og har kunnet supplere med tilbundsgående teologiske studier på nettet og Finø Bibliotek, så kommer der et tidspunkt, hvor man ikke mere kan holde ud at lukke øjnene og gå i sort, og for mig er det tidspunkt åbenbart kommet nu.

Det, jeg gør, er, at jeg ligesom giver plads til følelsen i al sin forfærdelighed. Når man gør det, så kommer der først billeder af døden, af en eller anden grund ser jeg mig selv dø først. Jeg ser det lyslevende for mig, jeg ligger i en seng og tager afsked med Hans og Tilte.

Jeg ved ikke, hvor de billeder kommer fra, for når man er 14, så er det svært at se sig selv dø af noget bestemt, men måske dør jeg af følgerne af mine træningsskader, når man spiller på så højt niveau som Finø Boldklubs førstehold, så har det sin pris.

Selv om det ikke er helt sandt, hvis jeg skal være ærlig, for de skader, jeg har haft, det er ikke nogen, man ville kunne vise frem på Finø Hospitals intensive afdeling og få kredit for, for jeg har altid danset hen over de glidende tacklinger som en elverpige over liljekonvaller, jeg har ikke haft noget værre end den svageste antydning af en fibersprængning. Så hvor billedet af min egen hensygnen kommer fra, ved jeg ikke, men jeg ser mig selv sige farvel til Tilte og Hans og omfavne dem og takke dem, fordi jeg har fået lov til at lære dem at kende, og jeg ser en sidste gang på Hans' firkantede hænder og ind i Tiltes venlighed, og så ser jeg ind i selve følelsen af at dø.

Gør man det, bliver det endnu mere virkeligt. Det er som om det er ved at ske nu, i luksussuiten ud til Københavns havn, midt på blanke dagen i høj sol.

Jeg prøver at lade være med at trøste mig selv med, at der nok kommer en eller anden feberredning. Jeg trøster mig ikke med, at der nok bare bliver slukket for lyset, eller at Jesus venter på mig, eller Buddha eller hvem man nu kunne forestille sig træde frem med et bredt smil og en aspirin og fortælle én, at det ikke bliver så slemt alligevel. Jeg forestiller mig ikke noget som helst, jeg mærker bare den afsked, som ingen kan undgå.

Lige i det øjeblik, hvor jeg føler, at det faktisk er det hele, man skal miste, at der ikke bliver noget som helst tilbage, og at der derfor heller ikke er noget, man kan holde fast i, så sker der noget. Det er sket før, og det er på en måde helt småt og stilfærdigt, det er den stilfærdighed, der gør, at det er så svært at opdage, det er derfor, man helst skal have det vist af en anden, jeg har fået det vist af Tilte, og nu fortæller jeg det til dig: Der sker det, at der kommer et glimt af lykke og frihed. Der er ikke noget, der forandrer sig, man sidder, hvor man hele tiden har siddet, og der er ikke nogen, der er kommet en til hjælp, ingen serafer eller engle eller hurier eller hellige jomfruer eller himmelsk *support*. Man sidder bare dér og ser, at man skal dø, og mærker, hvor meget man elsker dem, man skal miste, og så sker det: Et ganske kort

248

øjeblik er det, som om tiden ikke går. Eller snarere: Som om den ikke findes. Som om hele Langelinie og København og Sjælland er et værelse, som ligger inde i en skal, og i et ganske kort øjeblik er skallen væk, det er det eneste, der er sket, følelsen af angst og indespærring er væk, og man kan mærke friheden. Man kan mærke, at der er en måde at være i verden på, denne verden, som ikke skal dø, og hvor man ikke er bange, for selve følelsen af frihed er noget, der aldrig forsvinder. Selvfølgelig dør Hans og Basker og Tilte og en selv og ens delikate fodboldkrop. Men der er noget, noget man ikke har ord for, men som man har andel i, og som aldrig dør, det er det, der er følelsen.

Jeg ved, at jeg dette øjeblik står i døren. Og egentlig er det ikke en dør, for en dør er et sted, men dette her er alle steder. Det tilhører ikke nogen religion, det kræver ikke, at man tror på noget eller tilbeder noget eller overholder nogen regler. Det kræver kun tre ting: At man kan mærke i sit hjerte. At man et øjeblik er villig til at finde sig i det hele, også den urimelige detalje, at man skal dø. Og at man bliver stående helt stille, et øjeblik, og ser bolden trille i mål.

Det er det, jeg oplever nu, i den toværelses på femte sal.

Og jeg kan se på Tilte, at det må være noget meget tæt på det samme, der foregår inden i hende. Mens jeg er mere usikker på Hans, lige for tiden er Hans' åndsevner begrænset, jeg er ikke sikker på, at der er plads til en åbenbaring, alt tyder på, at sangerinden fylder det hele.

Det varer et øjeblik, og det er som sagt helt stilfærdigt, det er ikke noget, der skal skrives hjem om, der er ingen fest og farver. Der er bare en viden om, at hvis man ser direkte ind i følelsen af at skulle dø, så er der pludselig frihed og lettelse.

Det er der, og så er det væk. Ashanti står ved bordet, foran hver af os stiller hun en sandwich.

– Velbekomme, siger hun. – Og som vi siger hjemme på Haiti: *Bon appetit.*

Jeg er ked af at måtte sige det, men det danske velfærdssamfund er ikke jævnt fordelt. Visse steder er det helt fraværende, og for eksempel ligger, rundt omkring mig, sultedøden altid på lur.

Jeg ved ikke, hvorfor det er sådan, måske er det min alder, måske er det min træningsindsats, måske bærer jeg på en ukendt parasit i tarmsystemet, men jeg er altid sulten. Sådan har det altid været. Da jeg var lille, og når jeg bad min aftenbøn, så forestillede jeg mig ikke sjældent, at Jesus smurte mig en sandwich, med hans talent for *catering*, tænkte jeg, hold da kæft nogle sandwicher, manden måtte kunne smøre.

Det er sådan en sandwich Ashanti nu stiller foran hver af os, som hun på forhånd må have købt ind til og nu har smurt, og der sænker sig en stemning af dyb højtid over bordet.

Brødet er frisk surdej. Og jeg beder om undskyldning, men jeg er nødt til, her midt i maden, at sige at Connys hovedbund dufter på den måde. Og skorpen er sprød som glas, krummen er sej og elastisk, med store huller.

Normalt anses det for dårlig stil at udforske ens sandwich, men jeg kan ikke lade være. Jeg løfter låget, den øverste halvdel af flutet, og ser ned i det helligste af det hellige: Først har hun lagt skiver af smør, der er skåret med den tykke side af osteskæreren. Så er der lagt et lag på af en mayonnaise, der dufter af hvidløg og citron og et tropisk krydderi, hun må have haft med fra Haitis feberjungler. Så er der forskellige små salatblade, de purpur, den bitre, den krøllede, den sprøde, og så er der skiver af frisk Nordsøtun af den slags, der fanges ud for Finø, let stegt, de steder, den brækker, kan man ane dens rosa indre. Oven på den er der papirtynde ringe af rødløg og enkelte store kapers, og man må kalde mig Mads og danse på min grav, hvis de ikke har ligget i lage i olivenolie. Ovenpå er der en stråleglans af lakserogn, store, orange

250

fiskeæg, der brister enkeltvis i mundhulen og efterlader smagen af Mulighedernes Hav.

Mangen en kok og smørrebrødsjomfru ville være standset her, for maden er allerede ti centimeter høj, men den syngende antilope har haft kræfterne til det sidste ryk: På undersiden af det øverste stykke flute er der igen et lag af den caribiske mayonnaise, og ind i den har hun trykket små stykker udstenet oliven og små stykker rød og grøn peber.

Det hele har et kunstnerisk *touch*, som gør, at man bøjer hovedet, for selv om der er kalorier nok til at spille Finø AllStars op i superligaen, så er det anrettet med en lethed, som om alle fem sandwicher lægger an til at svæve ud ad vinduet og tage en æresrunde med mågerne over havnen.

Ashanti stiller et højt glas ved siden af hver af os og skænker op, kildevand fra Finø Bryggeri, med et ganske let, perlende slør af naturlig kulsyre, og når hun har skænket et glas fuldt, ser hun et øjeblik den, hun har skænket for, ind i øjnene.

Jeg er den sidste, og mens hun ser mig ind i øjnene, er det, som om hun får øje på noget, som jeg selv også først kommer i tanke om i det øjeblik. Det er, at jeg er den yngste. Og selv om jeg har set dybt ind i tilværelsen og har mistet mine forældre to gange og spiller på udvalgt hold og har set stor kærlighed stå op og gå ned som solen over Finø, så er jeg stadig kun 14. Og hvis der er noget, man har brug for i den situation, så er det, at en kvinde som Ashanti forstår det og smører en sandwich, der udskyder hungerdøden på ubestemt tid og ser på en med, hvad jeg vil vove at kalde omsorg.

Så sætter hun sig ned hos os. Vi er nået frem til besvarelsen af nogle af de store spørgsmål.

– I husker, at jeg gav Ashanti mit nummer, siger Hans, – lige inden vi skiltes.

Tilte og Basker og jeg stirrer udtryksløst på ham. Vi er for fintfølende til at minde ham om, hvordan hun egentlig fik nummeret.

– Hun ringede til mig en time senere, da var jeg i Klampenborg og ved at spænde fra. Jeg hentede hende med det samme. Siden har vi ikke været fra hinanden.

– Han har læst sine digte for mig, siger Ashanti. – På molen, i Skovshoved Havn.

Det siger noget om Tiltes og min selvbeherskelse, at vi ikke giver et spjæt. Mange kvinder ville efter oplæsning af Hans' digte have styrtet sig i havnen for at slippe for at høre mere. Men ikke kvinden foran os. Det vidner om dybden af den kærlighed, der er ved at folde sig ud foran os.

– Hun er præstinde, siger Hans.

Hans stemme er tyk, halvt af mayonnaisen, halvt af beundring.

– For Yoruba-religionen, hun er vokset op på Haiti. Men går på universitetet her. Til konferencen skal hun danse ...

– De hellige Santaria-danse, siger Ashanti.

– Danse, der forbereder rejsen ud af kroppen, siger Hans.

Tilte og jeg kigger en gang til på Ashanti. Bare den måde, hun spiser på, ville få Ifigenia Bruhn, bestyrerinde af Ifigenia Bruhns Danseinstitut på Finø By Torv, til at græde af glæde. Og selv om vi ikke har set hende danse, har vi set hende gå, senest gennem stuerne, hun har en gangart, så det ikke ville undre en, hvis hun havde taget et svinkeærinde op ad væggene og en tur over lofterne. Så personlig ville jeg ikke have så travlt med at gå ud af den krop, hvis det var min. Men enhver leder eller dør en på sin måde, man skal ikke blande sig for meget.

– Hvor er bilen fra, spørger Tilte.

– Jeg lånte den, siger Hans. – Fra min arbejdsgiver. Han er ude at rejse. Han kommer ikke til at savne den. Hvad han ikke ved, har han ikke ondt af.

Nu rykker det alligevel i Tilte og mig. Lovovertrædelser er noget Hans måske har hørt fandtes, men som han ikke for alvor har troet på. Ingen på Finø har nogensinde set ham så meget som gå over for rødt lys, og det er ikke kun, fordi der ingen lyskurve er på Finø. Og nu har han stjålet en Mercedes.

Der er gået en time, Tilte og jeg har fortalt kort, men omhyggeligt, hvad vi har oplevet. Vi har lagt avisudklippene frem på bordet, og fakturaerne fra bankboksen, og mens vi fortæller, er det begyndt at arbejde inden i Hans, og til sidst rejser han sig, ligesom for at smadre et eller andet, måske et par bærende vægge, og igen er det, der toner frem, en sjælden side, som vi kun kender fra de gange, hvor et par turister har begået den store fejltagelse at drive jagt på ham og hans ledsagerinder. Men ikke ellers. Lammefrom er et ord, der langt hen ad vejen dækker min storebrors psykologi.

Men ikke nu mere, der er sket noget. Og der sker endnu mere, da han får det her om vores forældre at høre, og nu rejser han sig.

– De planlægger et tyveri, siger han. – Af religiøse kostbarheder. Som betyder noget for mange mennesker.

– Men noget har fået dem til at ændre plan, indskyder Tilte.

– De vil frem i manegen, siger Hans. – Hvis de har ændret planer, er det, fordi de har fundet på noget, der kaster mere af sig. Så jeg er imod, at vi prøver at hjælpe dem. Jeg synes, vi skal lade tingene gå deres gang, som jeg på forhånd kan sige hvad bliver, det bliver røvens gang.

Nu siger Ashanti noget, og man skal koncentrere sig om meningen for ikke at blive suget ind i selve stemmen.

– Jeg har ikke mødt jeres far og mor, siger hun. – Men jeg kan mærke, at I holder af dem. Det afgør sagen. Når man først elsker nogen, så går det aldrig væk.

Nu, hvor hun har taget bladet fra munden, giver det pludselig mening, at hun er ypperstepræstinde, man kan uden besvær se hende tryllebinde en menighed.

Og i hvert fald tryllebinder hun Hans, han sætter sig ned.

Så ringer Tiltes telefon, som egentlig er Katinkas, men altså med nyt sim-kort.

Hun tager telefonen, lytter, og så bliver hendes ansigt alvorligt. Efter måske et minut er samtalen slut, hun lægger telefonen fra sig.

– Det var Leonora, siger hun. – Hun er bekymret. Vi skal møde hende om et kvarter.

Institut for Buddhistiske Studier ligger på Nikolaj Plads, bag kirken, og alt ånder fred og idyl. På pladsen sidder mennesker ved små caféborde og nyder den særlige danske blanding af andengradsforbrændinger i ansigtet og frostskader i tæerne, fordi der er 27 grader i solen, og frostvejr i skyggen under bordene, og udefra ligner institutbygningen et hus fyldt med minder fra Danmarkshistorien, der er en port, der ligner en kirkedør og et skilt på muren, hvor der med guldskrift står, at her boede den berømte danske digter Sigurd Skallesmækker til sin alt for tidlige død i 1779.

Men indenfor kommer der andre boller på suppen. Vi bliver modtaget af en lille munk i rødt tøj og ført indad, og dér åbner huset mod en søjlegang rundt om en gårdhave med springvand, og ved hvert hjørne står der en vagt, i bilen har Tilte fortalt at Leonora har fortalt stedet er både en slags kloster og universitet, det er her Dalai Lama og den 17. Karmapa skal bo under konferencen, og det myldrer allerede med vagter, de danske, der sikkert er Lars' og Katinkas bonkammerater fra Politiets Efterretningstjeneste, har solbriller og øresnegl til samtaleanlægget, de tibetanske er høje som amerikanske basketballspillere og brede som fodboldmål.

Alligevel er der over stedet noget, der får en til at ønske at blive munk, sådan har jeg egentlig altid haft det, og efter at Conny har forladt mig er følelsen blevet stærkere, hvis jeg kan finde et kloster med et stærkt førstehold, vil jeg alvorligt overveje at tage skridtet, men så skal der også være et intimt samarbejde med et nærliggende nonnekloster, for selv om der aldrig kommer nogen anden efter Conny og jeg altid kommer til at være alene, så vil man jo nødig helt undvære kvindeligt selskab.

Vi bliver ført op ad trapper og hen ad gange og ind i et lille værelse, hvorfra man ser over på Sankt Nikolaj Kirkes tag, ved bordet sidder Leonora foran sin pc, og hun ligner ikke den glade og smilende ekspert i coaching, som hun plejer.

Hun kaster et hurtigt blik på Ashanti, men Tilte og jeg nikker bare. Så sætter vi os omkring skærmen.

– Når man sletter i en computer, siger Leonora, – så sletter man som regel ikke alligevel, selv om mennesker tror det. Det, man sletter, er *filpointere* eller elektroniske adresser, men informationen selv bliver liggende i andre adresseområder. Det vidste jeres forældre ikke. Så den time, de troede, de fjernede, den levede videre, skjult, men intakt.

Billedet af udstillingsrummet træder frem på skærmen, det er dag, man ser håndværkere arbejde med montrerne og også med en scene i rummets baggrund. Leonora lader optagelserne køre med normal hastighed. Man kan se firmanavnene på håndværkernes overalls, og man kan fornemme, at stemningen er anderledes end på mere normale arbejdspladser, alle har hvide handsker på, og de arbejder stille og præcist, som laboratorieteknikere. Man ser dem gøre rent efter sig, og jeg mener rent, de ville være en match selv for mig, da de har støvsuget, tørrer de efter med fiberklude, og bagefter er der ikke noget med en fyraftensbajer, de drikker en afdæmpet danskvand, spilder ikke en dråbe og tager flaskerne med, da de forlader lokalet, hvorefter rummet ligger forladt i aftensolen.

Leonora spoler frem, lyset fader ud.

– Det er nat, siger Leonora, – klokken er lidt over tre.

Der er en smule lys i rummet, måske fra månen, måske fra lygter i slotsgården. Ikke nok lys til, at et almindeligt kamera ville fange det, men for *Voicesecurity* er kun det bedste udstyr godt nok.

Vi føler andægtighed. Det, vi ser, er den time, som vores mor og far havde slettet, og som det er lykkedes Leonora at genskabe.

Jeg ser ikke skikkelserne, for de er inde i rummet, de er kommet ind uden støj, det første tegn er et ganske svagt hvidt lys over den ene af de sorte firkanter, der markerer elevatorskakterne, som montrerne kommer til at stå over. Så kommer der en stemme ud af mørket.

– Henrik! Jeg tror her er mus!

Det er en kvinde, der taler, og hun er forpustet.

– Udelukket, skattebasse. Det, du mærkede, var rotter. Og mus og rotter er så godt som aldrig …

Fordi man ikke kan se ansigtet, men kun et lyst hår, skærpes ens opmærksomhed på stemmen. Den er fyldig, manden ville kunne glide ind som en lys tenor i Finø By Kirkekor. Og så ville han heller ikke behøve at være oppe klokken tre om natten. Men han får ikke lov til at tale ud, for kvinden er stukket i et hvin, sikkert på grund af det med rotterne.

Nu er der yderligere to skikkelser i rummet.

– Ibrahim, er det på plads?

Det er Henrik, der spørger. Ibrahim klukker.

– Den er totalt meget på plads. Der kommer først en lille bum, det får kasserne til at synke ned i boksen. Når de er på plads, kommer den store bum. Inde i boksen. Ikke meget at høre. Men effektivt.

– Hvorfor kan vi ikke bare beholde lidt, Henrik?

Det er kvinden, der spørger. Og man kan godt forstå hende. Oven på det med rotterne.

– Det er et princip, Blizilda. Det guddommelige kræver, at man tilsidesætter sig selv. Hvis man ødelægger for sin egen skyld, så kommer man i Helvede. Min mor sagde engang …

– Jeg vil i hvert fald have skoene erstattet. Prøv at se hælene …

Det er Blizilda igen. Man kan ikke andet end få medfølelse med Henrik, det er formodentlig ret ofte, at han bliver afbrudt midt i sætningen. Men det er tydeligt, selv i mørket, at denne gang er han ved at miste tålmodigheden.

– Jeg vil sige, hvis man har været bælgøjet nok til at tage stiletter på til en mission som denne, så er der noget, man …

– Sagde du bælgøjet, Henrik! Hørte jeg rigtigt, for så …

På en bevægelse i mørket kan man se, at en tredje mand har lagt sig imellem, og nu henvender han sig til den klukkende Ibrahim.

– Er diamanter ikke hårde? Kan vi være sikre på, at de ikke bare ligger uskadt tilbage og rækker tunge ad os?

Det er en lysere stemme, accenten er udenlandsk, men han taler et dansk så smukt og korrekt, at Alexander Finkeblod ville have glædet sig.

Ibrahim fniser.

– De meget hårde. Men temperatur i lukket boks ved eksplosion meget høj. 10.000 grader. Diamanter bliver forduftet. Diamantdamp. Pyrolyse. Rent teknisk. Når de åbner, ingenting tilbage. Måske lidt glitter på væggen. Ellers bare lidt sort pulver. Til at støvsuge ud.

Der bliver stille. Stemningen er igen god. Igen noget hvidt i mørket, det er et lommetørklæde, Henrik tørrer øjnene.

– Jeg beklager, siger han. – Men det er bevægelse. Her har jeg leget som barn …

Han lægger an til at sige noget mere, sandsynligvis om sin mor, men så mander han sig op.

– Lad os alle bede.

Bønnen er først en uensartet mumlen, de fire personer beder ikke sammen, men hver for sig. Det varer måske et halvt minut, så bliver der stille.

Så er de væk. Ligesom jeg ikke så dem komme, ser jeg dem ikke gå, med ét er rummet tomt, som om de aldrig har været her.

Vi sidder stille i lang tid. Det bliver Hans, der siger det, alle tænker. Det er en ny rolle for ham, men min storebror er helt tydeligt en mand i rivende udvikling.

– De vil sprænge klenodierne i luften. Det er terrorister!

Så ser han på Ashanti. Og så går det op for ham, at det er i umiddelbar nærhed af, hvor hun vil befinde sig, at nogen vil sprænge noget i luften.

Det kan godt være, at de har fantastiske trancedanse på Haiti. Men vi kan også være med på Finø. Det beviser Hans netop nu, for han rejser sig, hans øjne er blanke, han er i trance, og det er den bersærkeragtige slags. Hans hænder åbner og lukker sig, som føler de efter et eller andet, for eksempel et par kampesten til at presse lidt saft ud af.

Han bliver standset. Det er bare en spinkel arm, der gør det, men den tilhører Ashanti, og det bryder trancen og fører Hans tilbage til virkeligheden med udsigt til Nikolaj Plads.

– Det var det, mor og far opdagede, siger Tilte. – De ville være sikre på, at ingen havde spottet deres lille installation under gulvet, hvordan den så end er. Så de så optagelserne igennem. Og så det her. Og derefter ændrede de planer.

Vi sidder stille. Lamme og stumme foran den sorte skærm. Til sidst siger Hans:

– Det her tager det ud af vores hænder. Nu er det ikke mere et familieforetagende. Nu tager vi pc'en under armen, og så går vi stille og roligt ned til Store Kongensgade politistation, og så er der andre, der tager sig af det her, og vi fem kører ud på landet og lejer et sommerhus med en bombesikker kælder og stikker hovedet i busken, indtil …

Hans standser op, Tilte har løftet en arm.

– Det sidste stykke, hvor de beder, kan vi se det igen?

Leonora spiller på tastaturet, spoler frem, Henriks fine vokal siger:

– Lad os alle bede.

Vi lytter til stemmerne. Mumlende.

– Hør hver enkelt stemme, siger Tilte.

Jeg kan identificere Henrik, han er nærmest kameraet og mikrofonen. Det, han beder, er fadervor. De andre stemmer går i ét.

– Igen, siger Tilte. – Kør det igen. Koncentrer jer om én stemme ad gangen.

Nu hører jeg den lyse accent, den synger. Ordene er ikke hørlige, men som præstebarn vil jeg sige, at melodien i hvert fald ikke tilhører den danske liturgi, den kunne være østlig, som en raga.

Jeg finder kvindens stemme, den er mørk, helt indadvendt, klagende. Og ledsaget af en klirren, fra en rosenkrans eller en *mala*.

– De er ikke bare fra forskellige lande, siger Tilte langsomt. – De er fra forskellige religioner.

Hans har rejst sig.

– Det er umuligt. Det er terrorister. Og de er altid fra samme religion, når de er samlet. Og i øvrigt er det ikke noget, vi skal tænke mere på. Det er hovedbrud for politiet og PET og Interpol.

Tilte er blevet siddende.

– Klokken er 12, siger hun. – Der er otte timer, til det starter. Syv til mennesker begynder at ankomme.

Det begynder at rykke i Hans' krop, han aner, hvor Tilte er på vej hen.

– Hvis vi afleverer det her til politiet, siger Tilte, – så vil de spørge, hvor vi har det fra. Så udleverer vi far og mor. Og de opdager, vi er efterlyst. Så går maskinen i gang, jeg kommer til Læsø, Peter ryger på børnehjem.

Hans er gået død. Jeg står ved vinduet, fordi jeg ikke har gjort mig mit standpunkt fuldstændig klart. Nede på pladsen, overfor, hvor vi har parkeret Hans' arbejdsgivers Mercedes, holder en sort kassebil. Måske er det, fordi den har tonede Finøruder, at jeg lægger mærke til den og automatisk bruger min berømte memoreringsteknik, der på vores families campingferier har bragt mig mange sejre i Hans' og Tiltes og mine konkurrencer om at genkende bilnumre. Den sorte vogns nummer er T for Tilte, og H for Hans, og de første tal er 50 17, den syttende maj, den dato, hvor Finø Boldklub rykkede op i DDSS, De danske Småøers Superliga.

– To timer, siger Tilte. – Vi er så tæt på. Lad os give os selv to timer.

– Hvad vil I bruge dem til?

Det er Leonora, der spørger.

– Den hvidhårede mand, siger jeg. – Henrik. Han sagde, han legede på slottet, da han var dreng. Vi kunne vise optagelserne til Rickardt.

Som taktstok bruger grev Rickardt Tre Løver en havannacigar, der er lang som en pegepind, og nu slår han ud mod panoramavinduet.

– Alle de *dybe* byer, de har en plads som det spirituelle centrum. Pladsen foran Peterskirken. Markuspladsen. Kirkepladsen i Finø By. Torvet foran domkirken i Århus. Pladsen omkring katedralen i Chartres. Pladsen foran Den blå Moské i Istanbul. I København er det Kongens Nytorv.

Vi sidder på Hotel d'Angleterres terrasse. Ude foran vinduerne går livet sin vante gang. Turisterne prøver at forstå, hvordan København her i april kan skilte med solskin og forår og samtidig have en frossen nordenvind gemt i den høje hat, så de ikke kan finde ud af, om de skal gå på bytur i bikini eller flyverdragt. Inde ved Krinsen holder en toetagers, postkasserød turistbus og venter på passagerer, og på bordet foran greven står højt smørrebrød og højt fadøl med højt skum.

– Sømandsmissionen i Nyhavn, fortsætter greven. – Det kongelige Teaters kristne rødder, Elverhøj, Bournonvilles balletter, det er dybe stykker, evangeliske. Man kan fornemme vibrationerne fra Holmens Kirke.

Med kniven skiller greven nogle af lagene på et stykke dyrlægens natmad. Fra en lille metalæske henter han en knivspids af et pulver, der ligner karry. Han blinker til Tilte og mig.

– Spids nøgenhat. Plukket på de nordlige forstæders grønne plæner i forgårs. Tørret og bragt herind af nisserne i dag. Hvor var jeg? Jo, Kongens Nytorv. Mærk, hvor tæt vi er på Slotskirken og Marmorkirken. Institut for Buddhistiske Studier. Ansgar Kirke og Det katolske Institut. Det skaber et fantastisk felt.

Så går det op for ham, at vi ikke deler begejstringen, ingen af os fem, hverken Ashanti, Hans, Tilte, Basker eller mig.

Tilte stiller Leonoras pc på dugen foran ham.

– Rickardt, siger hun. – Der er noget, vi vil vise dig.

Vi er ankommet fem minutter tidligere, og da vi når frem til Rickardts bord, er Ashanti forrest, og hun er den første, han får øje på, og det får ham til at lægge cigaren.

– Glæder mig at træffe Dem, siger han, – fortryllende.

Han ser os andre, hilser, vender tilbage til Ashanti.

– De er udlænding? Jeg kunne vise Dem byen. Jeg har en Bentley holdende. En cabriolet.

– Meget gerne, siger Ashanti. – Vil der være plads til min kæreste?

Grev Rickardt ser på Hans, ser tilbage på Ashanti, ser på Hans, Ashanti. Han slikker sig om munden, og Tilte og jeg kan se, at der gennem hans hoved går muligheder, som jeg ikke vil nævne, fordi det her er tænkt til hele familien.

Så tager han sig sammen og viser et glimt af en *spirit,* der har 600 års adelshistorie bag sig.

– Jeg har en bedre idé, siger han. – Du og Hans låner bilen. At køre nordpå ad Strandvejen, to unge elskende i en åben Bentley, det er en religiøs oplevelse.

I det øjeblik bliver det høje smørrebrød og fadøllen serveret, og derefter er det, at Rickardt besynger Kongens Nytorv, og så er det, at Tilte sætter pc'en foran ham.

Der går et øjeblik, før Rickardt identificerer rummet.

– Det er den gamle slotskirke, siger han. – Dér synger jeg om et øjeblik.

Tilte speeder optagelsen op. Det bliver nat. De fire skikkelser kommer ind i rummet.

– Det er jo mennesker, siger greven. – Hvad laver de derinde om natten?

– Lyt til stemmerne, siger Tilte.

Hun skruer op for lyden.

»Der er mus,« siger den forpustede kvindestemme.

Rickardt ryster på hovedet. Han er blank.

Tilte tager sekvensen forfra. Nu, hvor jeg har set den flere gange, kan jeg ane de fire skikkelser det øjeblik, de kommer ind i rummet.

»Udelukket. Det, du mærkede, var rotter.«

Noget har fanget Rickardt. Afspilningen fortsætter.

»Jeg beklager. Men det er bevægelse. Her har jeg leget som barn.«

Rickardt giver tegn, Tilte fryser billedet. Rickardt drejer skærmen, så den kommer i skygge.

– Føj for den lede tralleraj, siger han. – Det er Sorte Henrik. Hvad laver han i den gamle slotskirke?

Tilte lægger en hånd på hans arm.

– Rickardt, siger hun. – Hvorfor »Sorte Henrik«? Når han er lyshåret.

Grev Rickardts øjne bliver fjerne.

– Det var på grund af handskerne, siger han. – De var sorte.

Vi er rykket sammen om bordet, Rickardt prøver at samle tankerne, nissernes svampe har ikke gjort det lettere. Jeg ser ud over Kongens Nytorv. Den røde dobbeltdækker er stadig alene, men det er en skæbne, mange af os må leve med. De gule bybusser er derimod alles darling. Imellem de parkerede biler holder en sort kassevogn med tonede ruder. Og de første bogstaver er TH, efterfulgt af tallene 50 17.

Det er selvfølgelig et tilfælde, vi lever i et frit land, før holdt den ved Nikolaj Plads, nu holder den her. Alligevel er det et af de tilfælde, man lægger mærke til.

– Det må være mere end 20 år siden, siger grev Rickardt, – vi var et slæng af friske drenge og piger, omkring Filthøj. – Jeg var det naturlige midtpunkt. Det var den gyldne barndomstid, men årene går, og pludselig er man spredt for alle vinde, nogle er gift eller under kriminalforsorgen eller på ungdomspension eller under revalideringen, eller de afsoner deres første behandlingsdom.

Henrik var et friskt indslag i den gruppe. Dengang hed han »Hellige Henrik«, han havde forældre, der var meget troende. Så går der ti år, hvor jeg ikke ser ham. Og så er jeg hjemme til jul, og der er kommet rotter på slottet. En invasion. Der bliver ringet efter skadedyrsbekæmpelsen. Og hvem står i gården: Henrik. Det bliver et hjerteligt gensyn. Nu har han sit eget firma. En hær af medarbejdere. Men fordi det er hans barndoms legeplads, som rotterne er gået i, så har han villet ordne det selv. Af nostalgiske grunde. Så jeg trækker en stol ud i gården, mellem avlsbygningerne, og tænder en cigar for at nyde synet af en tidligere legekammerat i arbejde. Henrik går langsomt rundt i gården, den er stor, 50 gange 50 meter, med sig har han en kuffert med gummipropper i forskellig størrelse, af den slags, man bruger på laboratorier. Hver gang han finder et hul, tager han en prop, der passer i størrelse, og lukker hullet. Han finder vel omkring 50 huller, det tager måske en time. Men han går kun den ene runde, og jeg ved, at han har fundet dem alle sammen. Ét hul lader han være åbent. I det anbringer han en gaspatron af den slags, man gassede muldvarpe med, det er blevet forbudt nu. Hvad jeg bifalder. Vi skal være gode ved dyrene. Han tænder patronen, går tværs over gården og knæler ved et andet hul. Så tager han handsker på, tynde, sorte gummihandsker, for at få et bedre greb. Og så tager han proppen ud af hullet. Der går måske et minut, så kommer den første rotte. Henrik tager fat om den, det er sådan set en rolig bevægelse, men hurtig, og så brækker han nakken på den. Det samme med den næste. Og den næste. Og den næste. De døde lægger han i en bunke ved siden af sig. Bunken bliver stadig større. Til at begynde med kommer rotterne med mellemrum. Men til sidst kommer de lige efter hinanden. Alligevel er der ikke én, der slipper fra ham. Og der er ikke én, der når at bide ham. Til sidst ligger der 128 rotter i bunken. Vi lod folkene tælle dem, inden de blev brændt. Så rejser Henrik sig. Tager handskerne af. Og beder en kort bøn. Det er et syn, der er blevet siddende. Det lyse hår, de foldede hænder. Bønnen. Og så bunken af døde rotter.

Grev Rickardt har været tilbage i sin lykkelige barndom. Nu vender han tilbage til d'Angleterre.

– Jeg så ham én gang siden. Hos en af mine faste leverandører. Han må være kommet bagud med betalingerne, leverandøren altså. For nu var Henrik der. Jeg kravlede ind under en sofa, så han genkendte mig ikke. Nu arbejdede han med inkasso. Opererede i hele København, for rockerne, for indvandrergrupperne, for den polske mafia, for danske virksomheder. Ingen smålighed, ingen smalle steder, storsindet og *broadminded*. Min leverandør betalte med det samme. Og han var meget bleg bagefter.

Rickardt sætter fingeren på det frosne billede på skærmen.

– Det er ham. Den dér fine stemme. Han kunne måske være blevet sanger, et hæderligt erhverv, hvem ved, måske have drevet det til at synge backing for mig. Men hvad laver han i slotskirken? På en måde overraskende, at netop han skal deltage i konferencen.

– Det, lille Rickardt, siger Tilte, – er også vores standpunkt.

Vi rejser os for at gå. Mine øjne bliver hængende ved grevens cigar. Han følger mit blik.

– Peter, siger han, – du ved, hvad jeg har lovet dig, hvis du kan lade være med at ryge. Et guidet Ketalar-trip og en kongesutter på din 18 års fødselsdag.

– Mavebæltet, siger jeg, – må jeg få det?

Alle kigger på mig. Forsigtigt stryger jeg det gyldne og røde mavebælte af cigaren. Jeg mærker en let undren omkring bordet. De tænker, om presset har været for meget for Peter, er han blevet mast tilbage til det, mystikerne kalder astral regression, og som vil sige at man går i barndom og pludselig igen i en alder af 14 år begynder at samle på alt, hvad der glitrer.

De får ikke noget svar. Alt hvad de får er et gådefuldt blik bag mine lange, buede øjenvipper.

Vi er på vej ud, jeg bliver stående i receptionen. På væggen hænger indrammede og signerede fotografier af berømtheder, der har boet på hotellet, man genkender Cruyff, Pelé, Maradona. Og man genkender Conny. Hun ser smilende ud på en fra et stort foto, i hvis nederste hjørne hun har skrevet: »Med tak til ledelse og personale for to pragtfulde uger.«

Når fotografier er gode, kommer personen til stede. Og det, der nu er ved at gøre Conny berømt, det er den måde, hun kommer til stede på. Så ud over alle mine andre sorger og bekymringer står jeg nu her i d'Angleterres reception med mit knuste hjerte flået op, hvis man kan sige det på den måde.

Følelsen af, at Conny er til stede, er så tydelig, at det er lige ved, at jeg ikke lægger mærke til det grønne bud, der nu anbringer en boltsaks, en nedstryger og to metalfile på receptionsdisken og siger: – Det er til Undervisningsministeriet. Attention Alexander Finkeblod.

Det er en situation, man må se nærmere på, selv om ens hjerteblod rinder, og nu kommer der en ungtjener ind fra højre, han skubber et rullebord, hvorpå der er anrettet brunch til fem personer, receptionisten lægger boltsaksen og filene og nedstrygeren på bordet.

– Det er fjerde sal, siger hun, – de har rykket for en opringning, den skal stilles igennem, fra en A. Wiinglad. Fortæl dem at vores omstilling gløder, og at de ikke er ude af vores tanker, vi stiller den op, så snart den kommer.

Jeg er sikker på, at du fra boldbanen kender den situation, at det sådan set er modstanderen, der er i angreb, men pludselig har dit eget forsvar lirket bolden fra dem, og nu kommer der en aflevering helt nede fra dit eget straffesparksfelt, og du ligger lige netop på den silkebløde side af offsidegrænsen, og med ét ser du dig selv rykke uden én tanke i hovedet.

Det er det samme, der sker nu, ungtjeneren triller af sted, jeg giver tegn til de andre, snupper Ashantis solbriller, og så er jeg efter tjeneren, gennem receptionen og ind i elevatoren.

Han er nogle år ældre end mig, og en del af hotellets fornemhed er smittet af på ham. Alligevel kan jeg se, at han er boldspiller. Det er svært at sige, hvad det er, Ejnar Fakir siger, at fodbold er stærkt karakterdannende. Selv har jeg tænkt, at fodbold på en måde er en spirituel vej, hvor man træner fællesbevisthed med sine medspillere og koncentration og *one-pointed* nærvær og hjertets renhed i at ville én ting, og det er at få klatten i kassen, og noget af det kan jeg mærke hos drengen foran mig.

– Brøndby eller FCK, siger jeg.

– FCK.

Jeg synger:

– *Klokken den er kvart i bold. Jeg tager FC-trøjen på.*

Det lyder fint i elevatoren. For en finøbo eksisterer kun Finø Boldklub, men det er almindelig høflighed at lufte sit lokalkendskab til sekundahold.

Det fornemme er gået af ham, jeg har begyndelsen til en kammerat foran mig.

– Finkeblod, siger jeg, – som du er på vej op for at servicere, det er min yndlingsonkel. Det er hans fødselsdag, vi laver en *joke* med ham, derfor værktøjet. Han har en fantastisk humor. Det, der ville gøre det her til en uforglemmelig dag for ham, det var hvis du lånte mig din jakke og gav mig fire minutter til at servere for ham.

Frem af lommen henter jeg en plovmand fra husholdningspungen. Jeg lader den fange lyset i elevatoren.

– Han fylder 50, siger jeg. – Og han er det elskeligste menneske.

Han tager tjenerjakken af, jeg tager den på, derefter Ashantis solbriller. Elevatorens spejle fortæller mig, at selv min egen mor skulle se efter en ekstra gang for at kende mig.

Drengen rækker mig hånden.

– Max, siger han. – I AB hedder jeg »Max-der-er-mål-strax«.

– Peter, siger jeg. – Det betyder klippe på latin. På Finø siger de, at jeg er den klippe, som Finø AllStars er bygget på.

Så banker jeg på, skubber døren op, og ruller vognen ind.

Hvad jeg kommer ind i, må være en brudesuite. I hvert fald ville jeg ikke have haft noget imod at tilbringe min bryllupsnat her, hvis det ikke var, fordi mit liv er viet til minderne.

Suiten har to store værelser med vinduer ud til Kongens Nytorv og en komfort, der udfordrer *Den hvide Dame.*

Ved et bord sidder Anaflabia Borderrud og fru Thorlacius-Drøbert, bag dem står den store hjernespecialist.

Der er ingen af dem, der ser på mig. Det skyldes dels, at personale på fine steder ligesom bliver usynligt og går i et med tapetet, dels at deres opmærksomhed er fanget af maden på en hypnotiseret måde, og man forstår hvorfor. De har sandsynligvis ikke fået noget at spise den ganske dag, for i morges, i skibets restaurant, fik de ikke så meget som en bid ned, inden de blev involveret i kamphandlingen og lagt i lænker. Og nu er det lykkedes dem at stikke af, iført håndjern, det må have kostet kalorier.

Det er tydeligt, at nu er de ikke bare sultne. De er vansmægtende.

De er også rystede, man kan se det på den måde, de alle tre holder deres håndjern skjult på, også det forstår man. Det aftvinger medfølelse og respekt at tænke på, at det må være lykkedes dem at undslippe Lars og Katinka og nå frem til d'Angleterre uden at blive fanget, det siger noget om, hvad videnskab og religion kan, når de slår kluderne sammen.

Da jeg begynder at anrette maden, ringer telefonen. Thorkild Thorlacius tager den, det er ikke nemt, fordi han har hænderne på ryggen, hans kone må holde røret for ham. Jeg fanger receptionistens stemme, hun annoncerer Albert Wiinglad.

Man kan få forskellige ting at vide om et menneske ved at holde øje med, hvor meget ravage det kan udrette gennem telefonen. Da Thorkild Thorlacius-Drøbert hører stemmen i den anden ende, prøver han at rette sig op, som var han taget på fersk gerning i at stjæle tørret ising.

– Jaha, siger han. – Javel. Glæder mig. Vi er på d'Angleterre. Ja, jeg ved, vi er efterlyst. Ja, jeg ved det er anden gang. Men også denne gang skyldes det inkompetence fra politiets side. Vi har tænkt os at klage. Vi forventer, at de to kriminalassistenter bliver suspenderet og anklaget for uberettiget magtanvendelse.

Neden for hotellet kører et par politibiler forbi med udrykning. Støjen, og måske et begyndende forfølgelsesvanvid i forhold til betjente, får Thorkild Thorlacius til at tie stille. Jeg bliver opmærksom på, hvor meget politi der er på Kongens Nytorv. Og nu kan jeg mærke den stolthed og anspændthed, der ligger over hele København på grund af den forestående konference, det er som om byen dirrer.

Samtidig mærker eller rettere hører jeg noget andet, på en måde banalt, på en måde så overraskende, at jeg ikke her og nu helt kan forstå, hvad det betyder. Den sirenestøj, der vælter ind over brudesuiten udefra og har tvunget Thorlacius til at holde en pause i sin klagesang, den kommer også, samtidig, ud af telefonrøret, hans kone står med i hånden.

Lyden dør hen, og Thorkild Thorlacius er tilbage.

– Og børnene, siger han. – De undvegne. Vi har grund til at tro, at de er i Købenavn. Vi mener at have set dem på båden. Forklædt. Det er min opfattelse – som psykiater – at de udgør en alvorlig fare for deres omgivelser.

Der bliver sagt noget i den anden ende. Noget der tvinger Thorkild Thorlacius til at sætte sig ned.

– Jaha, siger han.

Han famler efter papir og blyant, det er ikke nemt med hænderne på ryggen.

– Hvorfor en kode, siger han. – Mit navn plejer at være tilstrækkeligt. Jeg er en kendt person i offentligheden. Blandt andet fra fjernsynet.

Der bliver sagt noget i telefonen, man kan se, at det ophidser

271

Thorkild Thorlacius, for da røret bliver lagt på i den anden ende, prøver han at nikke telefonrøret en skalle.

– Respektløst, siger han. – Han sagde, jeg skulle stikke piben ind. Blande mig udenom. Han havde den frækhed at foreslå, at vi fandt en anden hobby end at overfalde politiet. Han foreslog *lapdance*. Hvad er det?

– Det er hans jesuiternatur, siger Anaflabia Borderrud. – Rygtet siger, han var katolsk præst, inden han gik ind i politiet.

– I ministerierne kalder de ham Kardinalen.

Det er Alexander Finkeblods stemme. Den kommer inde fra det tilstødende rum, det er derfor, jeg ikke har set ham før.

– Han er kommet helt til tops, fortsætter Alexander. – Han har en af de øverste stillinger i Interpol. Han er hentet hjem til at stå for hele sikkerheden under konferencen.

Hans stemme er andægtig. Man kan gætte på, at topstillinger i udlandet er, hvad der optræder i Alexander Finkeblods hedeste drømme.

– Han fremturede med en kode, siger Thorkild Thorlacius. – Som vi skal identificere os med, når vi skal ind til konferencen. Jeg har aldrig før haft nødig at identificere mig ved officielle lejligheder. Jeg vil tale med min meget, meget gode ven indenrigsministeren om det her.

Jeg tager låget af fadet med varm røræg og små cocktailpølser. Duften suger Thorkild Thorlacius op fra stolen.

Det giver mig anledning til to ting. Først at stikke papiret, som Thorlacius har skrevet adgangskoden på, i lommen. Og dernæst at stille mig hen, så jeg kan se ind i det andet værelse. Alexander Finkeblod, som også må være undsluppet, ligger på divaneseren, sekretæren Vera sidder ved hans side, og hun er ved at massere hans hovedbund.

Det er et syn, der fylder mig med en dyb glæde. Det siger noget om den forvandlende kraft, der er i forholdet mellem mænd og kvinder. For mindre end fire timer siden var der ingen grund til at tvivle på Vera, da hun *statede* over for politiet, at hun ikke

272

brød sig om at røre ved en mand. Og indtil dette øjeblik har jeg og de fleste andre på Finø været overbevist om, at med Baronessen som en mulig undtagelse lå det ikke i menneskers magt at opstøve nogen, der frivilligt ville kærtegne Alexander Finkeblod.

Begge fordomme er nu fuldstændig gjort til skamme.

Det giver et fantastisk løft, og i det løft mister jeg en lille smule af min klippefaste besindelse. Jeg kommer til at lette lidt på solbrillerne, så mine øjne er fri og jeg kan blinke til Alexander Finkeblod for ligesom at sige tillykke.

Jeg er med det samme klar over, at jeg muligvis er gået om ikke over så i hvert fald til stregen. Så jeg skynder mig at trille rullebordet ud af værelset, jeg giver Max hans jakke tilbage, sætter Ashantis briller på hans næse, stikker 500 dask i hans brystlomme og hvisker: – Vi mødes på banen. Så trykker jeg på knappen, der hidkalder elevatoren.

Bag mig har der lydt en gurglen, en raslen af håndjern og et tungt fald. Det sandsynligste er, at Alexander Finkeblod har prøvet at springe op, direkte fra liggende stilling.

– Tjeneren, drengen! Det er ham! Peter Finø! Den lille djævel!

Jeg kan høre Anaflabia og Thorlacius prøve at holde ham tilbage.

– Rolig, siger Thorlacius. – Vi er alle pressede. Alle undersøgelser viser, at det er i de situationer, vi hallucinerer …

Elevatoren kommer, jeg træder ind. Alexander Finkeblod kommer ud af værelset, og igen må man føle beundring for Undervisningsministeriets omhu, når de vælger medarbejdere, manden er svinebundet og alligevel bevæger han sig som et projektil. Med brystkassen maser han Max op mod væggen. Anaflabia og Thorkild Thorlacius er lige bag ham.

Max tager Ashantis solbriller af. Alexander stirrer på ansigtet foran sig.

– Det er umuligt, stønner han.

Elevatordørene lukker. Det sidste, jeg hører, er Max' stemme.

– Det her er overfald. Jeg ringer til politiet. Det kunne se ud til, at de kender jer i forvejen. Når man ser på håndjernene. Men for 500 kroner kunne jeg begynde at overveje at prøve at glemme det her.

Hans og Tilte og Ashanti og Basker og jeg sidder i bilen med udsigt til Kongens Nytorv. Foran os ligger et stykke fremtid af blandet kvalitet. Om lidt vil Hans starte bilen og køre os ind til Store Kongensgade Politistation. Fire mennesker vil så blive forhindret i at vandalisere religiøse klenodier for en milliard, hvis ellers vi har forstået det hele rigtigt, og det er det positive. Men derefter kommer eftersøgningen af mor og far og deres retssag og fængselsstraf og tiden på børnehjem for mig og sikret ungdomspension for Tilte og mørke udsigter til i bedste fald en hundepension for Basker.

Vi har gjort, hvad vi kunne. Vi kunne ikke gøre det bedre.

Mellem det, vi har gjort, og det, der skal gøres, er nu denne korte halvleg. Den vil jeg gerne gøre opmærksom på. Tiltes og mine studier har afsløret, at alle de store mystikere har peget på halvlegen og sagt, at i den er der en særlig mulighed for at mærke, at bekymringer skulle være noget, man selv laver, og der er kun ét sted, der er fred for dem, og det er lige her og nu.

I næste øjeblik har strømmen af tanker ført en med sig, man bliver taget af synet af Kongens Nytorv, af den ensomme og højrøde dobbeltdækker, af turister, duer og den sorte kassebil, hvis nummer starter med TH.

Men så har man igen chancen for at bjerge sig i land i nuet, i bilen, og se rundt på sine søskende og glæde sig over at være til stede her og nu.

I det øjeblik begynder Ashanti at synge. Det er ganske stille, og ordene er der ingen mulighed for at fange, men jeg går ud fra, at det er en lille voodoosang, jeg håber i hvert fald ikke, at det er en lovsang til Haiti som en baby på det caribiske havs puslebord, og i hvert fald fylder Ashantis stemme bilen som en magisk væske.

Vi prøver at synge med på omkvædet, der er en del vers, vi

lader den sidste tone klinge ud, man kan sige meget om os, men vi går syngende til skafottet.

Hans lægger hænderne på rattet. Fremtiden ankommer nu. Så læner Tilte sig frem.

– Der er en time endnu, siger hun. – Vi aftalte to timer.

Der er ingen af os andre, der husker at have deltaget i en aftale. Hvad man husker er, at Tilte sagde: »To timer«. Men det er ikke nemt at træde op mod naturkræfterne.

– Jeg skal et ærinde, siger Tilte. – Vi mødes i lejligheden i Toldbodgade. Om en time. Derefter tager politiet over.

Der hviler et let chok over os andre. Men igen lykkes det os at bjerge os tilbage til det nu, i hvilket der efter sigende ikke skulle være nogen særlige bekymringer, og den, der først har bjerget sig, er Hans.

– Ashanti og mig, siger han, – vi vil bruge tiden til at forberede hendes familie. De er ankommet med delegationen fra Haiti.

Man kan godt ane visdommen i det projekt. Her har far og mor fra Port-au-Prince forestillet sig at få ditter-datter godt og rigt gift, og så tropper hun op med en to meter høj stjernekigger, der er fattig som en kirkerotte.

Tilte skal til at åbne døren, jeg hoster stille.

De ser alle på mig. Det er ligesom i eventyrene, ingen regner med den yngste søn. Der er ingen, der kan tro andet, end at lille Peter vil køre med tilbage til Toldbodgade og bruge tiden, mens Hans og den udkårne taler med svigerforældrene, til at undgå at være i vejen og til at holde lav profil.

Op af min lomme tager jeg nu mavebæltet fra grev Rickardts cigar.

Det er gyldent. Med en rød stregtegning af en kvinde i profil. På hovedet har hun en antik græsk hjelm. Nedenunder står: *Pallas Athene. Abakosh*. Og et telefonnummer. Og en adresse på Gammel Strand. Jeg tager arket fra det skjulte rum i præstegården frem. Holder det op mod de andre, så de kan se, hvad der er skrevet med kuglepen nederst: »pallasathene.abak@mail.dk«

Jeg rækker hånden frem mod Tilte.

– Katinkas telefon, siger jeg.

Jeg drejer nummeret fra mavebæltet. Sætter telefonen på medhør.

Det er svært at forklare nøjagtigt, hvad der foregår inden i mig. Men hvis du selv spiller fodbold, så kan du måske huske, at der kommer et tidspunkt, hvor man for første gang tør rykke alene. For mig kom det midt i den første sæson på førsteholdet. Det var et af de magiske øjeblikke, jeg har fortalt dig om. Der kom en lang aflevering bagfra, midtbanen var trukket tilbage i forsvaret, jeg havde ingen støtte, alligevel vidste jeg, jeg skulle rykke. Det var ingen logisk følelse, der var ingen mulighed for at tænke, alt hvad jeg kunne mærke var, at døren var ved at gå op. Jeg hentede bolden ned som en lille kanariefugl, der sætter sig på vristen, og så passerede jeg to forsvarsspillere, der havde set på mig, som om jeg var noget, man kunne klare med en fluesmækker, og så gik jeg uden om målmanden og løb helt ind i målet med bolden. Først derinde forstod jeg, at der var sket et eller andet, at jeg var gået igennem en dør. Ikke den rigtige, den, der fører ud i friheden, men ud i en entré, i et forrum til den rigtige frihed.

Det er sådan et øjeblik, der kommer her i bilen. Jeg kan mærke, at det her er noget, jeg selv skal ordne.

– Abakosh.

Det er en kvindes stemme, og den stemme har i hvert fald to ting: En hemmelighed og et projekt med at lokke andre hen for at se, hvad den hemmelighed er.

– Det er Peter, siger jeg. – Jeg skal tale med Pallas Athene.

– Har du et password, søde?

Jeg ser ned på mors og fars seddel.

– *Bramacarya*, siger jeg.

Der bliver stille i den anden ende. Så kommer stemmen igen.

– Jeg er forfærdelig ked af det. Men Pallas Athene er optaget. Hvordan med en af de andre gudinder?

Jeg dribler i mørke. Men jeg føler, jeg er på sporet.

– Det skal være hende, siger jeg. – Vi har en aftale.

Igen bliver der stille. Men jeg kan høre hendes fingre hen over tasterne.

– Kan du være her om et kvarter?

– Som en mis.

– Men hun har kun 20 minutter.

– 20 minutter med en gudinde, siger jeg. – Det må kunne opveje en evighed med en almindelig dødelig. Ville du ikke sige det?

Nu når jeg ind og punkterer den professionelle distance, hun fniser.

– Helt afgjort, siger hun. – Skal vi sende en bil?

– Min chauffør har netop parkeret min Mercedes her på Kongens Nytorv.

– Skal jeg åbne en flaske champagne?

De andre i bilen stirrer på mig. Jeg kan se undren i deres ansigter. Formodentlig kan de også se undren i mit.

– Det må du gerne, siger jeg. – Hvis du kan drikke den selv. Til mig skal det være alkoholfrit. Udendørssæsonen er begyndt, min formkurve skal toppe om to uger. Og blive på toppen. Jeg lever som en munk.

– Vi glæder os til at se dig, siger hun.

Så lægger vi på. Jeg åbner bildøren.

– Vi går med, siger Hans.

Jeg ryster på hovedet.

– Du skal tale med svigerforældrene, Hansemand. – I sig selv noget af et arbejde.

– Du er kun 14, siger Hans.

Jeg retter mig op.

– Der kommer et tidspunkt, siger jeg, – hvor en mand må gå sine egne veje.

Jeg har aldrig forstået systemet bag Københavns gadenavne. Det hedder Blågårds Plads, men der er ingen blå gård. Det hedder Kongens Nytorv, men der er ingen konge, og torvet er ikke nyt. Og det hedder Gammel Strand, men der er ikke skyggen af en strand, og det kan godt være, husene engang var gamle, men de har i så fald fået en ansigtsløftning, der ikke bare har løftet ansigtet, men også udskiftet alle vitale dele, så de ser ud, som om det var i går, de blev færdige, og i dag ejeren fik udleveret nøglen.

Og det har været en guldnøgle, på de pudsede messingskilte er der navne på vekselerere og højesteretssagførere, og portene er forstærket med smedejernsgitre og overvågningskameraer, og over porten jeg står foran, er der to, altså to kameraer.

På dørskiltet står der *Abakosh* omgivet af en vinranke, men der er ingen trykknap til samtaleanlægget. Så jeg stiller mig ind i de to kameraers skudvinkel, og mens jeg venter, så kryber der, det må jeg indrømme, ind over mig en følelse af måske at have slået et brød op, der er større, end jeg kan bage.

Det er en sjælden følelse. Du kan spørge, hvem du vil på Finø, de vil sige, at Peter Finø, han handler altid inden for rammerne af sin naturlige tilbageholdenhed.

Skulle nogen nævne dengang, jeg stillede op til konkurrencen om Mr. Finø på havnestranden, så vil jeg igen understrege, at det var resultatet af en ondartet sammensværgelse, og lad mig en gang for alle mane alle rygter i jorden ved at fortælle nøjagtig, hvordan det gik det. Den kom sig af, at Tilte havde inviteret Kaj Molester Lander, som hun går i klasse med, ind i sit *walk-in closet* til en tur i ligkisten, og at hun havde gjort det, kan jeg kun forklare ved, at Tiltes ønske om at prøve at hjælpe mennesker og forbedre deres karakter, undertiden gør hende blind for de håbløse tilfælde.

For alligevel at prøve at hjælpe Tilte og øge chancen for at Kaj kunne begynde at ransage sin samvittighed – hvis han har nogen – bare en lille smule, havde jeg indtalt nogle sekvenser fra Den Tibetanske Dødebog og overspillet dem til en mp3-afspiller i to tredjedels hastighed og lagt afspilleren ind i kistens for, og jeg startede den med fjernbetjeningen, da Kaj Molester havde lagt sig til rette og låget var blevet lukket over ham.

Det var blevet en udtryksfuld indspilning. På to tredjedels hastighed lød min stemme, som om mørkets fyrste talte direkte til én, jeg var sikker på, det ville virke.

Det gjorde det også. Kaj Molester kom op af kisten som en nytårsraket badet i koldsved. Men i stedet for at bruge situationen til at spørge sig selv om, hvor den angst kom fra, som ellers er den politik, der anbefales inden for alle de store spirituelle traditioner, så løb han over vejen og sladrede til sine forældre, som stod i præstegården et kvarter senere, og det var den udløsende faktor for, at Tilte måtte levere kisten tilbage.

I stedet for at værdsætte mine gode hensigter gjorde det Tilte bitter, så bitter, at hun indgik en alliance med Kaj Molester, hvad der må kunne sammenlignes med verdenshistoriens helt store forræderier.

Deres ondsindede plan, som de virkeliggjorde, var, at Kaj lokkede mig op på træningsbanen mod at love at stå på mål, mens jeg trænede min skruede yderside, netop mens finalen til Mr. Finø løb af stabelen. Pludselig kom Tilte løbende og sagde, at Ejnar Tampeskælver Fakir havde efterlyst mig, fordi jeg skulle modtage Finø Boldklubs Sliderpokal, og for at give mig den fulde ære, jeg fortjente, ville Ejnar selv overrække mig pokalen på den store scene, og han bad mig derfor komme i foldboldshorts, fodboldstøvler og meget gerne bar mave for at understrege, hvad det havde kostet af sved.

Jeg tror godt om alle mennesker, og med den uskyld gik jeg på scenen uden at vide, at de forsamlede, over tusind øboer og turister, lige havde set norske svømmere og danske kaproere på to meter og hundrede kilo posere smurt ind i olie.

Så den gang tæller ikke. Normalt føler jeg mig for med fingerspidserne.

– Vi skal hverken have aviser eller reklamer.

Det er damestemmen fra telefonen, højtalerne må sidde i navneskiltet.

– Det er heldigt, siger jeg. – For hvis der er to ting, jeg er udgået for, så er det aviser og reklamer. Men jeg har en aftale med Pallas Athene. Så jeg synes, du skal lukke op.

Porten glider op. Men jeg har fornemmet en tøven.

Jeg ved ikke, om husene på Gammel Strand altid har været bindingsværk og småsprossede vinduer udvendigt og græske templer på indersiden, men det er sådan, denne opgang fremtræder nu.

Trappen er bred som en landevej, og den er flankeret af søjler, og det hele er af marmor. Den fører op til en reception med mere marmor, bag et skrivebord sidder en kvinde med lyst hår, græske sandaler og en toga, der er så nedringet, at man ville få problemer, hvis man skulle holde sig strengt til sandheden og blev spurgt, om hun er nøgen eller påklædt.

På væggene er der kalkmalerier, men stilen er ikke den samme som i Finø By Kirke, for de her forestiller nøgne mænd og kvinder, der drikker rødvin af noget, der ligner suppeskåle, eller får smæk bagi med fastelavnsris eller sidder på bænke og i stole med et sørgmodigt udtryk i ansigtet, måske fordi de synes, det er deres tur til at komme til suppeskålen og fastelavnsriset, måske fordi de ikke ved, hvem der har taget deres tøj.

– Du ser ung ud.

Der er en filosofisk retning, der har dannet skole på Finø og også andre steder i Danmark, som mener, at nedringede blondiner er varmhjertede, men tomhjernede. Kvinden foran mig giver dødsstødet til den teori. Hun er kølig som et svaleskab, og hun har en udstråling, som om hun processerer information på højhastighed.

– De fleste af dem, der har sagt sådan før dig, siger jeg, – de ligger nu og optager plads under mulde rundt omkring på de danske kirkegårde.

Hun kommer til at fnise, alligevel er hun i en slags dilemma, jeg ved ikke hvilket, jeg dummer simelig i mørke

– Andrik følger dig, siger hun.

Manden bag mig er kommet så stille, at jeg ikke har hørt ham. Han er også i toga, og hans hår er sat, ligesom håret sidder på græske statuer. Hvilken gud han forestiller, skal jeg ikke kunne sige, jeg havde en af mine enkelte fraværsdage, da den græske mytologi blev gennemgået. Men hvis lystmorderne har en skytsgud, kunne det være et godt bud. Han er bygget som en tikæmper, har babyblå øjne og en atmosfære, som jeg genkender fra de allerfarligste af de typer, du møder på fodboldbanen, mennesker, der lyser af at have mange fine talenter, som de har stillet i en ond sags tjeneste.

Han åbner en dør for mig, og vi går ind i et rum der udsletter det sidste håb om, at huset her har noget med det gamle København at gøre, hvis man altså har haft sådan et håb. Det er på mindst 200 kvadratmeter med et glasloft, op igennem hvilket man ser den blå himmel, og med planter nok til, at det kunne være det store væksthus i Århus' botaniske have.

Men det er ikke Botanisk Have, for planterne er ordnet, så de danner indelukker, i hvert indelukke står et marmorbadekar, hvor mænd ligge henslængt, mens de bliver vasket bag ørerne af kvinder, der kunne være, men sandsynligvis ikke er, tvillingesøstre til damen i receptionen. I midten af lokalet står et bord med champagne på køl, der er ikke tid til at undersøge, hvilken der er alkoholfri, og jeg er i øvrigt ikke tørstig. Her er også noget, der minder om et køleskab, med lamper og en fugtighedsmåler og en glaslåge, bag lågen kan man se æsker med havannacigarer, og jeg vil vædde på, at kunne man se mavebæltet, ville det være magen til det på grev Rickardts cigar.

Andrik åbner endnu en dør, den fører ind til et omklædningsrum i marmor.

– Du tager tøjet af her, siger han. – Og så fortsætter du ligefrem.

På en bænk ligger et badelagen i hvidt frotté, der har størrelse og tykkelse som et isbjørneskind. Da Andrik er væk, tager jeg lagnet over skulderen og går ind i næste rum.

Her slutter marmoret. Til gengæld er her en del guld og rødt, og så er der to forhøjninger. På den ene står en stor dobbeltseng, på den anden et bidet.

På et lille bord har nogen efterladt en kop kaffe, der damper, ved siden af koppen ligger et par briller og en lommebog i brunt læder.

Jeg siver hen til bordet. Fra et tilstødende rum kan jeg høre lyden af, at nogen børster sit hår. Jeg slår op i lommebogen under H for Hjem. Alle mennesker har mobiltelefoner, ingen kan mere huske deres fastnetnumre, i hvert fald kan vi ikke i præstegården.

Åbenbart heller ikke Pallas Athene. Under Hjem står otte tal, som jeg lægger ind i min mobiltelefon, forhåbentlig aflytter Politiets Efterretningstjeneste ikke min kontaktliste. Der er ingen adresse. Jeg lukker bogen. Jeg ved ikke, hvorfor jeg har gjort det. Måske for at se, om også gudinder har en privatadresse.

Jeg sætter mig på en stol, yderligt på sædet.

Pallas Athene gør sin entré.

Jeg vil skyde hende til 188 uden sko. En højde, der, hvis hun kan bare lidt med en bold, ville bringe hende direkte ind som *guard* på Finø Boldklubs førstehold i kvindebasket.

Men hun er ikke uden sko, hun har et par røde stiletter på, der giver mindst femten centimeter ekstra. Desuden har hun en rød paryk og oven på parykken den fra stedets havannacigarer så kendte græske hjelm.

Derudover har hun ikke andet på end små røde trusser, masser af læbestift og et stort smil, der viser sig at have en meget kort holdbarhed, for da hun ser mig, forsvinder det fuldstændig.

Jeg vil gerne gøre opmærksom på, at jeg normalt aldrig ville beskrive en nøgen kvinde i detaljer, ikke engang for mig selv. Når jeg alligevel nu vil gøre en undtagelse, er det af pædagogiske grunde, det er for at gøre det helt klart for dig, hvad jeg står over for.

For, jeg vil jo gerne nævne, at kvindens bryster ikke bare er store, de er store som basketbolde og så hårdt pumpede, at man ville kunne sætte en snor i dem og sælge dem som heliumballoner til børnene i Tivoli Friheden i Århus.

Hun bliver stående ret op og ned på gulvet og ser på mig, så tager hun en slags kimono fra sengen, slår den om sig og sætter sig ned og tager hjelmen af og lægger den på bordet.

Af hendes udtryk fremgår det, at vi ikke mere er under sydens sol, vi er nord for polarcirklen.

– I din alder, siger hun, – skal vi have en underskrift fra far og mor.

– Det bliver svært, siger jeg, – for de er forsvundet. Det er derfor, jeg er kommet. De efterlod navnet på det her sted.

Jeg rækker hende arket med mors notat, hun tager brillerne fra bordet, kaster et blik på notatet, giver mig det tilbage.

– Hvad hedder dine forældre?

Jeg giver hende mors og fars navne. Hun ryster på hovedet. Hendes øjne slipper mig ikke.

– Siger mig ikke noget. Hvor fik du adressen fra?

Jeg svarer ikke. Jeg vil ikke udlevere greven.

– Og så er der passwordet, fortsætter hun langsomt. – Hvor kommer det fra?

Jeg kan ikke svare uden at fortælle om mors og fars misgerninger. Så jeg siger ikke noget.

– Det er vigtigt for os, siger hun. – Det password.

Nu er der noget farligt i stemmen. Nu lægger man ikke mere mærke til outfittet og læbestiften. Nu er der bare følelsen af at sidde over for et menneske, der har rigtig megen viljestyrke, og som ved, hvordan hun skal bruge den.

Hun må have trykket på et eller andet kaldeapparat, for pludselig står lystmorderen ved siden af mig, og igen har jeg ikke hørt ham komme.

– Andrik, siger hun. – Drengen har et password, som ikke er hans. Han har ikke lyst til at sige, hvor han har det fra.

Andrik nikker bekymret. Jeg sidder over for to foruroligede mennesker.

– Jeg kunne udspørge ham inde i dampbadet, siger Andrik.

Man kan kun gætte på Andriks spørgeteknik. Men det virker ikke sandsynligt, at han lokker svarene frem med bismarcks-klumper og små opmuntrende tilråb. Antagelig lokker han dem frem ved at holde ens hoved ind i dampstrålen og bagefter knalde det i flisegulvet.

– Jeg er opvasker, siger jeg, – en af restaurantens gæster glemte et mavebælte til en cigar. På mavebæltet stod adresse og telefon-nummer. Passwordet var skrevet på indersiden.

De kigger på mig. Så nikker kvinden.

– Det kunne være gået sådan til, siger hun. – Andrik. Vil du følge ham ud? Ad bagtrappen.

Manden rører ikke ved mig, det behøver han ikke, han træder bare en anelse nærmere, og det er nok til, at jeg ryger op af stolen. Kvinden åbner en dør i den anden ende af rummet.

Den såkaldte bagtrappe har en klasse, så kun få mennesker ville kunne drømme om at have noget lignende op til deres ho-veddør. Da vi står på reposen, rømmer kvinden sig.

– Hvor længe har dine forældre været væk?

– Fire døgn.

Andrik og jeg begynder nedstigningen, hun rømmer sig igen.

– Andrik. Han er bare et barn.

Manden nikker. Jeg mener at spore en svag skuffelse hos ham.

Vi krydser en gårdsplads med palmer i krukker og en rød *vintage* Jaguar. Andrik må have en fjernbetjening, for en dobbelt port glider op, vi står i et stræde, Andrik ser til begge tider, gaden er øde. Han tager fat i min overarm og klemmer til.

– Så du er et tudefjæs, siger han.

Dér tager han fejl. Den lille tåre, jeg muligvis har i øjenkrogen, skyldes sorgen over den hævn, jeg vil blive nødt til at tage i den nærmeste fremtid, fordi han klemmer så hårdt.

Jeg tror, at det her skal være første og sidste gang vi ser noget til dig, siger han. – Er det forstået?

– I den grad, siger jeg. – Men hvorfor må de så?

Jeg ser ind i portmørket, som vi lige er kommet ud af.

Det er verdens ældste trick. Men det er også et af de bedste. Rigtigt brugt er det en fornem illustration af, hvad Tiltes og mine studier viser at alle de store mystikere har været rørende enige om: At ord laver virkelighed.

Desuden er det grundlaget for den fra hånd- og fodbold så kendte skraldemandsfinte. Du kigger til den ene side. Men det er den anden, du går til.

Andrik er lynhurtig, det må man give ham. Han snurrer på stedet og stirrer ind i portens mørke for at se, hvem der er sluppet ind. Og han er vågen, for han slipper ikke grebet om min arm.

Men det er ikke nok. Situationen er gledet ham af hænde.

Jeg trækker fri, som jeg så tit har gjort, klemt mellem tre for-svarsspillere, der kunne have fået arbejde som vejtromler, hvad dag det skulle være. Jeg piroutterer om venstre fod. Og så losser jeg ham bag i.

Han er en veltrænet mand, hans balder er som fodbolde, faste og elastiske. Jeg rammer dem med strakt vrist.

For det tilfældes skyld, at du ikke selv er en kender af de finere detaljer i fodbold, kan jeg fortælle, at et stort spark ikke udgår fra benet, det udgår fra de dybe bugmuskler. Når det er bedst, fun-gerer benet som en akse, og det her er et af de bedste. Jeg har hele kroppen bag, og jeg rammer helt rent, Andrik tager den på næsen fire meter ind i portmørket, hvor han kom fra.

Jeg kaster det hvide håndklæde, som jeg stadig har over skul-deren, ind til ham.

– Andrik, siger jeg. – Hvad ville du sige til, at vi begge to prø-vede at huske medfølelsen? For at det her ikke skal eskalere.

Jeg får ikke noget svar, og det har jeg heller ikke regnet med. For selvfølgelig er han oppe og efter mig.

Han har en hæderlig sprint. Men det er blandt marmorbade-kar og champagneflasker, han har slået sine folder, og ikke på

Finøs grønsvær, og hans balder er ikke bare begyndt at komme sig, så han har tabt mig inden Højbro Plads.

Alligevel sætter jeg ikke farten ned. En type som Andrik kunne sagtens finde på at sætte sig i sin store BMW og køre rundt i den indre by med fråde om munden, indtil han fandt mig. Så jeg løber som en gazelle, på fornemmelsen, for hvad skal man ellers gøre i en fremmed by, ad de små gader langs med Strøget, til jeg når frem til Kongens Nytorv, hvor jeg dykker ind mellem de biler, der er parkeret ud mod Nyhavn.

Da jeg passerer Krinsen, stryger jeg forbi den røde dobbeltdækkerbus og får et glimt af chaufføren.

Chaufføren ser ikke mig, for han er ved at kysse kvinden, der sidder på sædet skråt bag ham. Og det er ikke bare et lille kys på kinden, det er et af de kys, hvor alt omkring de elskende forsvinder, og alt hvad der er tilbage, er dalende blomsterblade og sommerfugle og violiner, der græder af glæde.

Så jeg har lejlighed til at blive helt sikker. Der er ingen tvivl. Det er Lars, kriminalassistent i Politiets Efterretningstjeneste. Og kvinden bag ham er Katinka.

På den ene side virker det naturligt. Lars og Katinka har gjort alvor af det, jeg hørte dem overveje om bord på *Den hvide Dame*, de har skiftet erhverv.

Det er forståeligt. Man kan forestille sig, at rigtig mange mennesker, der måtte indse, at de havde et levebrød, hvor de når som helst kunne risikere at blive slået ned af typer som Alexander Bister Finkeblod, Anaflabia Borderrud og Thorkild Thorlacius, hurtigst muligt ville prøve at blive omskolet.

På den anden side er der en undren og en tanke, der trænger sig på, men den får ikke den plads, den fortjener, for fornemmelsen af at have en seriemorder som Andrik på udkig efter mig, tvinger mig til at koncentrere mig om at holde hastigheden lige oppe over *Finøs limit*.

Jeg krydser Amalienborg Slotsplads og løber ad en lille vej, for enden af hvilken jeg øjner havnen, jeg har ikke set skyggen af Andrik, sådan er det med livet på Olympen, for meget nektar og ambrosia og for lidt løbetræning. Jeg er begyndt at glæde mig til at fortælle Tilte og Hans og Basker og Ashanti om mine fremskridt, selv om de ikke peger i en klar retning.

Jeg drejer ind på Toldbodgade, op ad nedkørslen til parkeringskælderen kommer en sort kassevogn, den svinger væk fra mig, jeg kan se dens nummer, det er T for Tilte og H for Hans, og tallene er datoen for Finø Boldklubs oprykning i Superligaen.

Jeg sprinter som besat, men den er drejet om hjørnet, og væk. Der er ikke meget luft tilbage, men jeg får slingret mig ind ad døren og taget trappen seks trin ad gangen.

Døren er lukket, men ikke låst, lejligheden er tom. Det er ti minutter over tiden, normalt ville ti minutter intet betyde for Tilte, hun plejer at sige, at de store religioner opererer med to slags tid, profan tid, som er den, urene viser, og sakral tid, som er den, hendes køreplan går efter.

For mig at se er det ikke andet end en hamper undskyldning for at komme, når det passer hende. Men nu er det anderledes. Nu ved jeg, hun burde være her.

Jeg er nu meget urolig. Jeg leder efter spor af hende.

Endnu er lejligheden til at overskue. Når først mennesker er flyttet ind, så går alle de sartere nuancer tabt i det bjerg af ragelse, vi alle sammen stuver af vejen, sådan er det i hvert fald i præstegården. Men her er ingen flyttet rigtigt ind. Derfor ser jeg det.

Ved sengens hovedgærde står et par rækker af indrammede billeder, som endnu ikke er hængt op, de har billedsiden ind mod væggen. Mellem det yderste og det næstyderste ligger et stykke karton. Et meget lille stykke. Men det syner, i hvert fald for en rengørings- og oprydningsspecialist, hvad jeg godt vil vove at kalde mig selv.

Jeg sætter mig ned på hug for at samle kartonen op. Derved kommer jeg så langt ned, at jeg ser hen langs gulvet.

Fra den vinkel kan man se lysets reflekser på en anden måde. Derfor kan jeg se, at ved køkkenvasken, inde i den anden stue, falder lyset på et større område, hvor noget er blevet spildt. Det er tørret op, men gulvet er ikke vasket bagefter, så det har efterladt en hinde.

Jeg går derhen, fugter en finger, fører den over gulvet og smager på den. Det er svagt sødt og svagt syrligt. Det er juice.

Jeg åbner køkkenskabet, hvor affaldsspanden sidder på indersiden. Øverst er et viskestykke smidt ned. Jeg fjerner det, nedenunder ligger et knust vinglas med høj stilk. Jeg samler et skår op, der sidder rester af gult frugtkød på glasset. Jeg lader det falde tilbage.

Almindelige mennesker som os andre drikker juice af almindelige glas. Tilte drikker juice af vinglas, hun siger, det er en hellig drik, der skal indtages rituelt.

Tilte har drukket af glasset i skraldespanden. Men Tilte taber kun meget sjældent glas på gulvet. Og hvis hun gjorde, ville hun ikke komme skårene uindpakket i skraldespanden, det gør ingen, som bor i en sekspersoners husholdning, der har fire fyldte skraldespande om dagen, som man skiftes til at bære ud, og hvor man derfor ved, at den, der bærer den næste ud og tager fat under spanden, risikerer at pådrage sig en pulsåreblødning.

Nu kan jeg helt ærligt mærke, at skrækken har fat i mig.

Fordi jeg et kort øjeblik har problemer med at tænke, går jeg tilbage til sengen for at samle det lille stykke karton op. For at få fat i det må jeg flytte det første billede, det er et fotografi, jeg tager kartonen og stiller fotografiet tilbage.

Så samler jeg det op igen, vender det og ser rigtig på det. Det forestiller en dreng i shorts og fodboldstøvler, efter hvad der ser

290

ud til at have været en regnfuld kamp, for det er tydeligt, at han har taget indtil flere mudderbade.

På hans trøje står: *Finø AllStars.*

Drengen er mig.

Jeg ved ikke, hvem der har indrettet kosmos. Men nogle gange kunne man godt savne lidt mere almindelig hensynsfuldhed. Som om jeg ikke havde nok at tænke på i forvejen.

Billedet er taget af min storebror Hans, og det var efter min første kamp for Finø AllStars, hvor jeg scorede et mål så heldigt, at man næsten ikke kan være det bekendt, men alt tæller i fodbold, også svineheld.

Fotografiet findes kun i to kopier. Den ene har jeg selv. Den anden gav jeg til Conny.

Jeg tager de indrammede billeder op et for et. Der er filmplakater. Plakater for afdansningsballet på Ifigenia Bruhns Danseinstitut på Finø Torv. Der er en ramme med fotografier af børn.

Jeg kender godt de børn. Det er Smilla, Filla og Mandrilla, Connys søsters tre børn.

Jeg går hen til vinduet, for i det mindste at bevæge mig og prøve at cirkulere noget af uroen.

Der ville være dem, der i dette øjeblik ville have overskud til at huske de store mystikeres fælles råd og se indad efter døren, måske har du, jeg har ikke. Jeg er meget svimmel. Hvis der er én ting, der i denne usikre situation er sikker, så er det, at det her er Connys lejlighed.

Jeg ser blindt frem for mig. Alligevel kan det ikke være helt blindt, for jeg ser en bil dreje ind i nedkørslen til parkeringshuset.

Det er en rød Jaguar, *vintage.*

Det er selvfølgelig utænkeligt, at det er den, jeg har set for et øjeblik siden, i Pallas Athenes gård.

I vindueskarmen foran mig står en telefon. Jeg griber røret.

Jeg taster oplysningen, giver kvinden i den anden ende hjemme-
nummeret fra Pallas Athenes notesbog, og beder om adressen.

– Det er din egen, siger kvinden.

Så retter hun sig selv.

– Nej. Undskyld. Det er etagen nedenunder. Det her nummer
er registreret til fjerde sal.

Jeg må stive mig af mod vindueskarmen for at holde balan-
cen.

– Er der et navn?

– Maria. Maria og Josef Andrik Fiebelbitsel.

– Der er ikke også en lille Jesus Fiebelbitsel?

– Jeg får ikke noget frem, siger hun.

Vi lægger på.

Som jeg står dér alene i lejligheden, ved jeg, at nogen har bortført
Tilte. Og at det har noget at gøre med vores besøg hos *Bellerad
Shipping*. Derfra må de have fulgt os.

Den tanke gør noget bestemt ved mig, noget, der indtil nu
kun er sket et par gange om året, og kun på fodboldbanen. Der
indfinder sig en følelse af, at i det her næste ryk kan jeg ikke
standses, og skulle der komme et par etageejendomme i vejen er
det sørgeligt, for der bliver kun murbrokker og hjemløse lejere
tilbage.

Det opleves ikke, som om det er mig, der trækker i trådene.
Det kommer til mig udefra, fra rummet over havnen.

Jeg venter ikke på Hans. Jeg går ud ad døren, en etage ned, og
ringer på.

Det er Andrik, der lukker op. På den korte tid, der er gået, si-
den han og jeg skiltes, har han nået at tage et bad, hans hår er
endnu vådt. Han har også nået at hente børnene fra børnehaven,

292

for de kiler sig fast på hver side af ham, det er to lyshårede tvillinger på måske tre år.

Men han har selvfølgelig ikke haft tid til at komme sig over hestesparket, det kan man se på den let plagede måde, han står på. Og man kan se det på det lidt pinefulde udtryk, han har omkring øjnene. Et udtryk, der, nu han ser mig, viger for noget, som det ikke ville være helt præcist at kalde himmelfalden undren, men som heller ikke er chok, men måske ligger et sted derimellem.

– Jeg vil gerne tale med Maria, siger jeg.

Pallas Athene kommer til stede, skråt bag ved og oven over manden, for selv om hun er steget ned fra stiletterne og har lagt hjelmen og parykken, er hun et hoved højere end han.

Tvillingerne mærker, at situationen mangler naturlig afslappethed.

– Far, spørger pigen, – er han farlig?

Andrik ryster på hovedet. Men han har ikke fundet stemmens brug.

Jeg henvender mig direkte til Pallas Athene. Det er ofte tidsbesparende at springe mellemtrinene over og gå direkte til ledelsen.

– Bliver jeg budt indenfor?

Hun ryster på hovedet.

– Helt i orden, siger jeg. – Så er jeg her om ti minutter og byder mig selv ind. Med seks hærdebrede betjente og en dommerkendelse.

De stirrer på mig. Så træder de til side. Jeg går ind.

Lejligheden er storesøster til den ovenover. Layoutet er det samme, men her er mere plads, mere terrasse, mindst to værelser mere. Det er ind i et af dem, Pallas Athene fører mig og lukker døren.

Det er en slags vinterhave. Der er terrassemøbler, der er glasloft med vinranker og små grønne druer på rankerne, en lille granitkumme med en nøgen engel og en vandstråle, udsigt ud over havnen over til Holmen og ud mod Langelinie.

– Vi har lånt lejligheden ovenpå, siger jeg, – jeg er lige kommet hjem, nogen har bortført min søster Tilte, der er spor efter det. Jeg er hundrede procent sikker. Du ved noget om dem, hvis password jeg brugte. Jeg vil gerne vide, hvad det er.

– Jeg bliver nødt til at have en smøg, siger hun.

Hendes fingre ryster ikke, da hun fisker cigaretten frem. Men det er kun, fordi hun koncentrerer sig.

– Hvert år dør unge i hobetal som ofre for passiv rygning, siger jeg.

Hun tænder cigaretten, langsomt og omhyggeligt, blæser røgen væk fra mig.

– Du kan tåle det, siger hun. – Jeg har kigget dig ud. Du kunne tåle at blive kørt over af en kampvogn. Og det ville være værst for vognen. Hvor gammel er du?

– 21, siger jeg.

– Det ville give mere mening. Men du ser ud, som om du er 14.

– Mit hjerte er ungt.

– Er det rigtigt, at du sparkede Andrik?

– Han klemte min arm.

Jeg trækker op i T-shirten og viser hende mærkerne.

– Jeg har det ligesådan, siger hun. – Nogle gange er man nødt til at slå igen. Jeg har syv domme for vold mod mænd. På arbejdet kan jeg holde det nede. Det bryder frem i trafikken. En eller anden børstenbinder, der hamrer på sit horn, inden der er blevet gult. Eller kører helt op i røven på mig. Jeg bliver stiktosset. Kan ikke styre det. Ryger ud af bilen. Flår deres dør op. Stikker dem en på skrinet. Min far var bokser. Der blev afhandlet øretæver derhjemme. Det sidder i en. Men jeg har aldrig slået børnene.

Hun suger på cigaretten. Mennesker har forskelligt forhold til røg, de fleste slår automatpiloten til, når de ryger. Ikke Pallas Athene, hun nyder hvert sug med hele kroppen.

– Ved du, hvad Abakosh er?

Det er et bordel, siger jeg.

– Men i særklasse. Andrik og jeg driver fem andre. Men det

294

her er flagskibet. Det er bygget op over de græske mysterier. Kunderne får altid en kort instruktion i meditation og indre fordybelse, det er en del af pakken. Og så kan vi tage imod enhver religion. Vi har en kostumesamling som i en teatergardrobe. Munke, nonner, hurier, engle, dakinier, Jomfru Maria, Kwannon Bosato, bispehuer, lamahatte. Vi har til ethvert behov. Det er blevet en enorm succes. Og vi ligger helt rigtigt. Lige ved Folketinget. Holmens Kirke. Bankernes domiciler, ministerierne på Slotsholmen, advokatkontorerne i den indre by. Avisredaktionerne. Vi tjener kassen. Og vi glæder mennesker, vi gør dem lykkelige. Andrik tager sig af kvinderne. En tredjedel af kunderne er kvinder.

Hun skodder cigaretten, langsomt, i den bevægelse kan jeg pludselig se vreden.

– Bagsiden, det er, man bliver sgu' nogle gange hidsig. Jeg elsker Andrik. Men tre måneder om året sender jeg ham op i sommerhuset i Tisvilde. Så jeg ikke også skal se på en mand uden for arbejdstiden. Han kommer så ind og besøger børnene hver anden weekend.

Hun møder mit blik, fastholder det, knapper sin skjorte op, løfter brysterne fri af bh'en.

– Ved du, hvor mange operationstimer der er i de her? 18. Tre operationer, tre implantater i hver. De holder ti år, måske 15. De er ømme ad helvede til. Ingen kan røre, heller ikke Andrik. Jeg græd, hver gang jeg ammede tvillingerne, så ondt gjorde det. Har du før været på bordel?

Jeg ryster på hovedet.

Hun har rejst sig. Inden i hende foregår der noget, jeg ikke kan greje, vi kredser omkring noget, som vi er på vej ind mod, jeg ved ikke, hvad det er.

– Hør så efter. Arrangementet er det her: Du kan få det hele. Du kan få den ind hvor som helst, du kan få den slikket af, du kan få den masseret, du kan få bad med æteriske olier eller smæk i den bare. Men det hele er med kondom. Der er ingen kys. Og hjertet har vi lagt ude i garderoben. Der er ingen følelser. Jeg har et ritual, hver gang jeg *styler* mig, så har jeg en æske. I påklæd-ningsrummet. Med et billede af tvillingerne. Jeg forestiller mig, at jeg tager hjertet ud og lægger det i det skrin. Forstår du? Det fungerer. Men tre måneder om året hader jeg mænd.

– Jeg har en søster, siger jeg.

– Jeg er ikke til damer.

– Det er hun heller ikke. Men hun har nogle interessante synspunkter på det med vreden. Bygget på dybe studier af de spirituelle klassikere. Hun ville kunne hjælpe dig.

– Ingen kan gøre noget, verden er, som den er.

Dér tror jeg hun tager fejl. Bare tanken om, hvad en person som Tilte ville kunne stille op med et sted som Abakosh og en type som Pallas Athene, kunne gøre en svimmel. Men jeg siger ikke noget. Alting har sin tid, som der står i Det gamle Testamente, og lige nu er det ikke tiden til de store produktudviklinger.

Hun trækker en kurvestol hen og sætter sig tæt ved mig. Nu er vi ved at nå frem.

– Jeg tager op til fire mænd ad gangen. Mænd kommer ofte flere sammen. Meget tit, inden de skal noget vigtigt. Det kan være fire skuespillere, der kommer inden en stor forestilling. Politikere inden en forhandling. Forretningsfolk inden underskrivelsen af en kontrakt. Det password, du har. I går kom fire personer med det password. Tre mænd og en kvinde. Det er personligt, det tilhører én mand. Danskeren. Jeg ved kun, han hedder Henrik. De tre andre er udlændinge. Men taler dansk. Henrik er en stabil kunde. Der altid er kommet alene. Men i går havde han de tre andre med.

Hun tænder en ny cigaret.

– Der var en følelse, jeg ikke forstod. Så bagefter blev jeg siddende og mærkede det igennem. Ved du, hvad det var? Det var uro. De havde gjort mig bange. Jeg har været 15 år i branchen. Det var første gang. Forstår du, hvorfor jeg fortæller dig det her?

– Noget af det er vrede, siger jeg.

296

– Det er rigtigt.

Igen driver uroen hende op af stolen.

– Jeg er 30. Jeg har højst tre år igen. Så har vi selvfølgelig opsparingen og sommerhuset og denne lejlighed og et *studio* uden for Barcelona. Men jeg har givet mig selv fuldstændig til det her. Det gjorde jeg også i går. Ham, der hedder Henrik, havde ringet. Ville have mig ud til dem. Jeg sagde nej. Havde en utryg følelse. Jeg pyntede mig op. Henrik vil altid have, jeg spiller hans mor. Skælder ham ud, mader ham, skifter ble. Og de to andre ville have det på samme måde. De ville alle tre mades. Og sidde i høje stole. Og de havde hver sin religion, det har jeg sgu' aldrig oplevet før. Jeg måtte skifte tøj otte gange på de to timer. Og læse op af de hellige skrifter. Mens de legede med maden. Det var noget svineri! Og de ville lave pudekamp. I bar røv og stadig med babymos smurt ud over det hele. Og kvinden ville have, at Andrik skulle være hendes far, og ride ranke. Men da Henrik ville skide på gulvet, så sagde jeg stop. Vi har alle sammen en kant, er det ikke rigtig, ville du være gået med til det?

– Nok ikke, siger jeg.

– Så har de et sidste ønske. De vil have, at jeg skal sige til dem, en ad gangen, at »mor er stolt over dig, mor er rigtig stolt over, hvad du har gang i«. Og jeg spørger dem, om jeg ikke kan få lidt detaljer, det er nemmere at spille, når man ligesom kan give rollen et indhold. Men de lukker helt i, jeg skal bare klappe dem på hovedet og sige, at mor er stolt som en pave og ønsker dem held og lykke. Og derefter er det slut, og da de går, så er de fuldstændig indelukkede, det er hverken goddag eller farvel, og så kan jeg mærke noget. Jeg kan mærke, at de har noget stort og uhyggeligt foran sig. Som de på en måde har brugt mig og Andrik til at samle mod til. Så jeg skylder dig hjælp. Det her er første gang i 15 år, jeg har fortalt om en kunde. Det gør man aldrig, det er branchens vigtigste regel. Nu har jeg gjort det. For første gang. Vil du tage imod hjælp?

– Med kyshånd.

Hun ser afventende på mig.

– Kan vi overlade tvillingerne til Andrik en times tid, spørger jeg.

Hun retter sig op.

– Han er en god far!

– Der er en, vi skal prøve at komme til at møde, siger jeg. – Som du skal fortælle det her til.

Man kunne have ønsket et mere diskret køretøj end den røde Jaguar, men det er altså den, vi er kørende i, Pallas Athene og jeg, fra Toldbodgade ind til Kongens Nytorv.

Vi er sluppet herind, uden at Pallas Athene har fundet grund til at springe ud og pande nogen mandlige bilister ned, hvad jeg er taknemmelig for. Nu beder jeg hende parkere så tæt bag den røde dobbeltdækkerbus som muligt, og det gør hun på sin helt egen måde, der er nemlig en bås reserveret invalidebiler ledig, og dér parkerer hun, og ud af handskerummet henter hun et blåt skilt med en kørestol og sætter det i forruden og siger, at der heldigvis er mange overlæger blandt hendes faste kunder.

Jeg låner hendes mobiltelefon og instruerer hende i at trykke én gang på hornet, når jeg siger til. Så taster jeg Albert Wiinglads nummer.

Jeg mærker en alvor og en ærbødighed. Nu er jeg for første gang ved at træde i kontakt med et af de mennesker, der sandsynligvis er bag noget af det, der på de sidste to døgn har gjort Tilte og Basker og mig gråhårede og ti år ældre.

– Ja?

Hvis du ligesom jeg har en mor, der er forelsket i Schubert, eller en tante, eller en kusine, så har du måske hørt nogle af Goethe-liederne indspillet af Fischer-Dieskau. Hvis du har hørt ham, så vil du have en idé om stemmen i røret.

Det er en stemme, der ved ting, som den ikke har tænkt sig at røbe. Måske har manden bag den taget livet af 12 mennesker i en klanfejde en måneskinsnat, måske har han tømt en af faraonernes grave, måske har han haft tre kvindelige ministre som elskerinder samtidig, uden at nogen af dem nogensinde fandt ud af om de to andre, og nu er det slut.

Hvad det end er, er der én ting, der er sikkert: Det er en elefantpassers stemme. Og nedenunder det polerede tonefald kan man høre elefanten pruste.

– Siger navnet Finø dig noget, spørger jeg.

Han bliver først helt stille.

– Fortsæt, siger han.

– Det håber jeg det gør. For fra den ø kommer der nogle stakkels forsømte børn, som har mistet meget. Og som mener, du skal hjælpe dem med at få noget af det tilbage.

– Hvad i helvede, siger han.

Jeg giver Pallas Athene et tegn, hun smækker hornet i bund. Det lyder som en jaguar, der brøler. Svagt, men helt tydeligt, kan jeg høre lyden også i telefonen.

Jeg lægger på.

– Ser du den bænk, siger jeg. – Ved siden af bussens forende. Sæt dig der, tænd dig en smøg, læn dig tilbage og se ting begynde at ske.

Jeg krydser Kongens Nytorv i løb. Da jeg når d'Angleterres indgang, sænker jeg tempoet. Men bare så meget, at jeg ikke vækker opsigt. Jeg passerer gennem receptionen og stikker hovedet ind i restauranten.

Lige inden for døren har kagerne deres eget glastårn, en kage per etage. Jeg kaster et blik rundt, tjenerne har ryggen til. Så fisker jeg en hel lagkage ud.

Måske er lagkage ikke det rigtige ord, for kagen har kun ét lag. Men det er til gengæld 15 centimeter tykt, flødeskum med knust nougat og hindbær, uden tvivl oven på en uforglemmelig og sprød bund.

Hjemme i præstegården er vi vokset op med at piske flødeskum med piskeris. Hvis du skulle være fra et af de mere fortabte miljøer, hvor man pisker med hjulpisker, eller måske har givet helt op og bruger elpiskeren, så kan du endnu nå at rette skibet op. Med en elpisker kommer luften alt for hurtigt ind i flødeskummet, boblerne bliver alt for store, og derfor skiller skummetmælken alt

300

for hurtigt fra den fede del. Flødeskum pisket i hånden med piskeris bliver sejt på en helt anderledes måde.

Det ved de på Hotel d'Angleterre. Kagen er fast og uberørt af min tur op ad trappen, selv om jeg tager fire trin ad gangen. Så da jeg når frem til brudesuiten og banker på og træder ind, er det kun mig, der er forpustet og har en klædelig rødme over kinderne, kagen ser ud, som om konditoren lige har sendt den af sted med et fingerkys.

Thorkild Thorlacius, Anaflabia, Thorlacius kone, sekretæren Vera og Alexander Bister har givet sig god tid. De har fået lænkerne til håndjernene klippet over, stumperne ligger på gulvet sammen med værktøjet. Men de har ikke kunnet få selve de brede letmetalmanchetter om håndleddene af. Så med dem på er de gået videre til brunchen, som de nu er ved at afslutte.

Jeg går frem til bordet og trykker med et langt, følt tryk kagen fast i ansigtet på Alexander Bister Finkeblod.

– På langt sigt, siger jeg, – vil I forstå, at dette også er til jeres eget bedste.

Når man på film ser, at folk får lagkager i hovedet, så er det, er jeg ked af at måtte sige, næsten med sikkerhed attrapper, billige kager af dårlig kvalitet. Med en kage af høj kvalitet, som den foreliggende, ser det helt anderledes ud. På film kan ofrene med et par enkelte bevægelser få det meste af kagen af. Foran mig har Alexander Finkeblod, efter måske 20 sekunder og en helhjertet indsats, kun øjnene fri.

Herved får han udsyn til mig. Hvorved hans opmærksomhed og hans planer for den nærmeste fremtid flytter fra kagen til mig.

Thorkild Thorlacius og Anaflabia er også på vej op af stolene. Men Alexander Finkeblods bevægelser er i en helt anden klasse. Han kommer på benene som kuglen ind i pinballmaskinen.

Jeg har et klart, men minimalt forspring. Så da jeg på vej ned ad trappen helt overraskende passerer Max, har jeg ikke tid til at stoppe op. Alt hvad jeg når at se, er at han betragter mig eftertænksomt, derefter toner han bort i horisonten.

301

Jeg er ude af bygningen, Finkeblod er bag mig. Jeg har set ham jogge på Finø, med Baronessen. Men alligevel er jeg glædeligt overrasket, han er så tæt på, at jeg mener at kunne sige, at kagebunden må være en form for valnøddemarengs.

Vi krydser gaden, trafikken er tæt, bremser bliver blokeret, horn trykket i bund. Jeg er tæt ved den røde bus og vover et blik bagud. Der er et par meter til Alexander, 50 meter længere bagude er Thorkild Thorlacius og Anaflabia sluppet igennem trafikken og er nu ved at komme op i omdrejninger.

Jeg ser gennem bussens forrude. Lars sidder stadigvæk på førersædet. Og faktisk også Katinka, hun har sat sig overskrævs på ham.

Nogle ville mene, at det ikke er god stil for chauffør og guider på en turistbus i fuld offentlighed. Men på den anden side, er det ikke netop det, de fleste af turisterne er kommet rejsende for at se? Og i øvrigt er det kærlighedens væsen, sådan som jeg husker det fra dengang, der endnu fandtes kærlighed i mit liv. Nogle gange danner den et rum omkring de elskende, i hvilket de pludselig ikke opfatter, at der er andre i verden end dem.

Det rum tillader jeg mig nu at bryde. Jeg banker begge mine håndflader i forruden, og så dykker jeg ned mellem forhjulene og ind under bussen.

Fra nu af kan jeg ikke se mere, end hvad der kan ses ud under bussen. Men det er også opmuntrende. For jeg kan se Finkeblod stoppe op, og af hans ansigtsudtryk fremgår det, at han har fået øje på Lars og Katinka, og at de har fået øje på ham og genkendt ham gennem resterne af kagen. Alexander vender på en tallerken, og det samme gør, lidt længere bagude, Thorkild Thorlacius og Anaflabia.

Det siger noget om de tre menneskers åndelige smidighed, at de på brøkdele af et sekund kan ændre fokus fra det inderlige ønske om at fange og maltraktere mig til ønsket om at slippe væk. Og inden de når frem til den efterhængende vogn, skilles de og løber i hver sin retning for at tvinge forfølgerne til at

302

dele deres styrker. Det sidste, jeg ser, er, at de med Lars og Katinka efter sig er i fuld fart over Kongens Nytorv, mod alle tre verdenshjørner.

Jeg bukker for Pallas Athene.

– Der er fri bane, siger jeg.

Hun ser efter de løbende.

– Jeg har kun kendt dig lidt over to timer, siger hun. – Alligevel vil jeg sige, at hvis du fortsætter på denne her måde, så risikerer du at få dig en del uvenner.

– I det mindste har jeg ingen domme for vold, siger jeg, – i modsætning til visse andre.

– Du er jo kun 21, siger hun. – Vent til du når min alder.

Vi træder ind i bussen. Bag førersædet er der en skillevæg med en dør, og da vi åbner den, bliver det klart, at hvis man skal køre sightseeing i det her køretøj, bliver det med en svag økonomi, for alle vinduer er blændet, og alle sæder er taget ud og erstattet af elektronik, der er måske 50 fjernsynsskærme og monitorer, foran dem sidder fire mennesker på kontorstole med høretelefoner og mikrofoner, de er absorberet i deres arbejde, ingen vender sig, da vi passerer.

I midten af rummet fører en smal vindeltrappe i vejret, og vi kommer op i et rum magen til, igen med fire af de hårdtarbejdende, men kun halvt så stort, begrænset af en skillevæg med en bred dør. Den åbner jeg uden at banke.

I det rum, vi kommer ind i, er der taget revanche for mørklægningen i resten af bussen, for her er vinduer fra gulv til loft, og også i taget, glasset må være polariseret og tonet på en særlig måde, for man har intet kunnet se udefra, men indefra sidder man som i et komfortabelt akvarium.

Manden, der sidder komfortabelt, er Albert Wiinglad, det ved jeg med det samme, og Anaflabia har ramt hovedet på sømmet, manden er kardinal, eller måske endda pave, for kardinaler har vel nogen over sig, mens manden i stolen læner sig tilbage på en måde, som om han er sikker på at kunne sætte af uden at støde hovedet mod noget, hvis du forstår, hvad jeg mener.

Problemet med at sætte af ville for ham være et andet, og det er, at han er overvægtig som en præmieso ved Finø Dyrskue, og der er ingen grund til at tro, at han er kommet let til de ekstra kilo, de kræver et stykke arbejde, som han helt tydeligt er villig til at yde, for foran ham på bordet ligger den største madpakke, jeg nogen sinde har set, og mens han betragter os, åbner han den, den rummer ikke under 20 stykker, og de er højt belagt.

Han har tydet mit blik.

– Jeg vejer 160, siger han. – Mit mål er 180.

– Du skal nok nå det, siger jeg.

– En del af det er trøstespisning, siger han. – Efter jeg har fået kontakt med jeres familie.

En mere grovkornet type end mig ville sige, at så må den kontakt gå flere generationer tilbage, men jeg er vokset op i en præstegård.

Jeg lægger usb-stikket med optagelserne fra konferencerummet foran ham og skriver den sorte kassebils registreringsnummer på en blok.

– Tilte, min storesøster er blevet bortført, siger jeg. – For en time siden, i en bil med det her nummer. Det er det ene. Det andet er, at der er fire personer, tre mænd og en kvinde, som arbejder på at sprænge pragteksemplarerne fra Den store Synodes udstilling i luften. På stikket er en film- og lydfil, hvor man får halvandet minut med dem i dunkel belysning.

Han må have trykket på en kontakt, der kommer en kvinde ind, hun er 30 år yngre end han, men hun har *power* til at efterfølge ham som pave, hun tager mine notater og usb-stikket og går ud.

Pallas Athene og jeg har taget plads. Albert Wiinglad betragter os. Måske hengiver han sig til nydelsen af synet, måske tænker han, jeg tror det sidste.

– Hvis du tillader, at jeg taler ligeud, siger jeg, – til en aldrende embedsmand i en høj stilling. Vi har ikke mødt hinanden før. Men for mig ser det ud til, at du inden for de sidste 72 timer har været personligt ansvarlig for, at mine forældre og min storebror er blevet efterlyst, at min søster og mig er blevet hentet af politiet og spærret inde på et afvænningshjem for stofmisbrugere. At der er givet grønt lys for, at vi bliver tvangsfjernet, at vores barndomshjem er blevet skilt ad, og at der er blevet pudset en biskop, en hjerneforsker og en repræsentant for Undervisningsministeriet på os. Og at der er givet ordre til, at vores hund, Basker, skal aflives.

Han har skæg, det er klogt, ellers ville hans ansigt være konturløst som fuldmånen. Nu stryger han sig over skægget. Jeg kan mærke hans intelligens, det er, som om der ligger en summende bikube lige bag frontallapperne.

Den kvindelige efterfølger er tilbage.

– Bilen er stjålet i morges, siger hun. – Fra en carport i Glostrup, ejeren er bortrejst, vi fik fat i ham over hans mobil, den ville ikke være blevet savnet den næste uge. Vi har kigget på filen. Det vil tage tid at se alt. Men identifikationen af de fire svævere er positiv.

Albert Wiinglads øjne vender sig til Pallas Athene.

– Jeg har et bordel, siger hun. – Jeg betjente de tre mænd og kvinden i går aftes. Vi har et kortnummer på den ene, dansker, hedder Henrik.

Hun skriver på blokken på skrivebordet, mens hun kigger på sin mobiltelefon. Hun må have ringet og fået kortnummeret sendt, mens jeg serverede kage for Andreas Finkeblod.

Albert Wiinglad vender tilbage til mig.

– Må jeg høre om dine og jeres sidste 20 timer? Fra I forsvandt for os.

Jeg giver ham den korte version. Men jeg får overskrifterne med, flugten fra Store Bjerg, turen til Finøholm, overfarten med *Den hvide Dame* og formiddagen i København. Mens jeg fortæller, kan jeg mærke, at det rykker i Pallas Athene. Muligvis er det ved at gå op for hende, at der er langt tungere skæbner end at blive chikaneret i trafikken. Men på Albert Wiinglad er der intet at mærke, andet end en dyb tilfredshed med smørrebrødet. Da jeg er færdig med min historie, er alle 20 stykker højtbelagt forsvundet derhen, hvorfra ingen nogensinde vender tilbage.

– Du er 14, siger han. – Teknisk set er du et barn.

– Men min sjæl er gammel. Og jeg har set dybt.

Det er en bemærkning, jeg ville være meget forsigtig med at gøre i Flint Buldddubu omkuuuuuuhngørum. Men jeg er nødt til at have manden foran mig til at tage mig alvorligt.

Han stirrer på mig. Hans øjne ligesom udvider sig. Så klukker han.

Han langer en hånd, der er stor som en rombudding, ind under bordet, den kommer frem med noget, der ligner en sørøverkiste. Op af den henter han den rigtige madpakke, de 20 stykker var bare en *appetizer*. Han mærker mit blik.

– Jeg havde en hård barndom, siger han.

– Så skulle du komme og se min, siger jeg.

Han løfter et stykke med noget, der ligner ren mayonnaise, hvorfra enkelte fjordrejer titter koket frem, lægger det på tungen, lukker munden, det er forsvundet. Fra en mappe på bordet henter han et ark papir med fire opklæbede sort-hvide fotografier, de forestiller tre mænd og en kvinde. Det giver et ryk i Pallas Athene, da hun ser det. Den ene af mændene har hår så lyst, at det ser ud, som om det er bleget med brintoverilte. Jeg går ud fra, det må være Sorte Henrik, rotternes og de dårlige betaleres fjende nummer ét. Det er svært at sige andet om ansigtet, end at manden har selvtillid og gerne vil vise den frem.

– I kender udtrykket fundamentalisme, siger Albert Wiinglad, – det er ikke noget, religionerne har opfundet, de fleste mennesker er fundamentalister, verden er en røverkule.

Bag ham står der et lille fadølsanlæg, det er med glæde og stolthed, jeg genkender Finø Bryggeris Specialbryg, der efterhånden vinder markedsandele over hele landet. Han skænker en lille halv liter op og tømmer den.

– Skål, siger han.

Jeg tænker, at hvis man ville finde Albert Wiinglads svage punkt, så skulle man bare tage en af madpakkerne eller fadøllet fra ham, man ville have en fundamentalist af værste skuffe, inden man fik set sig om.

– På grund af globaliseringen stiger trykket på de store verdensreligioner. De svarer igen med at fundamentalisere, og det er kraftedeme dem alle sammen, det vrimler med fundamentalistiske kristne, hinduer, buddhister, islamister, og hvad helvede de alle sammen hedder, der er kun ét bolværk mod syndfloden, og det er politiet og hæren.

Her er jeg meget tæt ved at spørge, om man ikke også skulle nævne foreningen Asathor, som på Finø har vist kraftige fundamentalistiske tendenser på det sidste, medlemsskaren er gået ned fra syv til fem, og efter sigende har Ejnar Tampeskælver Fakir overvejet at ofre sin søn Knud, der går i Tiltes klasse, til Odin for at få støtte i konkurrencen med folkekirken og Gitte Grisanthemum og Sindbad Al-Blablab og lama Svend-Helge, en overvejelse, som jeg støtter varmt, for Knud er en vaneforbryder, der kun ligger lige efter Kaj Molester i ondsindethed. Men igen fortæller min sans for *timing* mig, at øjeblikket ikke er velvalgt.

– Terror udspringer af fundamentalisme, siger Albert Wiinglad, – og de fleste mennesker bærer rundt på en indre terrorist. Det er kun et spørgsmål om tid, så dukker den frem, derfor skal mennesker holdes i stramme tøjler, 95 procent af Jordens befolkning har brug for, at nogen fortæller dem, hvordan de skal opføre sig. Det er derfor, terrorister arbejder inden for organisationer, det er ikke én ud af tusind, der arbejder alene.

Han udsøger sig et stykke mad, man må gå ud fra, at det hviler på et stykke brød, men det er ikke synligt. Hvad man kan se, er en skive grov leverpostej, der er stor som en rugbrødsform, oven på den ligger en stor del af årets høst af champignon, og foroven er der elegant afsluttet med sprødstegt bacon af en halv gris.

– Men de, der arbejder alene, det er de besværlige. Vi kalder dem *svævere*. Fordi de er i bevægelse uden holdepunkter. Og de er mit speciale. Og jeg skal kraftedeme nok få revet hovedet af dem!

Han trommer på arket foran sig.

– Disse fire er svævere. Vi har kendt til dem enkeltvis i over ti år. Men hvad vi aldrig før har set – hvad man aldrig før har set i historien – det er, at de nu tilsyneladende er gået sammen. Og hvordan i hede, hule helvede de kan være i stue sammen uden at myrde hinanden, det har vi spekuleret så meget på, at vi fandeme har været ved at miste appetitten.

Jeg mærker en impuls til at trøste ham med, at jeg mener, at der både er håb og en stor fremtid for hans appetit, men jeg vil ikke forstyrre ham, han er i gang med leverpostejens værdige efterfølger, et stykke roastbeef, der burde have haft sin egen gaffeltruck på turen fra tallerkenen til munden.

– Det er en beskidt verden, siger han. – Og når mennesker holder sammen, så er det kun, fordi de er nødt til det. Vi tror, at det, der har bragt de her fire varyler sammen, det er noget, de anser for at være endnu farligere end hinanden. Det, der har bragt dem sammen, er Den store Synode.

Han må op at stå og hen til vinduet. For ham er bare de par meter en maraton.

– Alle de store religioner har to sider, og den ene er, hvis man spørger mig, kraftedeme mere forstyrret end den anden: En udadvendt, det der kaldes *eksoterisk*, som langt de fleste troende forholder sig til. Og en indadvendt, *esoterisk*, som er for de færreste. Den udadvendte del er den, der dyrkes i den danske folkekirke, i den katolske messe, moskéer, templer og synagoger og *gompa*'er overalt i verden. Det er ydre handlinger og ritualer, som beroliger de troende, forsikrer dem om, at lige nu er det tungt, men livet efter døden bliver lysere. Den anden del, den esoteriske, er for de bindegale.

Fra vinduet kaster han et langt blik tilbage på de sidste ti stykker, der ligger på tallerkenen og lokker.

– Det er for dem, der ikke bare vil have en mundsmag. Som ikke vil vente, til de dør, men vil have de store gåder løst nu.

– Sådan er du!

Det ryger ud af mig, jeg ved ikke hvorfor. Men pludselig er jeg helt sikker på, at Albert Wiinglad er elefantpasser.

Det giver et ryk i ham. Jeg har ramt en nerve.

– Hvad fanden er det, du siger, knægt? Du må jo være ravende vanvittig. Overhovedet ikke. Alt det er slut. Jeg er blevet klogere. Religion er en forstyrrelse i hjernen.

Han er klar til at gå videre. Men jeg har været meget tæt ved at nuppe bolden fra ham.

– Den store Synode vedrører den indre del af de store religioner. Den er verdenshistoriens første forsøg i den her målestok på at åbne en samtale mellem de rigtig gale, mystikerne, om muligheden af, at der bag de store religioner skulle være noget fælles. Den sindssyge idé, de har fået, det er at undersøge, om det er tænkeligt, at der bag de forskellige religiøse erfaringer kunne ligge et fælles grundlag. Og de har fået hjerneforskere og psykologer med på det. Og det, som svæverne er bange for, det er, at de forskellige religioner skulle finde ud af, at de dybest set er tættere på hinanden, end man troede. Og hvis det sker, vil grundlaget for fundamentalisme bortfalde. Man kan ikke føle sig truet af et menneske, som dybest set er splitterravende vanvittigt på nøjagtig samme måde som en selv. Det er det, der har fået dem til at gå sammen.

Han må trække vejret. Han er vendt hjem til sin plads og til madpakken, han gør den færdig, han slikker ikke tallerkenen, men jeg har mistanke om, at det er, fordi vi sidder foran ham. Fra baglageret under skrivebordet henter han nu en chokoladekage.

Den er stor nok til at lyksaliggøre et helt menighedsråd, Albert Wiinglad ser nøje på den og skønner, at der er nok til os alle tre. Han skærer to papirtynde skiver til Pallas Athene og mig.

– Du er sportsmand, siger han, – det fremgår af dit dossier. Jeg går ud fra, at du passer på vægten.

– Hvad med mig, spørger Pallas Athene.

Jeg kan se på Albert Wiinglad, at han er presset. Det er nu helt tydeligt, at den hurtigste måde at få ham til at amokke på ville være at gå efter kagen.

– Du er nødt til at holde dig slank og tiltrækkende, siger han. – I dit erhverv. Og det her, det er en kaloriebombe.

Han kører kagen ned. Skyller efter med en halv liter kaffe i et termokrus. Tørrer delikat krummerne fra skægget med en serviet.

310

– Og min far og mor, spørger jeg.

Så siger han noget, der er meget tæt ved at tage pippet fra mig.

– Ja. Det er et par hædersmænd. De ringede og rapporterede, at de havde fundet en sprængladning. Anbragt i den underjordiske sikringsboks, som juvelerne synker ned i ved brand, hærværk eller tyveri. Vi tog ud med sprængningskommandoen. Fjernede det hele. Jeg mødtes med jeres forældre. Jeres mor har jo gjort et fremragende arbejde med sikkerheden. Pæne mennesker. Opvakte. Høflige. Lovlydige. Hvordan helvede de har fået nogle børn som jer. Men der kan ske ting med hjernen, under svangerskabet. Det var også det, jeres forstander skrev i rapporten. Var der ikke noget med vand i hovedet?

Jeg prøver forsigtig at åbne og lukke munden, det går lige an.

– Så de er ikke efterlyst, spørger jeg.

– Hvem? Dine forældre? Hvorfor helvede skulle de være det? De står til at få en medalje. Til at indkassere hundrede millioner. For at have reddet værdierne. Der må blive råd til at få jer babysittet. Måske af Hells Angels. Skål på det!

Han bunder endnu en halv liter af det lifligste.

– Hvorfor skulle vi fjernes, spørger jeg. – Og Hans arresteres?

– Det var jeres forældre, der bad om det. For at de kunne vide, I var i sikkerhed.

På Finø Boldklubs førstehold er præstens Peter kendt for sin orientalske uudgrundelighed. Så der er ikke noget at se på mit glatte ansigt. Men indvendigt finder der en eksplosionskogning sted. For når mor og far har fået os lagt i blåt bånd og buret inde, så har det ikke været for vores sikkerheds skyld, for den har ikke været truet af andre end dem selv. Det har været for at undgå, at vi skulle komme på sporet af dem.

– Og min søster? siger jeg.

Hans ansigt bliver alvorligt.

– Vi har 4.000 danske betjente på gaden. Civilklædt forstærkning fra Sverige, Norge, Tyskland og USA. Tæt ved 7.000 personer. Vi har overvågningshelikoptere, kystbevogtning. Vi er bakket

311

op af civilforsvaret og brandfolk. Mens vi har talt, har de alle fået efterlysningen og et foto af din søster. Vi skal kraftedeme nok finde hende.

Vi sidder i Jaguaren med udsigt til pladsen og til Nyhavn, vi har ringet efter Hans og Ashanti, det viser sig, at de aldrig var nået længere end til en forelsket bænk med udsigt ud over havneløbet, og nu har de mødt os her. Vi har fortalt dem det hele, og nu starter Pallas Athene bilen, og jeg opdager, at hun kører lidt anderledes end på vejen herud, ligesom åndsfraværende, men det er måske forståeligt, når man tænker på, hvor hurtigt hun er blevet ført ind i vores families inderkreds.

Rent personlig er jeg så trist, at det grænser til det fortvivlede. Under mine og Tiltes vidtgående religiøse studier er vi igen og igen stødt på, at alle de store lærerskikkelser anbefaler, at man ser det som en mægtig chance, når man er så heldig at opleve lidelse, og at den helt rigtige indstilling er, at nu skal jeg virkelig smage på det her, der må ikke gå en dråbe af lidelsen til spilde.

Det er lettere sagt end gjort, og når det lykkes, så kan man ikke samtidig holde øje med alt andet, for eksempel sine lemmer, og nu kommer min hånd op af lommen med et stykke karton. Det er det, jeg fandt mellem billederne i Connys toværelses, lige inden alt tog fart, så jeg har aldrig fået kigget nærmere på det. Det gør jeg nu, det er et visitkort med et præget kors. Ved siden af korset står *Catholic University of Denmark*. Adressen er i Bredgade. Og nedenunder er trykt det gode danske navn Jakob Aquinas Bordurio Madsen.

Det, der nu sker inden i mig, er svært at forklare og umuligt at undskylde. Men der går et vanvidsglimt gennem min hjerne. Og tanken, der følger glimtet som et tordenbrag, er, at hvad kan det, at kortet ligger i Connys lejlighed betyde andet end at Jakob Bordurio, pumaen fra Ifigenia Bruhns Danseinstitut, er gået på rov efter Conny.

Jeg ved, hvad du vil sige: Om jeg ikke er midt i at møde sorgen på en spirituel måde over, at Tilte er væk, og hvorfor begynder jeg nu at fantasere om Jakob og Conny, og du har helt ret, der er ikke andet at sige, end at blandt alle de store verdensreligioners dæmoner er og bliver jalousien en af anførerne på holdet.

I næste øjeblik slapper jeg af. For det må være Tilte, der har efterladt visitkortet. Og Conny er 14, mens Jakob er 17, og der er ingen historiske eksempler på, at Conny er gået efter ældre mænd. Så min sunde fornuft vender tilbage, og med den spørgsmålet om, hvorfor Tilte har efterladt kortet. For Tilte er som sagt ikke den, der taber ting. Al sandsynlighed taler for, at hun har ladet kortet falde, som et spor.

Vi drejer til højre ned langs et smalt haveanlæg, og vi kan se havnen for enden. Basker piber, han er også urolig for Tilte, jeg vender kortet, på bagsiden har Tilte med kuglepen skrevet tallet 13.

13 er Tiltes yndlingstal. Hun siger, det er bedre end sit rygte, selv er hun født den 13., og hun er meget tilfreds med, at præstegårdens adresse er Kirkevej nummer 13, og grev Rickardt, der har forsket i numerologi, har givet en længere forklaring, som jeg ikke mere kan huske, men som handler om, hvor godt det tal passer til Tilte.

Men hvorfor det skulle få hende til at skrive det på Jakobs visitkort, kan jeg ikke umiddelbart se.

Hvad jeg kan se, det er, at vi må have fat i Jakob, for kortet tyder på, at det ærinde, Tilte talte om hun skulle, var at besøge ham.

– Vi skal en omvej, siger jeg. – Til Bredgade.

I det øjeblik indtræffer forskellige begivenheder hurtigt efter hinanden.

Den første er, at Pallas Athene hiver i rattet, trækker Jaguaren helt op på fortovet og stiller sig på bremsen, så vi standser i en hylen fra hjulene og i en brise af sveden gummi.

Nu har jeg det, siger hun.

Hvad det er, hun har, når vi ikke at få at vide, for nu bliver der

314

slået på Jaguarens tag, og det er ikke en høflig banken, det er som om bilen er sendt til ophugning, og processen er gået i gang.

En mand stikker ansigtet ind ad det åbne vindue til Pallas Athene.

Han sidder på en spritny Raleigh, og han er i jakkesæt, hvid skjorte og slips, cykelspænder og blankpudsede sko. På bagagebæreren har han en lædertaske med den bærbare og i hånden en lårtyk buket af langstilkede røde roser i cellofan, og nu brøler han Pallas Athene op i hovedet.

– Hvad så, Søster Kulmule, kan du så se at få flyttet røven, var det i skrabelotto, du vandt kørekortet, har du aldrig hørt rygter om færdselsloven?

Jeg kender ikke manden personligt. Alligevel vil jeg sige, at jeg tilbyder ti mod én på, at han er advokatfuldmægtig, og at han har fået fri og nu er på vej hjem til ejerlejligheden i Charlottenlund, hvor hans forlovede venter, snart skal de flytte sammen og giftes og have to til tre børn og en hund og leve lykkeligt til deres dages ende.

Det er selvfølgelig et projekt, jeg støtter varmt. Selv om man selv skal forblive alene for altid, kan man godt glæde sig over andres lykke.

Derfor ville jeg så gerne have haft tid til at fortælle fuldmægtigen noget om, hvordan man får lidt ro på sin vrede, hvad der er noget, alle de store religioner anbefaler og giver opskrifter på. Men der er ikke tid til det, han har allerede brølet Pallas Athene op i hovedet.

Hun er ikke den rigtige at brøle op i hovedet. Hendes øjne er blevet glasagtige. I næste nu har hun grebet fat i fuldmægtigens habit og trukket ham ind gennem rudeåbningen.

Derefter tøver hun et kort øjeblik. Det, der sinker hende, er helt sikkert valget mellem to gode muligheder, skal hun brække mandens hals eller simpelthen begynde med at rive hovedet af ham.

Den pause bliver vores chance. Hans, Ashanti og jeg griber

samtidig fat i hende, lige i det øjeblik man kan se på hendes tilfredse udtryk, at hun har truffet sit valg.

Et øjeblik tror jeg ikke, det vil lykkes os at holde hende. Så spænder Hans musklerne, og når Hans spænder musklerne, så ophører al naturlig bevægelse. Langsomt forsvinder det glasagtige fra hendes øjne. Hun ser på fuldmægtigen og løfter ham ud gennem vinduet og sætter ham på cyklen.

– Godt ord igen, skovsvin, siger hun.

Han laver en god start, og en hurtig acceleration væk fra os uden at se sig tilbage. Han er for så vidt uskadt. Men jeg vil sige, som flere af de store oplyste har sagt: Den advokatfuldmægtig, der én gang har set døden i øjnene, er ikke den samme advokatfuldmægtig.

Pallas Athene er tilbage i omtrent den samme virkelighed som den, vi andre befinder os i. Og nu vender hun sig mod os.

– Skibssirener, siger hun.

Vi lytter. Man kan godt høre en sirene langt borte. Men det er ikke nødvendigvis noget, man føler trang til at meddele offentligheden.

Den tanke strejfer mig, at Pallas Athene jo er blevet stoppet i at aflive manden på cyklen, og måske har det været for hårdt for et sensitivt system som hendes at undertrykke sine spontane følelser.

– Han ringede jo efter mig. Henrik. I går. Ville have mig til at komme til dem. Jeg afslog. Gør det næsten aldrig. Det er for farligt. Jeg kan lide at have Andrik i nærheden. Så de lavede bookingen til næste dag. Men i baggrunden var der den samme lyd. Jeg bor jo selv ud til havnen. Det var skibssirener.

– Var der en adresse, spørger jeg.

Hun nikker langsomt.

– Det er det, der var specielt. Normalt ved vi så lidt som muligt om kunderne. Men her gav han en adresse. For at overtale mig. For at vise, hvor tæt det var på. Det var i Frihavnen. Adressen var *Pakhus* og så et nummer.

Vi venter, hun tænker.

– Jeg kan ikke huske det, siger hun ulykkeligt.

I det øjeblik nærmer endnu en mand sig den åbne rude. Jeg tager fat i Pallas Athenes arm. Men denne henvendelse er anderledes.

– Undskyld, siger han. – Jeg var netop på vej hen til jer. I Toldbodgade.

På fortovet står, med rosenkrans og prælatflip og et *look* som en ørkensheik, pin-up'en fra kataloget til Ifigenia Bruhns Danseinstitut, min tidligere makker på førsteholdet, Jakob Aquinas Bordurio Madsen.

Jeg trækker Jakob ned på sædet ved siden af mig. Det er ikke en overdrivelse at sige, at Jaguaren er fyldt til bristepunktet. Man må tænke på, at min storebror alene strengt taget kræver en bil for sig. Men dette er ikke det rigtige tidspunkt til at klage over mødefaciliteterne.

– Jeg vil gerne tale med Tilte, siger Jakob.

– Det er for sent, siger jeg. – Hun er bortført.

Han visner for øjnene af os, og det siger mig to ting: At han ved noget om, hvad Tilte og vi andre har gang i. Og at selv om han har fået visitkort og en kaldelse, og selv om rosenkransen ikke har stået stille, siden han forlod Finø, så er hans hjerte ikke færdigt med Tilte.

Jeg holder visitkortet op foran ham.

– Hun lod det her falde, da de slæbte hende bort, siger jeg. – Hun må have talt med dig.

Hans øjne flakker.

– Politiet, siger han.

– De er informeret. Hun er efterlyst. Bilen, hun blev ført bort i, er efterlyst. Nu venter vi bare på, hvad du ved.

Store kræfter arbejder i ham. Helt præcist hvilke kræfter vides ikke. Men en af dem er kærlighed. Det er den, der vinder.

– Hun var hos os for halvanden time siden.

– Hvem er os?

– Det katolske Universitet. Hun opsøgte mig dér. Hun fortalte det hele. Meget kort, men det hele. Om jeres far og mor. Om det planlagte attentat. Jeg tog hende ind til en officer.

– En officer?

– En af Vatikanets officerer. Han er her i anledning af konferencen. Vatikanet har sin egen efterretningstjeneste. Ti gange større end den danske.

Han siger det med en vis stolthed, som om det er AC Milan, han holder op mod Finø Boldklub.

– Han vidste om det. Han vidste også, at det danske politi har fjernet sprængladningen. Man han vidste ikke noget om jeres forældre.

Jeg føler en skuffelse. Det her er der ikke noget nyt i. Man havde alligevel håbet, at Jakob Aquinas havde lidt mere i sig end en stilfuld engelsk vals.

– Hvorfor har Tilte efterladt dit kort, spørger jeg. – Hvad ville hun sige med det?

Han ryster på hovedet, han er tom for idéer.

– Hvad talte I om, spørger jeg.

– Spadillo – officeren – fortalte om, hvordan man mener de fire svævere er blevet finansieret.

Nu kan jeg mærke det. Ligesom i fodbold. Målmanden har sparket ud, situationen har været mudret, men pludselig synker mudderet til bunds, og vandet begynder at klares.

– Jeg har ikke forstand på politik, siger Jakob, – det var noget med våben. Der er et syndikat. Af store våbenleverandører. Officielt sælger de kun til organiserede, nationale forsvar, sanktioneret af FN. I virkeligheden sælger de til hvem som helst. De har en slags lobbyvirksomhed. Vatikanet og det danske politi mener, at de har betalt det her. Jeg nægter at tro det. Det ville være dybt syndigt. Forargeligt, synes I ikke?

Jeg lægger en hånd på hans skulder.

– Under al kritik, siger jeg. – Var der nogle navne, Jakob?

Han prøver at tænke sig om. Det er tydeligt, at han ville have foretrukket, at jeg havde bedt ham om at danse en foxtrot.

– En skibsreder. Der var noget med en skibsreder.

Jeg peger på 13-tallet på visitkortet.

– Og det her, Jakob? Er det noget med den skibsreder? En adresse? Et telefonnummer?

Han er ulykkelig.

– Jeg var fraværende. Hun sad der. Tilte. Solen faldt ind ude fra haven. Gennem trækronerne. Hun lignede Den hellige Jomfru. Jeg mærkede pludselig noget som en ny kaldelse. Det var, som om en stemme talte til mig. Og sagde: Hun er din fremtid!

– Jakob, siger jeg. – Prøv at skrue tiden tilbage. De store mystikere, også de katolske, siger, at der altid er en del af en selv, der er vågen. Selv midt i en rosenrød bedøvelse. Din vågne del, Jakob,

319

hvad hørte den? Hvad var lydsporet neden under Tilte som Jom-
fru Maria?

Hans blik bliver fjernt, så klares det.

– Hun spurgte om skibsrederen. Om hans navn. Spadillo ville
ikke give det. Hun pressede ham. I ved, hvordan Tilte kan være.

Dér har han fuldstændig ret. Vi er flere forsamlet her i Jagua-
ren, som nøjagtigt ved, hvordan Tilte kan være.

– Hun må have fået sin vilje, siger jeg. – Én enkelt af Vatikanets
officerer over for Tilte, det forslår som en skrædder i Helvede.

Han ryster på hovedet.

– Jakob, siger jeg, – stil ind på detaljerne. Ligesom når vi repe-
terer en kamp. Spadillo siger nej, Tilte presser, han siger nej igen,
og hvad så?

– Tilte skulle på toilettet. Kom tilbage. Døren var gået i baglås.
Vi gik med. Det var et underligt tilfælde. Begge toiletdøre var låst.
Men der var ingen derinde. Men vi fik døren op.

– Du og officeren fik døren op, siger jeg. – Hvor var Tilte
imens?

Han ryster på hovedet.

– Havde I efterladt pc'en tændt bag jer, spørger jeg.

Han stirrer på mig. Han er vokset op i en tryg dansk familie,
det eneste, der minder om den store, uhyggelige verden udenfor,
er navnet. Han kan ikke tro på, hvad han nu har mistanke om.

– Men Tilte ville aldrig, siger han, – Tilte ville aldrig …

Jeg siger ikke noget. Hvis Jakob Bordurio vidste, hvor langt
Tilte er villig til at gå for en god sag, er det muligt, han ville
skynde sig at få en kaldelse til, der pegede tilbage til Det katolske
Universitet og et langt og fredeligt liv i cølibat.

Pallas Athene har været stille. Måske har hun forarbejdet sor-
gen over, at hun ikke fik bidt halspulsåren over på advokatfuld-
mægtigen. Nu læner hun sig ind over mig og tager visitkortet.

– Det var nummer 13, siger hun. – Pakhus 13! Det er et farligt
tal. Det var én af grundene til, at jeg angde nej, selv om de tilbød
dobbelt pris.

Jeg ved ikke, om du har lagt mærke til, at alle religioner er ret enige om, hvordan Paradiset ser ud. Hvis du ligesom Tilte og mig slår op i billedbibler og studerer mosaikker og malerier og Jehovas vidners brochurer, så vil du vide, at ifølge alle disse pålidelige kilder ligner Paradiset ret nøjagtigt Finø Havecenter. Der er en stor græsplæne og en rislende bæk med beplantninger rundt om og træer lidt længere væk og glade mennesker, der ser det som livets mening at tilbringe søndagen med at fordybe sig i de udstillede stauder og havenisser.

Uden på nogen måde at give køb på respekten vil jeg gerne sige, at det mener Tilte og jeg er en fejltagelse. Rent personligt mener jeg, at hvis Paradiset virkelig findes, så ligner det snarere Københavns Frihavn, som vi nu kører igennem. Her er restauranter i klasse med Svumpuklen i Finø By Havn og forretninger, hvorfra der udgår et sug, så man er lige ved at glemme, at ens forældre ville have stået til 12 år, hvis det kom for dagen, hvad de sandsynligvis har haft under opsejling, og at ens søster er blevet bortført. Her er ombyggede pakhuse med lejligheder, som man kan glæde sig til at få råd til, når man bliver professionel, og samtidig er der moler og kajpladser og kraner og containere og pakhuse nok til at skjule, at det ikke mere er en rigtig havn, men ét stort udstillingsvindue.

Så under andre omstændigheder ville køreturen gennem Frihavnen for mig være himmelsk, men ikke nu. For alt, hvad der fylder, er bekymringen for Tilte, og derfor ligner omgivelserne snarere en gyser, hvilket igen siger noget om, at hvad vi ser rundt omkring os, det har mest af alt noget at gøre med, hvordan vi har det indvendigt.

Vi passerer et havnebassin, Pallas Athene kører langsomt. Til højre for bilen er en lang kaj, hvor der udfolder sig idyllisk bolværksliv foran en række af lagerbygninger. Vi kommer forbi et skilt, der siger *Pakhus Kaj* og *Pakhus 1-24.* Vi er nået frem.

Foran pakhusene ligger skibe fortøjet, husbåde, et veteran-skib, en af havnevæsnets slæbebåde, den er orange, og hvis det er okay med en lille barndomserindring, så læste min far *Slæbebå-den Tuggi* højt for mig, den slæbebåd blev gift med netop sådan et orange fartøj, som et par af havnevæsnets folk er ved at gøre klar, og derefter levede de det lykkelige slæbebådeliv til deres da-ges ende og fik mange små slæbebåde, og det var en bog, der hidsede Tilte op, jeg husker, at hun flere gange har udtrykt inte-resse i at få forfatteren under behandling, det ligger før den tid, hvor hun lånte ligkisten, så jeg skal ikke kunne sige nøjagtig, hvil-ken behandling hun har haft i tankerne.

Pakhusene er egentlig lagerbygninger, men fordi Frihavnen er et fint sted, er lagerbygninger her flottere end de fleste parcelhuse. Nummer 13 ligger 50 meter nede, ud for havnevæsnets båd, der holder ingen biler, persiennerne er rullet ned, alle døre er luk-kede.

Pallas Athene kører Jaguaren ind til siden.

Idet hun gør det, krydser hun cykelstien.

Jeg har tidligere fortalt, hvor stærke følelser det vækker på Finø, når turister i bil ved en fejltagelse forvilder sig ind i gåga-derne. Jeg nævner det her, for at der ikke skal herske tvivl om min sympati med cyklister og fodgængere. Og jeg lægger godt mærke til, at Jaguaren kommer til at kante en cyklist, og det kalder selv-sagt straks på medfølelsen.

Alligevel virker det overdrevet, da der nu bliver slået på karos-seriets tag, for det er ikke mariehønen Evigglad, der slår banke-slag, det er en pneumatisk hammer, der forvarsler tredje verdens-krig.

Så kommer mandens hoved til syne, han har allerede blottet tænderne og taget luft ind til et kampråb.

Pallas Athene og han stirrer på hinanden. Det er advokatfuld-mægtigen fra for ti minutter siden.

Jeg mener, jeg forstår manden. Han er kørt gennem Frihavnen. Vejen er måske lidt længere, end hvis han var blevet oppe på Strandboulevarden. Men her har han tid til at komme sig over mødet med Pallas Athene og til at genfinde forventningen om at skulle se den forlovede, måske har hun stillet ham i udsigt, at han kan få hendes ny tatovering at se, så det er vigtigt at være på toppen.

Så han er helt i sine egne tanker, og nu bliver han kantet igen, og såret springer op, og han når ikke at se, at det er en rød Jaguar, før det er for sent, og han har klappet biltaget et hammerslag.

Pallas Athene åbner døren.

– Så det er personforfølgelse, siger hun.

Derfra, hvor jeg sidder, kan jeg ikke se hendes ansigt. Men det fremgår klart af tonefaldet, at hun er på vej mod sin ottende dom, og der er stor sandsynlighed for, at den denne gang kommer til at lyde på manddrab.

Igen får vi et bevis på kærlighedens forvandlende kraft og den indflydelse, den skønne har haft på min bror Hans. For der er ikke noget med at kigge efter planeternes stilling, hans hænder skyder frem, og Pallas Athene går død.

Denne gang er det kun lige, han kan holde hende. Men han kan. Så stille og roligt stiger jeg ud og går rundt om bilen og hen til advokatfuldmægtigen.

– Er du opmærksom på, at vi har reddet dit liv? siger jeg. – Hun er kendt for at tygge barberblade og spytte synåle ud.

Han nikker, han er midlertidigt ude af stand til at sige noget. Det mærker sin mand at møde Pallas Athene i dårligt humør to gange efter hinanden.

– Så hvis jeg må låne dine blomster, siger jeg. – Vi skal på uanmeldt besøg. Og vi mangler en værtindegave.

Pakhus 13 har et lavt kontorafsnit ved siden af fire lagerbygninger, vi er i vildrede med, hvor vi skal starte.

Vi har cftcrladt Pallas Athene og Ashanti i bilen, det handler om at beskytte kvinder og børn.

Da vi passerer kontorbygningen, standser der foran døren et køretøj, om hvilket jeg tøver med at bruge det profane ord »bil«, men jeg er nødt til det, for vi har ikke noget bedre.

Det er en stor Maserati, og ud stiger en uniformeret chauffør. Ud af kontorbygningen kommer tre mænd, og hvis man kan rive sig løs fra sine fordomme og betragte det hele med det, som de spirituelle systemer kalder *valgløs opmærksomhed,* så er der et virkeligt løft over synet.

Bilen ser ud, så man må tænke, at hvis de store profeter selv kunne have valgt modellen på den ildvogn, der plejer at løfte dem til himmels, så havde de valgt denne. Og de jakkesæt, som de fire mænd har på, og det er inklusive chaufføren, dem ville man ikke skamme sig over, selv om det var dommens dag og man skulle stedes for Vorherre. Selv her i Frihavnen lyser de alt omkring sig op.

Godt nok er de to mænd, der går bagerst, skaldede og bygget som de cementklodser på 200 kilo, man bruger til kystsikring, men tøjet får dem til at svæve. Og manden, der går forrest, har en indre autoritet, så man tænker, at der alligevel må være retfærdighed til i verden, for det dér ligner en person, der har fortjent at være rig som en oliesheik og åbenbart også er blevet det.

Der er kun én skønhedsplet, og det er, at selvsikkerheden er løbet af med ham, da han købte bilen, han har fået lavet en købenummerplade med sit eget navn, på pladen står der *Bellerad.*

Skibsrederen og hans to livvagter har vendt sig mod os. De er lammet af gensynet.

Nu har vi så igen en af de situationer, hvor noget udefra tager fat i mig. Og jeg ved godt hvorfor, det er fordi jeg føler Tiltes nærhed, og fordi vi har desperat brug for at få at vide, om kassevognen, der bortførte hende, skulle være i nærheden.

’’ J⸴ɡ ɡ’ᵗ ɾ⸴ᵢᵢᵢ ᵗ₁₁ ᴮ⸴₁₁⸴ᵣₐ₁. ᴱ’ɡ ₁₁⸴ᵥ⸴ᵤɡₜₒᵣ₁₁⸴ ₒₜₒₚₚ⸴ᵣ ₘ₁ɡ ₁₁₁ₜᵢ, det er sket før, det er en af fordelene ved ikke at være større, man bliver konstant undervurderet af forsvaret, og pludselig er man meget tæt på mål.

– Mændene i kassevognen, siger jeg. – Der kørte herind. De tabte en pung. Jeg vil gerne aflevere den.

Ligegyldigt hvor velforberedt du er, hvis du bliver overrasket nok, så bryder virkeligheden sammen. Inden han har samlet sig igen, har jeg fulgt hans blik. Han har kigget på porten ind til den nærmeste af lagerbygningerne.

Jeg rækker ham buketten med roserne. Han tager dem mekanisk.

– Det er fra Kong Aziz og Den store Synode, siger jeg. – Forskud på medaljen. Med hjertelige hilsner. Pas på tornene.

Han kigger på Hans, på Jakob, på mig. Han ser hen mod Jaguaren. Han prøver at gøre styrkeforholdet op. Så sætter han sig ind i Maseratien, de to skaldede følger ham, bilen kører væk.

Der er ingen ringeklokke på lagerbygningens dør, der er ikke andet end et skilt, hvorpå der står *Bellerad Shipping*. Jeg lægger øret til døren. Jeg hører noget, der lyder som en hulken. Jeg banker på. Lyden hører op. Døren bliver åbnet to centimeter.

– Det er De lyserøde Bude, siger jeg.

Døren bliver åbnet lidt mere. Manden, der ser ud på mig, har tårer i øjnene.

– Du ligner ikke et bud, siger han.

– Det er jeg, siger jeg. – Og jeg bringer et mørkt budskab.

Så sparker Hans til døren.

Når Hans sparker til en dør, er det ikke anbefalelsesværdigt at stå bag den. Men det gør manden.

Jeg ved ikke helt, om du deler min interesse for sparketeknikkens finesser, men hvis du gør, så kan jeg fortælle, at Hans' spark teknisk set er en form for tryk af den slags, man bruger i meget lange afleveringer. Denne aflevering er netop lang, den presser hængslerne ud af karmen, og løfter døren og manden baglæns gennem lokalet.

Hans og Jakob Bordurio og jeg er lige bagefter. Vi kommer ind i et stort rum, der optager det meste af bygningen, på betongulvet står kassevognen, ellers er her tomt.

– Der er ikke belæg for vold i Ny Testamente, siger Jakob Bordurio.

Der er mange forsvarsspillere, der ville have ønsket, at Jakob havde taget det standpunkt, da han spillede på førsteholdet, det kunne have sparet dem for mange timer på operationsbordet, og Jakob for mange udvisninger og karantænedage. Men det er jeg for høflig til at gøre ham opmærksom på.

Vores vært er på benene igen, og det er Hans, han går efter.

Det er helt tydeligt, at han har grædt, ansigtet er strimet af tårer, og normalt ville jeg have prøvet at få en samtale i gang om, hvad der er galt, for det er alment kendt på Finø, at præstens Peter er en tålmodig lytter, som mange har valgt at bruge som skriftefader.

Men han giver mig ikke en chance, han er på benene med en elegance, der ville have vakt opmærksomhed på Ifigenia Bruhns Danseinstitut, og nu sparker han efter Hans' knæ.

Det er en stempling, og havde han ramt, så havde vi haft en situation, der havde krævet gips og benskinner.

Men han rammer ikke, for Hans står ikke, hvor han stod før.

Hvad manden foran os ikke kan vide, er, at min storebror nu er taget af de kræfter, som jeg har fortalt om, og som skyder op i ham, når han skal forsvare kvinder mod drager. Så da stemplingen når frem, står Hans ikke foran manden, men ved siden af ham, lægger sin hånd om hans ansigt, løfter ham i vejret og gokker ham ind i væggen.

Det er en metalvæg. Gitte Grisanthemum har importeret en metalgong fra Bali, min mor har konstrueret stativet til den, den bruges til at kalde ashramens beboere til yoga og meditation, og den giver en dyb, smuk lyd, der bliver hængende længe i luften.

Lidt af den samme lyd giver nu pakhusets væg, mandens øjne

326

bliver fjerne, hans ben giver efter, han synker sammen på gulvet og er midlertidigt ikke blandt de tilstedeværende.

Det tager sekunder at undersøge bilen, det lille kontor, toilettet, køkkenet. Huset er tomt. Vi føler fortvivlelsen brede sig. Vi må vente på, at manden på gulvet kommer til bevidsthed, så vi kan spørge ham, hvor Tilte er, og selv da er det tvivlsomt, om han vil sige noget. For mig ligner han, selv med det tårevædede ansigt, hvad politiet kalder en »hård benægter«.

Jeg skiller persiennerne og ser ud på molen. Hvor bolværksmatroser lever det søde havneliv uden at vide, hvor hård den virkelige verden er.

Lige foran mig er den orange slæbebåd. Den skal til at lette anker, en mand i en sejldragt af samme farve som skibet har taget det sidste af springene og står med det i hånden, i styrehuset står en kvinde ved roret. Det er, som om de venter på noget.

Så ser jeg noget, der er ved at vippe mig af pinden. De græder begge to. Ikke voldsomt, men en stille gråd.

Det er ikke ukendt med sømænd, der græder, når de står til havs og må sige farvel til den elskede. Men at to af havnevæsnets ansatte græder på vej ud på en smuttur i havneløbet med slæbebåden Tuggi, er straks mere overraskende. Jeg vender mig. Manden på gulvet er også i orange sejldragt. Det er muligt, at han er fra havnevæsnet. Og det er også muligt, han ikke er.

– Båden, siger jeg. – De må have Tilte om bord.

Der er en port mod kajen, den er ikke låst, Hans strejfer den med fingerspidserne, den ryger op med et brag, vi er ude i solskinnet.

Det er klart, at tre forsvarsløse unge mennesker ikke skal gå til angreb på voksne mænd. Men vi er bange for Tilte. Og Hans er ikke mere under kontrol. Og jeg selv har følelsen af at være i en bevægelse, som først slutter, når jeg er i mål, levende eller død. Og selv Jakob Aquinas Bordurio Madsen har nu en fremdrift, jeg ikke har set hos ham siden hans første kaldelse, men som jeg vil give tyve til en på kommer fra *true love*.

Det er alligevel lige ved at gå galt.

Da manden med springene ser os, tager han et lommetørklæde op, tørrer tårerne bort, og så gør han en ganske lille ekstra bevægelse, og så har han et våben i hånden.

Man kan ikke andet end at blive slået med beundring. Der er ikke noget med at åbne kedeldragten og sige noget truende og famle efter skulderhylstret, hvorefter der kommer en lille flad pistol til syne. Man kan dårligt se, han bevæger sig, og så holder han noget i hånden, der nok har et kort løb, men til gengæld et langt magasin og en ergonomisk formet skulderstøtte.

Og så er der mandens udtryk. Jeg ville forestille mig, at hvis jeg skulle fægte med en maskinpistol i myldretiden i Frihavnen ved højlys dag, så ville jeg se mig genert omkring og virkelig overveje situationen grundigt, men det gør manden ikke, han kaster ét blik mod de andre både, så har han bestemt sig.

Vi får aldrig at vide, hvad han har bestemt sig til, for i det øjeblik bliver der råbt på ham fra slæbebåden, og den, der råber, er Tilte.

Råbet får ham til at begynde at vende sig. Men han fuldfører aldrig vendingen. For nu får han øje på Basker.

Basker må være sluppet ud af bilen og er nu nået frem, og det hele går meget stærkt.

Det er almindelig kendt, at foxterriere er børnevenlige hunde. De fleste ved også det er intelligente dyr. Hvad der er mindre kendt, det er, at det er et dyr, hvis oprindelige instinkter ikke er bortavlet. Selv om Basker ligner et sovedyr, er han rent genetisk en ulv på otte kilo. Og det er meget tydeligt nu. Jeg når at se hans øjne, de er gule, det er meget sjældent, de har den farve, og når de har, så vil jeg anbefale folk at låse deres døre og vinduer og barrikadere sig i kælderen.

Det er der desværre ikke tid til at fortælle manden på kajen. Som tydeligvis ikke er dyreven og hundekender, han sparker ud efter Basker, det rammer til at præcis den mand der uvilligt mod en parfumeforstøver.

en parfumeforstøver.

Så bider Basker ham i underbenet.

Basker har tre slags bid: Et snap, et markeringsbid, og så et bid som en rundsav og en vinkelsliber monteret på en bjørnefælde. Det er den tredje slags, han nu bruger, og manden udstøder et brøl, og benet giver efter under ham.

Hvis han på det her tidspunkt havde sluppet sit våben, så kunne tingene have fået et mere nænsomt forløb. Men det har han ikke. Og derfor går Ashanti og Pallas Athene nu efter ham. Eller rettere: Den røde Jaguar går efter ham.

Det er en bil med en hurtig acceleration, og den er oppe på mindst 90 kilometer i timen, da den når os, den strejfer den knælende mand og fejer ham hen ad kajen, og så styrer den direkte mod havnebassinet.

Slæbebåden er sådan set ved at sejle, der er måske halvanden meter til land. Men dækket er noget lavere end selve bolværket, så Jaguaren skyder ud i det tomme rum, tilintetgør søgelænderet og lander tværs over bådens fordæk.

Det er en lille båd, bilen er længere, end båden er bred, så synet er forbavsende og helt uvant. Jeg kan også fornemme på kvinden i styrehuset, at Jaguaren kommer som en overraskelse.

Pallas Athene stiger langsomt ud af bilen, hun går rundt om den, hen til styrehusets dør, ind ad døren, og så knalder hun kvinden én på siden af hovedet.

Der er mange måder at knalde et medmenneske en på siden af hovedet på, og jeg vil sige, at hvor Pallas Athene har været i gang, der vokser der ingen roser. Det ene øjeblik står kvinden stolt ved sit rat i den salte brise, det næste er hun noget, man kan se bort fra, nede på dørken.

Så står Tilte i døren.

Tiltes og min forskning har vist, at hvis der er noget, de store helgener og rejsende i den menneskelige bevidsthed op gennem tiden har været enige om, så er det, at mennesker færdes i hver deres virkelighed, og det er helt sikkert, at Basker og Ashanti og Jakob Bordurio og Pallas Athene og Hans og jeg har set frem til det her møde med forskellige forventninger. Men hvad vi er fælles om, det en følelse af, at nu har vi reddet prinsessen, og nu kommer der som minimum strømme af tårer og omfavnelser og evig taknemmelighed. Men det, der sker, er, at Tilte stiller sig i styrehusets dør, hvor vi alle kan se hende, og så tager hun luft ind, og så brøler hun:

– Ved I, hvad I er? I er en samling store, fatsvage solformørkelser!

Vi sidder omkring bordet i skibets salon, og for øjnene af os udspiller der sig noget, som skal ses, før man tror det. Og de, der ser det, er Hans og Ashanti og Pallas Athene og Jakob Bordurio og Basker og mig. Og det, vi ser, er, at kvinden fra styrehuset og manden fra lagerbygningen og manden, som fik et lille puf af Jaguaren, alle tre sidder de med ved bordet, og de er fuglefri, for Tilte har forbudt Hans og mig at binde dem, og oven i købet har Tilte befalet Hans at lave kaffe, og det har han gjort, og ud over at der bliver disket op for de tre svævere, er Tilte nu ved at lægge en forbinding på ham, som Basker har bidt, alt imens hun trøster ham og kalder ham »stakkels Ibrahim«.

– Ibrahim, siger hun, – har sagt farvel til våbnene for altid for en halv time siden. Han trak kun pistolen, fordi han følte sig angrebet, er det ikke rigtigt, Ibrahim?

– Det var i selvforsvar, siger Ibrahim. – Og måske lidt af gammel vane.

Basker betragter ham henne fra hjørnet. Baskers øjne er stadig gule, og han har blod om snuden, og man kan se, at han håber, at Ibrahims gamle vane vil få ham til at trække fra hoften i selvforsvar én gang til, så Basker kan komme videre fra hors d'oeuvren til den egentlige massakre.

Men det er der ikke noget der tyder på vil ske, for Ibrahim er igen begyndt at græde.

– Inden I brød voldeligt ind, siger Tilte, – var Ibrahim ved at fortælle os om sin barndom, vi var nået dertil, hvor hans mor lod ham ligge hele natten i de våde lagner som straf for, at han havde tisset i sengen.

– Jeg vil gerne indskyde, siger kvinden fra styrehuset, – at i forhold til min opvækst, som jeg fortæller om om lidt, der er Ibrahim vokset op på lutter lagkage.

331

Vi kigger på hende. Kinden, hvor Pallas Athene har sat klør fem, er svulmet op som en enkeltsidig fåresyge. Det gør hendes udtale en lille smule utydelig, men man er klar over, hvor hun vil hen, hun vil hen til, at Ibrahims bekendelser er overstået, så hun kan overtage scenen.

Nu taler manden, som kom under døren, da vi bankede på i pakhuset. Hans blik er en lille smule uklart, som det må være efter en hjernerystelse, og han er noget flad i ansigtet efter døren.

– Jeg holder mig tilbage, siger han. – For efter min historie bliver det meget svært at komme igen.

Man kan se på Ashanti og Pallas Athene og faktisk også på Jakob, at de er i chok. Det kan man godt forstå. Dette er ikke nøjagtigt, hvad de havde ventet sig fra blomsten af den internationale terrorisme.

Hans og jeg er bedre forberedt. Vi kender Tilte, og vi ved, hvilken effekt hun kan have på mennesker. Bare hun går ind i en kiosk for at købe en pakke tyggegummi, så begynder damen bag kassen at fortælle hende sine memoirer og ender med at invitere hende hjem for at redde hendes ægteskab og dressere hendes ulydige hund og kurere børnene for kræsenhed.

Alligevel er situationen overraskende, selv for Hans og mig, og selv Tilte kan mærke, der er brug for en forklaring.

– Vi havde en time, siger hun. – Efter de havde bortført mig. Mens vi ventede på, at Bellerad skulle komme. Den time brugte jeg til at fortælle dem om døren.

De tre svævere nikker.

– Der blev en intens stemning, siger Tilte. – Så jeg inviterede dem til en tur i kisten. Jeg havde ikke en rigtig ligkiste ved hånden. Men der var en trækasse. Det var ikke helt det samme. Men da vi tog maskinpistolerne og sprængstoffet ud, gik det an. Gudskelov havde jeg denne her med.

Først kan jeg ikke se, hvad det er, hun holder i hånden, så genkender jeg min gamle oppustelspille, og det er med Den tibetanske Dødebog i to tredjedels hastighed.

332

– Det blev et dybt møde, siger Tilte. – Da Bellerad kom, var alt forandret.

Kvinden med fåresyge nikker.

– Da Balder, altså Bellerad, kom, så afviste vi pengene. Og passene. Og vi foreslog ham en tur i kisten. Han ville ikke. Men vi kontakter ham igen.

Jeg ser rundt på svæverne. Det ser godt ud. Overraskende, men godt. Bevægende. Der er tårer. Anger. Og selv om såret efter Baskers bid ser alvorligt ud, så er der ingen grund til at tro, at Ibrahim efter et godt stykke plastikkirurgi ikke igen vil kunne vise ben på stranden.

Man kunne være bekymret for holdbarheden af så hurtig en omvendelse. Men Tilte og jeg er ret tit på Finø By Bibliotek stødt på begrebet *instant enlightenment*. Så måske. Men på den anden side, når man tænker på fodbold og på familien, så kan man ikke lade være med at synes, at al praktisk erfaring viser, at de store forandringer går ret langsomt.

Disse dybe overvejelser er jeg for høflig til at lufte. Derimod har jeg et andet relevant spørgsmål.

– Hvor er Henrik?

Det rammer et ømt punkt. Og et forvirret punkt.

– Det er ham, der er hovedmanden, siger kvinden. – Det var hans idé.

– Vi andre blev på en måde hjernevasket, siger Ibrahim. – Og truet. Vi er bange for Henrik. Og jeg er ganske særlig bange.

Jeg forstår ham umiddelbart. Det minder mig om skyggesider fra min egen barndom, hvor jeg selv er blevet lokket med på æblerov og tyveri af tørret ising.

– Vi har tænkt at fortælle alt, siger manden fra pakhuset.
– Om Henrik. Der er mange eksempler på, at sådan et samarbejde har givet strafnedsættelse.

Det er vanskeligt, i så følelsesmæssigt åben en situation, at bevare hovedet koldt, men én skal jo gøre det.

– Og hvor var det, Henrik var? siger jeg.

De ser tomt på mig. Også Tilte.

– Han talte i telefon, siger Tilte. – Lige efter vi kom til Frihavnen. Derefter forsvandt han.

– Han bliver fanget, siger Hans. – Alt er under kontrol. Sprængladningen er afmonteret. Der er lagt en jernring omkring slottet. Vi kan tage det roligt.

– Han kan være søgt i enrum for at angre, siger Ibrahim.

Jeg tænker på bunken med de 128 døde rotter. Den bunke tyder på, at Henrik først forlader et stykke arbejde, når det er afsluttet.

– Det sprængstof, som I tog ud af kassen, hvor blev det af, spørger jeg.

De stirrer på mig. Hans og jeg ser på hinanden. Og nu har vi Tilte med.

– Vi må derop, siger Hans. – Til Filthøj. Konferencen starter om halvanden time. Vi kan være der på en time. Med båden her.

– Vi skal have lidt hjælp til at sejle den, siger jeg.

Vi ser rundt på de tre svævere, de ryster på hovedet.

– Vi er bange for Henrik, siger Ibrahim.

– Vi er i en dyb proces, siger kvinden. – Af selvransagelse.

– Det, vi har brug for, siger manden med hjernerystelsen, – det er at hvile ud.

Nu læner Pallas Athene sig frem over bordet.

– Havde vi det ikke hyggeligt i går? siger hun.

Det sker ofte, at man ikke kan genkende et menneske, når man ser det i nye omgivelser. De tre svævere har oplevet Pallas Athene i små trusser og stiletter og rød paryk på en baggrund af marmor og havannacigarer. Så det er først nu, de genkender hende.

– Inde i mig, siger Pallas Athene, – er der mange mørke følelser. Som det ikke er muligt at give efter for til daglig uden at få livstid. Men nu øjner jeg en chance for at trykke den på jer. Uden at I kan straffe.

Der bliver en pause. Så tørrer Ibrahim tårerne bort.

334

– Fra jeg så jer første gang, siger han, – på kajen, og selv om jeg kunne se, der var hindringer, der skulle ryddes af vejen, så følte jeg, at vi var ét team. Og det er med hunden.

Det er ikke nødvendigt at beskrive Filthøj Slot, det er kendt af alle, selv om man måske ikke er klar over det. Det er nemlig altid med, når der er billeder af de underværker, man sælger Danmark på i udlandet, bacon, øl, Niels Bohr, Finø i høj sol på det blå hav og så Filthøj Slot.

Det ligger på en lille grøn ø i en blå sø, og når billedet er taget skråt oppefra, ligner det noget fra Disneyland, med tårne og kupler og mønstre af rosenbede og bøgehække, der må kræve et fodboldhold af gartnere.

Men fra Øresund, hvor vi kommer, ligner det mere en krydsning mellem en røverborg og et middelalderkloster, for derfra ser man mest de høje mure og så bådehuset i havstokken.

Hvis man ved et bådehus forestiller sig et bræddeskur i strandkanten, så har man i det her tilfælde taget fejl. Bygningen foran os ligner et badehotel, bygget delvis på pæle og afsluttet med en meget stor, buet port ud mod havet, det er den, vi torpederer.

I det store rum, vi kommer ind i, er der, ud over bådene, kun én ting, og det er en stor lænestol, i den sidder grev Rickardt Tre Løver med sin ærkelut og er ved at varme op.

Der er mennesker, der skulle arbejde lidt med at få gæster på denne måde, men ikke greven, han rejser sig op, som om vi lige var det der manglede.

– Os, siger han, – der er dybt sjælsforbundne, holder kosmos aldrig adskilt ret længe.

Vi går i land, og der er ikke tid til den sædvanlige høflighed.

– Rickardt, siger Tilte, – hvor udmunder tunnelen, du fortalte om?

Rickardt peger. Det, han peger på er ikke, hvad man normalt forestiller sig, når man tænker på udmundingen af en hemmelig tunnel, det er en glasdør, der står åben, og bag den kan man godt se tunnelen, men det ligner ikke en tunnel, det ligner en korridor på et luksushotel med lamper og douce farver på væggene.

– Er der gået nogen derind i dag, spørger Tilte.

– Ingen, siger Rickardt. – Bortset fra Henrik. I ved, Sorte Henrik. Han kom lige forbi. Og det viser sig, at han har et eller andet med sikkerheden at gøre. Men han var bare inde at kigge.

Vi kører op til hovedindgangen i Rickardts åbne Bentley med ham selv ved rattet, og mens vi kører, får jeg i forbifarten og ud af det blå den idé at spørge Rickardt, om han kan huske Sorte Henriks efternavn, fra da de legede sammen, og Rickardt svarer, at det kan han tydeligt, Henrik har det gode danske efternavn Borderrud. Han må kunne mærke, at det navn sætter noget i gang inden i Tilte og mig, for han siger, at det er vigtigt ikke at dømme Henrik, han har altid været en frisk dreng, men heldet har ikke altid været med ham, Rickardt husker nogle skræmmende historier om hans mor, og se bare nu i dag, da Henrik skulle se efter et eller andet i tunnelen, han var nær aldrig kommet ind, den var usædvanlig glat, Henrik mente, at nogen måtte have hældt brun sæbe ud over det hele.

På det tidspunkt beder Tilte ham om at holde ind til siden.

– Rickardt, siger hun, – sagde du brun sæbe?

Det bekræfter Rickardt, selv om han tilføjer, at det selvfølgelig er utænkeligt, hvordan skulle en tunnel på 400 meter blive fyldt med brun sæbe, men det siger noget om Henriks psykologi, han kommer meget let til at føle, at mennesker er efter ham, Rickardt har aldrig set hans horoskop, men alt tyder på, at han har Neptun på ascendanten og månen i tolvte hus.

Selv om vi har travlt, stiger Tilte og jeg ud af bilen og står et øjeblik tavse ved siden af hinanden.

– Det er sådan, mor og far havde tænkt sig at få boksen ud, siger Tilte. – Den skulle glide i brun sæbe.

For at du skal kunne forstå de tekniske detaljer i det her, er jeg nødt til helt ærligt at oplyse om min families forskning i den spirituelle effekt af brun sæbe og i den forbindelse Kaj Molesters sammensværgelse med Jakob Bordurio, en sammensværgelse, som jeg har måttet arbejde meget med at tilgive, og uden jeg er helt sikker på, at det er lykkedes. Og jeg er nødt til at gå tilbage til den søndag formiddag, hvor grev Rickardt Tre Løver i præstegårdens køkken over en kop kirkekaffe fortalte om første gang, han røg heroin.

Sædvanligvis opfordrer vi i præstegården ikke Rickardt til at fortælle om sin glade ungdom, og det er, fordi han let får et farligt begejstringens lys i øjnene, hvis han kommer for godt i gang. Men ved denne lejlighed fik vi ikke standset ham, før han havde fortalt, at første gang, han røg heroin, da var det med fire gode venner og elever i Grenå havn, de fire, der den dag i dag udgør grundstammen og den indre mandala i *Ridderne af Den blå Stråle*. Ud over heroinen havde de bevæbnet sig med hundrede liter dieselolie i femten liters dunke og en boomblaster og Bachs *Kunst der Fuge*, alt sammen udstyr som Rickardt havde fået nøje beskrevet i en nissevision, og så havde de fundet en tom container og røget heroinen ude i solen, klædt sig helt af, hældt olien ud over containerens bund, sat Bach på boomblasteren, og de næste fire timer, sagde Rickardt, var de i paradis, man kunne kaste sig rundt i olien, og det føltes, som om man var vægtløs.

Dér fik vi så stoppet Rickardt, men på mig havde det gjort indtryk, især det med vægtløsheden. På det tidspunkt var det så heldigt, at der lige var blevet lagt nyt gulv i sognegården, og at gulvet var under sæbebehandling, så den følgende aften hældte jeg og min meget, meget gode ven Simon, som Tilte kalder Simon Søjlehelgen, halvtreds liter brun sæbe ud over gulvet og tog alt tøjet af, og det viste sig, at hvis bare der er et tykt lag sæbe, er det fuldt så godt som dieselolie, der er ingen modstand, man tager tilløb og smider sig, og man kan glide tyve meter, som om man ligger på en luftpude, vi blev ved hele natten.

Da vi vendte tilbage næste nat, havde Kaj Molester og Jakob ⸻⸻⸻⸻⸻⸻⸻⸻⸻⸻⸻⸻⸻⸻ Finø By Skole, og de havde taget plads oppe på svalegangen, vi så dem ikke, vi tændte lys og klædte os af, og jeg kan huske, at jeg tog tilløb og smed mig på ryggen og råbte Connys navn, og Simon råbte Sonjas navn, og meningen var at vi skulle glide vægtløst og se indad mod dér, hvor døren begynder at gå op. Men da vi lå på ryggen, så vi op i 50 ansigter der var bøjet over os, blandt andet Sonjas og Connys.

Det er den slags oplevelser, der op gennem historien har fået mennesker til at droppe håbet om en højere retfærdighed og tage sagen i deres egen hånd, og jeg må også indrømme, at det første, Simon og jeg gjorde, var at finde et par stykker blyrør og jage Jakob og Kaj Molester ud i de store skove, hvor de forblev uden at turde vise sig på beboede steder i flere døgn. Men derefter tager ens gode hjerte overhånd, og Tilte talte med mig og gav mig en tur i kisten, en af de alternative ture, hvor låget ikke kommer på, i stedet masserer hun ens fødder og taler til en om vigtigheden af tilgivelse, hvis man skal videre i sin åndelige udvikling.

Men da Simon og jeg ville rydde op i sognegården og i øvrigt havde ventet en standret og henrettelsespeloton, så sagde min mor og far, at jeg kunne lade sæben være, for der var nogle tekniske detaljer ved sæbebehandlingen, de ville undersøge, og da jeg en sen nattetime ser lys i sognegården og lister mig derover, så ser jeg min far og mor i færd med at prøve den store glidebane, og de har stillet to hundredliterdunke frem, så det er et omfattende eksperiment, de er i gang med.

Det er disse erindringer fra fortiden, der, sammen med at der blandt mors og fars fakturaer var en regning på et ton brun sæbe og et par pumper, nu samles af Tilte og min forenede skarpsindighed.

– Hver nat, siger jeg, – bliver kostbarhederne kørt ned i boksen. Så mor og far havde tænkt sig at vente, til det blev nat. Alt hvad de behøvede at gøre var at sejle op til bådhuset i den ny glasfiberbåd og nyde solnedgangen, og derude ville mor have haft fjernstyringen med fra Store Drage- og Svæveflyverdag, og den ville hun have trykket på, og den ville på en eller anden måde, som ville have været pærelet for hende, have koblet boksen fra elevatorskakten. Og hvis der var et tykt lag brun sæbe på gulvet, så ville boksen være begyndt at glide, og den ville være gået igennem murstensvæggen, hvis ikke også mor har sat et eller andet på den skjulte dør, der åbner den, som var det viktualiekælderen, og så ville boksen komme ned til dem i bådehuset, hvor de kunne have taget den om bord og sejlet den bort til et ukendt bestemmelsessted, hvorfra de på et senere tidspunkt kunne have fundet den frem sammen med en eller anden til lejligheden passende historie, og derefter ville de have hævet findelønnen ifølge paragraf femten i hittegodsloven, cirkulære nummer 76 af 24. juni 2003.

– Og de ville have fået opmærksomhed, siger Tilte. – Det ville være som et lille mirakel. På den måde ville de være med blandt de store.

Vi går lidt videre, nedsunket i mørke grublerier om, hvor galt det kunne være gået.

– Det hænger sammen, siger jeg. – På sin egen uhyggelige måde. Der er kun ét spørgsmål tilbage: Hvorfor er der sæbe i tunnelen nu?

Tilte stirrer vildt på mig. Og så ved vi det begge to.

– De vil gøre det alligevel, siger Tilte. – De øjner en chance. De er politiets og dagens helte, efter afsløringen af svæverne. De står til en fantastisk findeløn. Og ingen har opdaget deres lille idé. Så de siger til sig selv: Hvorfor nøjes med findeløn én gang, når man kan få dobbelt portion? Hvorfor fedte omkring med hundrede millioner, når man kan få to hundrede? Så i aften, når Filthøj er lukket og slukket, så sejler de ud i gondolen og trykker på fjernbetjeningen og gennemfører den oprindelige plan.

Det er klart, at med forældre som vores har Tilte og jeg en lang række oplevelser af omsorgssvigt bag os. Men det her er alligevel noget af det voldsomste, vi har været ude for. Det eneste, jeg her og nu kan erindre, der havde noget af den samme vægtløshed, var da Tilte og jeg for første gang havde fået lov til at tage alene til

Århus og ringede hjem fra gågaden, fordi damen, der skulle lave de piercinger, vi spontant havde fået lyst til, sagde, at hun skulle have forældrenes tilladelse, og vi fik far i røret, og han sagde, at det kom bag på ham, og at han var nødt til at snakke med mor. Ved den lejlighed kom Tilte og jeg meget tæt på at melde os hos Bodil Flodhest på rådhuset i Grenå og bede om at blive tvangsfjernet, men i sidste øjeblik ringede far og sagde, det var i orden. Dengang var følelsen af svigt meget kraftig, men den er værre nu. Og nu er der ingen, der ringer. Jeg vil sige, at da vi går tilbage og sætter os ind i bilen, da er vi nedbøjede.

Det er for tamt at sige, at Filthøj Slot er bevogtet. Torneroses slot i sin storhedstid har været en åben invitation sammenlignet med det her. Der er motorbåde med betjente i søen, der er sat et mobilt hegn op langs søbredden, der er hunde, to helikoptere, sort af politifolk plus alle dem, man ikke kan se, og der er rejst en port af trådhegn tværs over dæmningen, og ved siden af porten er der et læ til vagtmandskabet.

– Vi kommer aldrig ind, siger Tilte.

Så er det, jeg tager noget op af lommen.

– Det her er identifikationsnumre, siger jeg, – jeg lånte dem af Anaflabia og Thorkild Thorlacius.

De ser alle sammen på mig.

– Petrus, siger Tilte. – Jeg må sige, at jeg oplever, du i løbet af de sidste to døgn har gennemgået en udvikling. Hvor den fører hen, er jeg endnu ikke helt sikker på.

Vi kører frem til bommen. Det er Tilte, der læser numrene højt.

Papirerne bliver studeret. Så siger en stemme:

– Jeg synes ikke, I ligner billederne.

Det er normalt en dejlig oplevelse at genkende en venlig stemme hjemmefra. Men i denne situation har jeg sværere ved at nyde det end ellers. Stemmen tilhører Bent Betjent.

Sammenhængen står med det samme klart. Når det danske politi har en af de helt store opgaver, så sammenkaldes de bedste betjente fra hele landet. Og til at lede det hold, der styrer selve hovedadgangsvejen til Den store Synode, har man selvfølgelig ikke villet nøjes med mindre end det bedste, Bent Metro Poltrop og hunden Mejse, hvis karakteristiske vejrtrækning jeg kan høre, der lyder, som om man blæser med en støvsuger vredt gennem en dørmåtte.

342

– Vi er så heldige, Bent, siger Tilte, – at vi bliver smukkere for hver dag. Fotograferne kan ikke følge med. Ikke så snart er billederne taget, før man ser ti år yngre ud.

Hun har skruet op for charmen og for et smil, som de kunne sende ud på de hårde vintre til at holde sejlruterne isfri.

Men det tør ikke Bent op.

– Tilte, siger han, – og Peter og Hans, hvad laver I her?

Det er et spørgsmål, det kunne tage lang tid at besvare. Den tid har vi ikke.

I det øjeblik træder Rickardt helt overraskende ind på banen.

– Jeg er Rickardt Tre Løver, sige han. – Ejer af slottet her og en af værterne ved konferencen. Dette er mine gæster!

Det er en ny side af grev Rickardt, der her taler, og som jeg aldrig har hørt ham lufte på Finø. En side, der er født med en tjener på hver finger og hovbønder til at gøre det grove.

Det grove er i dette tilfælde at åbne bommen, og Bent Betjent er lige ved det, men så standser han op.

– Jeg har jo lige lukket Dem ind, siger han. – Med grevinden.

Bent drejer en monitor ud mod os og peger på et kamera over bommen.

– Vi tager kontrolbilleder.

Manden på billedet har godt nok Rickardts mørke hår. Men hvor Rickardt er slank til den magre side, er manden muskuløs. Desuden har han et overskæg, som få i Danmark fører sig frem med, men som desværre er velkendt for Tilte og Hans og mig. Grevinden ved siden af ham har et stort lyst hår, der er flettet så hun ligner en malkepige fra Tyrol.

– Føj for den lede tralleraj, siger grev Rickardt. – Det er præsten fra Finø! Og hans kone!

Og så fremlægger han det endelige bevis på, at han har fuldstændig styr på sine omgivelser.

– Det er jeres forældre! De må have glemt at give mig mit identifikationskort tilbage.

Tilte tager fat i Rickardt og trækker ham ind mod sig.

– Du har set far og mor, siger hun stille.

– Men de kom jo ned i bådehuset. De skulle kontrollere tunnelen. I ved jo at jeres mor er ansvarlig for alarmsystemerne.

Vi bliver alle sammen stille. Vanskelighederne har nu tårnet sig op. Bent Betjent vil ikke lukke os ind. Og mor og far er sluppet forbi ham, og hvem ved, muligvis også Sorte Henrik.

Tilte har holdt en for hende ret lav profil under sejlturen. Jeg mener at kunne mærke, at det blandt andet er Jakob Bordurios fremtid, hun overvejer. Men nu læner hun sig frem mod det nedrullede vindue.

– Bent, siger hun. – Ville du ikke sige, at portvagten her må være et af de mest ansvarsfulde hverv? Og at hvis du løser det fuldt tilfredsstillende, så bliver de nødt til at give dig en medalje?

Hendes stemme har en sødme, der kunne overtrække fyldte chokolader.

– Jeg mener, at noget i den retning er blevet antydet, siger Bent.

– For eksempel Fortjenstmedaljen, siger Tilte. – Den ville se vanvittig godt ud. På dit storternede jakkesæt. Det, du plejer at have på i kirken. Men ved du hvad, Bent. Hvis de opdager, at du har sluppet mor og far ind på falske papirer, så er det ikke bare godnat og farvel til medaljen. Så bliver du enten fyret eller forflyttet til Anholt. Eller måske endda til Læsø.

Der bliver stille igen.

– Det, du kan gøre, siger Tilte, – det er at lade os trille ind og finde mor og far, og få dem med os ud så hurtigt som muligt. Inden andre finder dem.

Bommen går op, sporet er frit.

Da vi langsomt kører over dæmningen, vender jeg mig. Og får øje på noget overraskende og foruroligende bag os.

Det er en taxa. Den er ikke i sig selv opsigtsvækkende, men den kommer i meget høj fart, som om passagererne har presset chaufføren til at bryde alle regler og risikere erhvervskørekortet, og den standser foran bommen, og ud springer Anaflabia Border-rud, Thorkild Thorlacius, Alexander Finkeblod og Bodil Flod-hest.

De bevæger sig på en måde, der på afstand ligner trancedans, men sandsynligvis skyldes ophidselse, og de peger efter os.

Tilte og jeg er efterhånden blevet helt sikre på, at grundlaget for al dybere religiøs træning er det menneskelige hjertes evne til at nære medfølelse og kunne sætte sig ind i, hvordan andre har det. Jeg kan tydeligt forestille mig, hvordan de seks mennesker bag os – for jeg går ud fra, at sekretæren Vera og fru Thorlacius-Drøbert sidder på spring inde i taxaen – hvordan de har det efter at have gennemgået så megen lidelse de sidste 24 timer. Og jeg vil sige, at det, jeg rigtig gerne ville have haft mulighed for, det var at fortælle dem om, hvordan man kan øge sin chance for at opdage, når døren begynder at gå op, ved at træne sin ligevægt og neutra-litet og sin evne til, bare et øjeblik, at give slip på voldsomme følelser som dem, der lige nu får dem til at danse rundt foran bommen. Men jeg er uden for hørevidde, og jeg kan se, at de nu er omgivet af betjente, og det ser ud til, at betjentene er i overens-stemmelse med moderne sikkerhedsfilosofi, som siger, at det er bedre at optræde konfliktløsende end ordenshåndhævende, og de prøver helt tydeligt at tale de seks til rette, alligevel ser det ud til, at Anaflabia banker en af dem ned med sin paraply, og jeg ser en anden betjent gå ned i knæ, måske fordi Thorkild Thorlacius har luftet højrehåndshooket til mellemgulvet. I næste nu er der igen en følelse af masseslagsmål. Det sidste, jeg ser, inden vi kører over vindebroen og ind i slotsgården, er at Alexander Finkeblod i et storslået løsrivningsforsøg trækker sig fri, kaster sig i søen, og begynder at svømme udad.

Så kører vi gennem en port og holder i slotsgården.

Det er altid bevægende at se de omgivelser, hvor ens nære venner – som nu altså grev Rickardt – har trådt deres barnesko og røget deres første pibe hash. Og jeg må sige, at Filthøj er et rigtigt slot af den slags, der må være beregnet til konger og dronninger. Slotsgården er stor som en fodboldbane, bygningerne er store som boldhaller, men med masser af forgyldninger og inskriptioner og ornamenter og med en hovedtrappe, der ville være bred nok til, at 50 gæster ankom samtidig og gik op mod hoveddøren med hinanden i hånden.

På den trappe står endnu en kontrolpost, og vi føler lettelse og glæde, da vi ser, hvem det er, det er selvfølgelig Lars og Katinka fra Politiets Efterretningstjeneste.

Når vi bliver glade for det, er det selvfølgelig, fordi det betyder, at Sorte Henrik ikke kan være sluppet ind. For selv om man, måske ved opbydelsen af al sin fantasi, kan forestille sig, at han er listet forbi Mejse og Bent Betjent, så er det ikke tænkeligt, at han skulle være sluppet forbi Lars og Katinka. Lige nu er Gitte og hendes hvide damer ved at blive lukket ind sammen med fire betjente, der bærer kisten med Vibe fra Ribe, og Lars og Katinka går deres papirer igennem, og det er tydeligt, at intet bliver overladt til tilfældet.

Det, der nu er spørgsmålet, er, hvordan vi selv slipper ind. For man kan godt forestille sig, at Lars og Katinka føler, at der de sidste 24 timer er sket ting mellem dem og os, der kræver en forklaring.

Tilte og jeg veksler et blik, og med det blik fortæller vi hinanden, at vi vil gå til lukketid, og så Mejse, Bent og Katinka det

346

hele. Jeg kører en hånd gennem håret, fugter læberne og gør klar til med nogle velvalgte ord at gyde olie på de oprørte vande.

Fordi Tilte og jeg begge har øjnene rettet mod kisten, som for at ønske Vibe det sidste farvel, så ser vi det begge to, og det, vi ser, er, at kistens låg skælver svagt.

Det er tydeligt, at betjentene, der bærer kisten, har mærket det, men træffer det kloge valg at lade som ingenting, og man kan godt forstå dem, viger vi ikke alle sammen tilbage for det uforklarlige?

Tilte og jeg ser på hinanden.

Situationen er et øjeblik uoverskuelig. Det, man naturligt gør, hvis man som Tilte og mig er erfarne spirituelt praktiserende, det er, at man prøver at genoprette sin indre ligevægt, og for at gøre det spadserer jeg langs husmuren og sætter mig på en fredelig bænk.

På bænken sidder en kvinde i hvad der ligner en troldmandsdragt, med den spidse hat nede over øjnene. Et af problemerne med alle religioner, det er, at kvinder er så svagt stillet. Så når man ser en kvinde i et højtstående embede, bliver man særlig lykkelig og vil gerne vise sin respekt, og det gør jeg, uanset min rystede tilstand, ved et dybt buk.

Derved kommer jeg til at se ind under troldmandshatten og ser ansigtet. Det viser sig at være Vibe fra Ribe.

Jeg tager Vibes hånd, den er kold som en isterning. Tilte står ved siden af mig, hun fatter situationen med ét blik.

– Henrik, siger hun. – Han har givet hende en af Rickardts dragter på. Og taget hendes plads i kisten.

Nu er det afgørende, at vi vinder Lars' og Katinkas hjerter.

I det øjeblik kører taxaen fra før op foran trappen, og ud springer Anaflabia, Thorlacius, Vera, Thorlacius' kone, Alexander Finkeblod og Bodil Fisker.

Vi får aldrig at vide, hvordan det er lykkedes dem at blive lukket ind. Måske er forklaringen den, at der simpelthen er visse mennesker der har så meget karisma og så meget af det, man vistnok kalder sjælsadel, at de ikke behøver papirer, men er selvidentificerende og bevæger sig – som nu hen over slotsgården – med en selvfølgelig ret til at være, hvor de er.

Hvis det er forklaringen, så skal dertil også siges, at det har Lars og Katinka ikke helt forstået. Det skal siges til deres undskyldning, at Alexander Finkeblod jo har været en tur i søen. Hvordan han er kommet op er uvist, men der har i hvert fald ikke været tid til det rensende bad, der måske kunne have hjulpet hans gode og tillidsvækkende udseende til sin ret.

Det er få af de danske søer, der er krystalklare året rundt, måske gælder det i virkeligheden kun for dem på Finø. Den gennemsnitlige danske sø har sine gode perioder og sine dårlige, og på de dårlige ligner den en naturlig ensilagebeholder eller gylletank, og en sådan periode har Filthøj Slotsø netop nu. Så Alexander Finkeblod ser ud, så selv hans egen mor ville blive forskrækket, og da Lars og Katinka får øje på ham og Thorlacius og Anaflabia, er de ude af starthullerne, som om startskuddet er gået til det afgørende *heat*.

Det betyder, at foran Tilte og Basker og Hans og Ashanti og Jakob Bordurio og Pallas Athene og mig er vejen ind til hjertet af Den store Synode fuldstændig fri.

Rummet, som vi kommer ind i, og som er det rum, vi har set på mors og fars billedfil, og som stort set ikke har været ude af vores tanker i de sidste 12 timer, eller hvor meget det nu er, er større, er mere storslået, end vi har forestillet os. Det er et rum, som man kunne forestille sig at rigtig mange af Leonora Ganefryds kunder ville se på med stor interesse som en mulig baggrund for deres coaching. Det har højt til loftet som en domkirke, og det har en fantastisk udsigt ud over aftenhimlen over Øresund.

Også montren er større, end vi har kunnet ane, og lyset, der kastes ud fra den, er mere blændende.

Og så er der noget overvældende ved at stå ansigt til ansigt med 800 mennesker fra hele verden, der har gjort sig rigtig umage med deres påklædning.

Alligevel er alt det ikke det kraftigste. Det kraftigste, det, der er ved at vælte os omkuld, det er atmosfæren.

Lad mig straks sige, at jeg ikke tror, at alle 800 mennesker bidrager ligeligt til den atmosfære. Det mest sandsynlige er, at der i forsamlingen er enkelte, der er her, fordi de betragter religion som deres levebrød, og som lige så godt kunne have levet af noget andet og måske skulle have gjort det, ikke mindst for deres egen skyld. Men uanset de svipsere, der altid findes på et hold, uanset hvor omhyggelig man er med at sammensætte det, så vil jeg sige, at i dette rum er der så mange mennesker, der er gået ud ad den rigtige dør, den, der fører ud til friheden, at den står åben efter dem, så man kan mærke suset, og det er det, der er ved at vippe os af pinden. Hvis du forestiller dig en vågenhed som Tiltes og en evne som min oldemors til at tage selv typer som Alexander Finkeblod og Kaj Molester til sit hjerte, og hvis du ganger de to egenskaber med hundrede og halvtreds tusinde, så har du en idé om noget i retning af stemningen her inden starten på Den store Synode. Det er en stemning, som man, hvis man havde haft en kagekniv, kunne have skåret ud i massive stykker.

Scenen er langt væk, alligevel er jeg ikke i tvivl om, hvem det nu er, der træder op på den, det er Conny.

Min puls må være hoppet til en to-tre hundrede, så for blodets brusen kan jeg ikke høre detaljerne, men jeg får fat i, at hun præsenterer sig som den ene halvdel af det værtspar, der vil være ansvarlig for de musikalske indslag, og hendes partner er – og her slår hun ud med armene – grev Rickardt Tre Løver.

Her og nu kunne man have væltet mig med en fjer. Heldigvis er der ingen i nærheden, der har en fjer eller virker interesseret i at vælte mig, jeg er usynlig i mængden. Det, der har taget min balance, er ikke det, at Conny kan være musikalsk værtinde for et sådant arrangement, selv om hun kun er 14, det virker sådan set kun rimeligt. Fra nu af og til dagenes ende venter jeg sådan set ikke andet end én lang række af beviser fra Connys side på, hvor langt der er mellem hendes og min galakse. Hvad der duperer mig, det er, hvordan de ansvarlige er kommet for skade at få Rickardt ind som et hovednummer.

Jeg når ikke at få idéer til, hvad der kan være foregået, for nu træder han op på scenen, og han har skiftet til noget, der kunne være Ole Lukøjes natskjorte, samt snabelsko.

Det er et syn, som ingen under normale omstændigheder ville kunne løsrive sig fra. Men nu sker der noget foran mig, som lægger beslag på min fulde opmærksomhed.

De fire betjente har stillet Vibes kiste på tre stole, og over kisten bøjer der sig nu en høj inder i en kjole af et snit, der kan minde om grev Rickardts, og med det samme, umiddelbart, ved Tilte og jeg, at dette må være Gittes amerikansk-indiske guru, Da Sweet Love Ananda, som gør klar til at velsigne Vibe og hjælpe hende videre i efterdødstilstanden.

Vi sætter os i bevægelse med det samme. Men vi når det ikke. Gitte holder låget af kisten, Da Sweet Love Ananda lægger hånden på den dødes pande og begynder at hviske et eller andet.

Så fjerner han hånden igen. Og han fjerner den ikke med samme værdighed, som han lagde den, han fjerner den, som om han har rørt ved et strømførende hegn.

Så sætter Sorte Henrik sig op i kisten.

Han er bleg, hans hud er tæt ved at have samme farve som hans hår. Og det er klart hvorfor. Køleanlægget i kisten er beregnet til at holde enhver, der lægger sig derned, på lige over frysepunktet.

Der er nogle af de nærmeste journalister, der har fået færten af, hvad der foregår. Der er et par blitzer, der bliver fyret af. Man kan ane, at et af fjernsynskameraerne bliver drejet over mod Henrik.

Han klatrer ud af kisten. Ikke med den elegance, han helt tydeligt normalt ville kunne lægge for dagen i sådan en situation, men hurtigt nok til, at han er væk, da vi når frem.

Fordi jeg ikke er større, end jeg er, kan jeg nu gå ned i knæ, spotte Henrik mellem folks ben og optage forfølgelsen. Han har kurs mod en døråbning, bag hvilken en trappe fører i vejret, jeg er lige efter ham, jeg når ham en etage oppe.

Vi kommer ud på en slags svalegang, hvorfra man ser ud over salen, det er pulpituret, fra dengang rummet var kirke, det gamle orgel er her stadigvæk.

Henrik får øje på mig, vender sig mod mig og begynder at gå hen imod mig. Jeg smutter rundt om orgelklaviaturet. Henrik strækker sine fingre for at få liv i dem efter kisteopholdet. Jeg kommer til at tænke på de 128 rotter.

– Henrik, siger jeg. – Gør nu ikke noget, du vil fortryde.

Det er ikke en bemærkning af den slags, der rydder bordet og får selv de største til at gå i knæ, som for eksempel den om Connys nakke. Men den får Henrik til at standse op og se grundigt på mig.

– Kender vi hinanden? siger han.

– Det kan vi komme til, siger jeg. – Det er et af de smukke træk ved tilværelsen. Forude venter nye venskaber.

Jeg når ham ikke med det synspunkt. Han begynder igen at glide frem mod mig.

En skygge falder ind over ham. Skyggen af min storebror Hans. I næste nu har Hans lagt armene om Henrik og taget ham i sin favn.

Selv om der som sagt er et klart flertal, der mener, at der er noget prinseagtigt over min storebror, så kan man ikke nægte, at handler det om at forsvare de svage og uskyldige mod ugerningsmænd, så kan Hans se ud på en måde, som peger mere i retning af Frankensteins monster, og som får en til at tænke, at når han er færdig med sin modstander, så er der kun hår og negle og lidt benmel tilbage. Og det er sådan, han ser ud nu.

Det mærker Henrik, og derfor forholder han sig helt roligt.

– Hvis du tillader, siger jeg.

Jeg visiterer Henrik. Jeg finder kun et lille fladt kamera.

Men det, jeg havde håbet at finde, var en fjernbetjening. For man kan ikke lade være med at tænke, at når en mand som Henrik har været på tur oppe i den hemmelige tunnel med en mappe med plastisk sprængstof, så har det ikke været for i fred og ro at kunne eksperimentere med en ny fremgangsmåde over for rotterne.

– Henrik, siger jeg. – Kunne vi få dig til at sige, hvor du har gemt sprængstoffet?

Han smiler til mig. Men det er et smil, der mangler den varme og forståelse, man gerne vil møde hos voksne.

– Du finder ud af det om et øjeblik, siger han.

Det er en vanskelig situation. Jeg ser ned over salen. Deltagerne har taget plads, vendt mod scenen. Rickardt Tre Løver har alles opmærksomhed.

– Jeg vil gerne minde om, hvad Goethes sidste ord på dødslejet var, siger Rickardt.

Det er noget, han har fra Tilte, hun har lavet en liste så lang med berømte menneskers sidste ord på dødslejet, og hun elsker at læse højt fra den og bede folk tænke over, hvad deres sidste ord skal være. Lige i det her øjeblik kunne jeg godt have tænkt mig noget mere opmuntrende, men jeg er ikke blevet spurgt.

– »Mere lys«, siger Rickardt.

I samme øjeblik bliver der blændet op. Rickardt har arrangeret det med belysningen, der var meget lys på ham i forvejen, nu kommer der 20.000 ekstra watt. Jeg får øje på min mor og far, de står ude på sidelinjen.

Så når en stemme Hans og Henrik og mig, den kommer fra trappen bag os, og det er Tiltes stemme.

– Henrik, siger hun. – Din mor vil gerne tale med dig.

Bag Tilte tårner en kvindeskikkelse sig op. Det er biskop over Grenå Stift, Anaflabia Borderrud.

Der er kvinder, som det er svært at forestille sig med mand og børn. Med det mener jeg ikke noget negativt, det kan jo for eksempel være, at de ligesom Jeanne d'Arc eller Teresa de Ávila eller Leonora Ganefryd bare er født til at løfte en opgave, der er for stor til blebukser og skole hjem-samtaler. For mig er Anaflabia en person af det format.

Men når hun så alligevel viser sig at have et barn, som hun har puslet på sit skød, og hvis rosenkind hun har kysset, så overrasker det mig ikke, at det er Sorte Henrik. Nu, hvor de står tæt ved hinanden, kan man mærke noget fælles i den stålsatte karakter. Og der er også en fysisk lighed, noget med kæbens fasthed, som om den var bygget af pladejern på Finø Skibsværft.

Men det er ikke moderkærligheden, Anaflabia i dette øjeblik har længst fremme.

– Henrik, siger hun. – Er det rigtigt, hvad jeg hører? At du har fabrikeret en hæslig bombe?

Den forandring, der sker med Henrik, er så dyb, at man må tænke, at imod de følelser, som selv en voksen mand har for sin mor, der har den indre korsridder ikke en chance. Hans krop begynder at sprælle, og det er tydeligt, hvad den vil, den vil stikke af for at overleve.

Men han sidder fast i Hans' greb. Og Anaflabia kommer nærmere.

– Mor, siger Henrik. – Du sagde jo, at det er djævelen, der har opfundet de andre religioner.

Nu har han gråd i stemmen.

– Henrik, siger Anaflabia. – Du slukker for den bombe lige på stedet!

Tårer begynder at trille ned ad Henriks kinder.

– Det er for sent, siger han. – Den er tidsindstillet. Indkapslet. Gjort fast til boksen nede i kælderen. Men mor, det er kun en lille bombe. Det er bare de hedenske klenodier, der ryger i luften.

Anaflabia stirrer på ham. Selv om moderkærligheden er ubetinget, kan den godt tabe underkæben og måbe.

– Hvad skulle du så herind efter nu, spørger hun.

Henrik tørrer øjnene.

– Jeg ville så gerne have billeder. Til scrapbogen. Så jeg engang kunne vise dem til mine børn. Dine børnebørn, mor.

Jeg ved, hvad mange nu ville sige, også Tilte. De ville sige, at denne situation selvfølgelig er tragisk, men den er også en fantastisk chance til at se ind i det faktum, at vi alle når som helst kan komme ud for, at ting ryger i luften om ørerne på os. Og skulle det gå helt galt, ville de sige, og Henriks bombe er større, end han selv tror, så nogle af os ryger med i købet, så siger alle de store religioner, at den bedste død får man, hvis der til stede er en eller flere helgener, der kan gå ud og ind ad den store dør, som om det var svingdøren ind til Finø Herreekvipering, vi snakker om.

Jeg er derfor ked af at måtte sige, at det ikke er en chance, jeg benytter mig af. I stedet sker der det, at mine ben tager affære. Og jeg vil sige, at det er en dyb erfaring på fodboldspillets spirituelle vej, at ved visse lejligheder sidder rigtig meget af den højere bevidsthed i benene.

Jeg svæver ned ad trappen, jeg flyver gennem salen, og jeg smutter forbi sikkerhedsvagterne, og jeg kan se på dem, at de tænker, jeg må være en slags messedreng eller novicemunk eller spirituel udgave af de drenge, der samler bolde op i Wimbledon, og så er jeg fremme og står over for min mor.

De oplevelser, min mor har været igennem, siden jeg så hende sidst, er ikke gået sporløst hen over hende. Det er tydeligt, at hun har set ting, som selv den heftigste antirynkecreme ikke vil kunne klare. De furer, hun har fået i panden, er, hvis vi overlever Henriks bombe, kommet for at blive. Og nu, hvor hun ser mig her, bliver de nogle centimeter dybere.

– Mor, siger jeg, – der er en sprængladning under gulvet, den er monteret i bunden af boksen, kan du få boksen til at bevæge sig ind i tunnelen?

Langt de fleste af os kommer med jævne mellemrum ikke uden om at tale et alvorsord med vores mor. Men der går selvfølgelig noget længere imellem, at man må bede sin mor om at sige farvel til 200 millioner og rykke direkte fire år i fængsel med ét år fra for god opførsel. Men det er, hvad jeg beder min mor om nu, for det, hun vil blive nødt til, vil afsløre den brune sæbe i tunnelen og hendes og fars sidste rævestreg, og hun ved det, og hun ser på mig med, hvad jeg ville kalde et vildt udtryk.

– Jeg kan ikke, siger hun.

Jeg siger det ligeud: Jeg føler en skuffelse over min mor. For hvad er 200 millioner og fire år i spjældet mod at glæde Tilte og Hans og mig og de fire verdensreligioner, og redde for en milliard kroner tingeltangel og i øvrigt rydde lidt op i den rodebutik, hun og far har efterladt.

– Vi besøger jer i fængslet, siger jeg. – Far kan hjælpe fængselspræsten. Og du kan spille til gudstjenesterne. Jeg har hørt, at de har fået et nyt orgel i Læsø Højsikkerhedsfængsel. Der er efter sigende flere af fangerne, der af samme grund ikke vil hjem, selv om de har udstået deres straf.

Hun ryster på hovedet.

– Det er ikke det, siger hun.

Jeg vover et blik bagud. Min mor og jeg har nu salens udelte opmærksomhed. Og det er ikke en hvilken som helst opmærksomhed, den er langt foran den interesse, der strømmede mig i møde, da jeg var blevet lokket ind på scenen til kåringen af Mr. Finø. Og i det korte glimt, jeg får, mærker jeg noget. Jeg mærker, at de forsamlede notabiliteter naturligvis er nysgerrige efter at få at vide, hvordan det står til med den danske spiritualitet, og foreløbig har de set Conny, der selvfølgelig er et kærtegn for hornhinderne, men trods alt kun en barnestjerne på 14 år, og så grev Rickardt Tre Løver og nu min mor og mig.

– Du må have en fjernbetjening, siger jeg.

– Den ligger i gummibåden, siger min mor.

Jeg mærker det svimle for mig.

Der må være noget med stemmegenkendelse, siger jeg.

– Det har der altid været.

Voldsomme, men tavse følelser går gennem min mor. Og så forstår jeg miseren.

– Det er *Solitudevej*, siger jeg. – Det er den, der sætter det i gang.

Min mor nikker. Fortvivlelsen står skrevet i hendes ansigt. Og jeg forstår hende. Det, der kommer tilbage, er selvfølgelig traumet fra dengang, Bermuda Svartbag lokkede hende til at synge den sang for Nordjyllands Amts Præstekonvent.

– På den spirituelle udviklingsvej, siger jeg, – er der ingen af os, der kommer uden om de helt store ofre.

Da jeg siger det, så kan jeg mærke, at noget falder på plads inden i min mor. Og jeg mærker, at mellem hende og mig, er der, i løbet af de sidste døgn, sket en ændring af det, der vistnok hedder ansvarsfordelingen.

Min mor vender sig mod montren. Og så begynder hun at synge.

Hun synger kun de første takter. Så mærker jeg en svag vibration under fødderne. Måske er det kun min mor, min far og mig og Tilte, der registrerer den. Men jeg ved med sikkerhed, at den underjordiske boks med Henriks bombe er sat i bevægelse og er på vej gennem tunnelen.

Jeg har en sidste bekymring. Hvordan vil de forsamlede følsomme sjæle med Paven og Dalai Lama og den 17. Karmapa og Stormuftien af Lahore og hendes Majestæt Dronningen reagere, når bomben om nogle sekunder ryger i luften?

I det øjeblik får jeg en idé. Det ville være for ubeskedent at kalde det en guddommelig inspiration direkte fra Helligånden. Men det er et solidt og bæredygtigt indfald.

Jeg vender mig mod salen.

– Deres excellencer, råber jeg. – Jeg er fra Finø. Dér byder vi vores gæster velkommen med den berømte Finø-salut.

Her gør jeg et kort ophold, så simultanoversætterne kan følge med.

– Den havde oprindelig en militær betydning. Men den er gået over til at betyde: Guds fred og god aften!

Så kommer eksplosionen. Først er den et lysglimt bag bådehusets vinduer, så er det hvid røg, der presses ud af vindues- og døråbninger. Så løftes taget en meter lodret op i luften, og derefter falder træbygningen sammen som et korthus.

Der er et øjebliks stilhed i salen. Så kommer bifaldet.

Jeg læner mig mod væggen for ikke at falde. I næste øjeblik er der flere sikkerhedsfolk omkring mig, og jeg kan mærke på dem, at de har forladt teorien om, at jeg er en af bolddrengene fra Wimbledon og hælder nu til den anskuelse, at jeg er en slags religiøs hooligan, som det handler om at få makuleret i al ubemærkethed.

Men ikke så snart har de taget fat, før de slipper mig og træder til side, og så står Conny foran mig. Det er salen, hun taler til, men hun har lagt sin hånd på min arm.

– Mange tak for denne hilsen fra Finø, siger hun. – Og så vil jeg gerne præsentere den sang, jeg nu skal synge, den handler om kærlighed. Jeg forestiller mig, at kærlighed må være et vigtigt, et afgørende ord for denne konference.

Jeg løfter hovedet. Connys nakke er mindre end en halv meter fra mig.

– Inden for alle de store religioner er kærlighed et nøgleord. Det, man er fuldstændig enige om, er, at selv om det kan være svært at nå, selv om man må gå meget igennem, så er kærligheden det, man ender med at nå frem til. Det er menneskets naturlige tilstand.

Jeg ser op, og hun ser direkte på mig.

Jeg går ikke min vej, for jeg er ikke i stand til at gå. Jeg siver, som en kraftigt fortyndet væske. Bag mig siger Conny noget mere, det lyder, som om hun byder velkommen til statsledere og religiøse ledere og til Dronningen, men jeg kan ikke høre detaljerne, alt hvad jeg kan gøre er at bede til, at fodboldbenene vil bære mig frem til forhallen, og min bøn bliver hørt, for jeg når frem, og dér kollapser jeg i et sofaarrangement.

Det, lægen ville have ordineret mig, hvis der havde været en læge, ville have været fem minutter i fred til at sunde mig. Men alt det er jeg nødt til at udskyde. For i sofaarrangementet sidder allerede nogen, og langsomt får jeg samlet mig nok sammen til, at jeg kan se, at det er Thorkild Thorlacius, hans kone, sekretæren Vera og Anaflabia Borderrud. Anaflabia har derudover Sorte Henrik på skødet. Ved siden af dem står Katinka og Lars. Alle er de blanke og tomme i øjnene, som mennesker er, når de lige er blevet mindet om, at deres dages ende kan komme, hvad øjeblik det skal være.

Katinka rasler med et par håndjern. Det er klart, at de er kommet for at hente Henrik.

Det er ikke overraskende, at det er Anaflabia, der kommer sig først.

– Er der i retsplejeloven åbnet mulighed for, at man kan afsone hjemme hos sin mor, spørger hun.

– Måske den sidste del af straffen, siger Katinka. – Hvis psykiaterne støtter det.

Alle ser på Thorkild Thorlacius. Der ikke virker begejstret.

– Han havde tænkt sig at sprænge det hele i luften, siger han. – Manden må jo have pip i papkassen.

– Inderst inde er han et godt barn, siger Anaflabia. – Men han er gået vild.

Hun trækker Henrik ind til sig, han lægger hovedet på hendes skulder.

– Vi må tale om det, siger Thorkild Thorlacius. – Se på hans opførsel i fængslet. Men der skulle være visse muligheder.

Hans øjne vandrer videre til mig. Det kan være, fordi jeg endnu er i chok. Men det forekommer mig, at han udstråler noget, der godt kunne forveksles med venlighed.

– Din rolle i det her, min dreng, den står mig ikke helt klart. Men jeg mener, rent fagligt, at have set tegn på, at du med tiden vil kunne hjælpes ud af kriminalitet og misbrug og tilbage til samfundet.

– Mange tak, siger jeg.

– Stemningen her, fortsætter Thorlacius. – I denne bygning. Der har endnu ikke været tid til at analysere den til bunds. Men den er speciel. Jeg vil sige: Der er begavelser til stede inde i den sal, som kommer helt op i nærheden af første reservelægeniveauet på Århus Ny Amtshospital.

Det føles, som om jeg har samlet tilstrækkeligt med kræfter til at tilbagelægge endnu 50 meter. Da jeg rejser mig, bliver selskabet udvidet. Det er Alexander Finkeblod, der kommer vaklende og synker sammen i sofaen.

– Jeg frygter for min forstand, siger han.

Det er en frygt, som mange ville mene var velbegrundet. Men der er sket et eller andet med mig, måske er det synet af Connys nakke så tæt på, måske det, hun sagde, måske den almindelige lettelse. I hvert fald føler jeg en pludselig ømhed for alle. Og for at antyde dybden af følelsen vil jeg sige, at jeg dette øjeblik måske endda ville lade Kaj Molester overleve, hvis han havde været til stede. Og følelsen udstrækker sig også til Alexander Finkeblod.

– På grund af dette mudder – her prøver Alexander at aftørre noget af det mudder, der stadig klæber til hans ansigt i tykke kager – er mit syn forringet. Så da jeg sætter mig ned for at prøve at soignere mig med en serviet, kommer jeg til at ramme en kvinde, der sidder på bænken ved siden af mig. Og der sker det forfærdelige, at hun synker omkuld. Jeg taler til hende. Hun svarer ikke. Jeg rører ved hende. Hun er død! Og jeg får den tanke, at det er tredje gang på 24 timer. Kan jeg være ramt af en forbandelse? spørger jeg mig selv. Er jeg et af de mennesker, ved synet af hvem andre simpelthen visner bort?

– Alexander, siger jeg. – Du er ikke sådan en person. Jeg vil sige, at du er en person, ved synet af hvem mange får noget arbejde med, specielt som du ser ud nu. Men damen på bænken, og også de andre, de var døde i forvejen.

Alexander stirrer på mig.

– Jeg har tænkt, siger han, – at jeg måske ikke helt har været opmærksom på de positive – de få, men klart positive – sider ved at have med børn at gøre.

Jeg rejser mig. Benene ryster nu lidt mindre. Jeg må have frisk luft.

Hallen er tom bortset fra sikkerhedsvagterne, dog er der en bevægelse mellem to søjler, det er Tilte og Jakob Aquinas, de har ikke set mig.

– Tilte, siger Jakob, – de sidste timer har forandret mig. Jeg har set ting, i mig selv og ved din familie, jeg har fundet ud af, at jeg nok alligevel ikke egner mig til at være præst.

Så kysser Tilte ham.

Jeg betragter det ikke som god stil at blive stående og se på, at ens søster kysser sin kæreste. Det, der holder mig naglet til stedet, er, at Jakobs hånd med rosenkransen bag Tiltes ryg er gået i stå.

– Jakob, siger Tilte, – hvis du vil videre hen mod døren, specielt hvis du nu springer på hovedet i det verdslige liv, så er det vigtigt at du øver dig i, at holde dine Ave Mariaer kørende, også mens vi kysser. Skal vi forsøge igen?

Denne gang får jeg revet mig løs og listet udenfor.

Jeg går over slotsgården, Jakob og Tilte kommer op på siden af mig, Hans og Ashanti og Basker er lige bag dem. Uden at tale sammen går vi over dæmningen, passerer bommen, bag ruden sover Bent Betjent med Mejse på skødet, vi går stille forbi dem og fortsætter langs søbredden.

Der holder en bil ved vejen, en Maserati. Vi drejer ind mellem buskene, stien vider sig ud til en lysning, på en bænk sidder skibsreder Poul Bellerad med en kikkert. Ved siden af ham står de to skaldede livvagter, den ene er ved at tørre skibsrederens øjne med et lommetørklæde, den anden masserer hans skuldre.

Da han hører os, vender skibsrederen sig, et lys af håb tændes i hans øjne for straks at slukkes igen, da han ser os. Han har håbet det var Henrik.

– Poul, siger jeg, – der er noget, jeg vil spørge dig om.

Han ser livløst på mig.

– Bedemanden på Finø, Bermuda Svartbag Jansson, hun er en veninde af vores familie og efterspurgt over hele landet og kendt for at kunne få folk i jorden, som om de skal til hofbal. Hun siger, at der kun er tre ting, der kan få mennesker til at lægge virkelig slemme planer, og det er religion og sex og penge. Det med religion og sex kan jeg godt forstå. Men penge …

Der er kommet gæster. Bag bænken står Albert Wiinglad og Lars og Katinka, Katinka har tre sæt håndjern fremme, hun må have en kasse et eller andet sted, for de sidste 24 timer har hun langet dem over disken som pølser ved en pølsevogn.

Skibsrederen rejser sig. Han ser på mig.

– Det var dig med blomsterne, siger han. – Hvem er du egentlig i det her?

– Et offer, siger jeg. – For omstændighederne.

Håndjernene klikker.

– Det kan godt være, penge ikke er det bedste motiv, siger Bellerad. – Men det er det reneste. Tænk over den.

Så fører de ham væk.

Albert Wiinglad står tilbage, han er ved at pakke en elleve-tolv mellemmadder ud af en kasse med nødrationer.

– Det hjælper egentlig ikke, siger han.

Vi må se spørgende ud. Måske mener han, at det ikke hjælper med smørrebrødet, at man er sulten igen efter fem minutter.

– Arrestationerne. Retssagerne. Fængselsdommene. Det hjælper ikke. Der er altid flere, der står parat. Der er et eller andet, vi ikke har forstået …

Det er mest sig selv, han har talt til.

– Dronningen vil gerne takke jer, siger han. – Må jeg give jer et lift? Når jeg lige har tygget af munden.

De andre går i forvejen, han og jeg bliver stående.

– Albert, siger jeg. – Jeg mener, det er vigtigt, at Tilte og jeg får hjælp til ikke at tale over os til alle de journalister, der om et øjeblik vil flokkes om os. Vi kunne komme til at fortælle en historie, som kunne give offentligheden det indtryk, at politiet og efter-retningstjenesten havde snorksovet i spisefrikvarteret og var ble-vet taget ved næsen og bagefter i skole af en lille dreng og hans søster.

Han ser stift på mig, han er holdt op med at tygge.

– Det, der kunne forsegle Tiltes og min mund, det var, hvis du aflagde ed, Amager, ære, halshugning, på at min mor og far går fuldstændig fri.

Han tygger af munden og synker. Så fører han en finger hen over dobbelthagerne.

– Amager, siger han. – Ære. Halshugning.

Fra eventyrene ved jeg, at det, der er chancen, når man står foran Dronningen og hun siger tak for noget, man har gjort, det er, at man kan bede hende om at opfylde et ønske. Men lige nu er det eneste, jeg kan komme i tanke om, at invitere hende til at blive en af mine personlige sponsorer, når jeg bliver professionel. Men i betragtning af, at vi har reddet for en milliard juveler, og at Conny har talt om kærlighed, mens hun stirrede stift på mig, så føles det for småligt, så jeg står bare tavst og vipper på fodbalderne. Det bliver Tilte, der slår til.

– Deres Majestæt, siger hun, – jeg har en bekendt, det er totalt sandsynligt, at han er adelig uden at vide det, kunne vi på nogen måde skaffe ham en titel?

Dronningen ser eftertænksomt på Tilte.

– Det er Dansk Adelsforening og Rigsarkivet, der tager stilling til det, siger hun. – Det er ikke hoffet.

Tilte træder helt tæt hen til hende.

– Deres ord vejer tungt, siger hun. – Hvis jeg nu kunne skaffe nogle papirer. Udskrifter fra kirkebøger for eksempel.

Jeg kan mærke det på dronningen. Hun bliver ligesom blød i kroppen. Tiltes fortryllelse har fat i hende.

– Du får mit direkte nummer, siger hun. – Ring til mig på Amalienborg. Vi kunne måske *be pooling our ressources.*

Vi sidder i salen igen. Jeg ser rundt i rummet, på dragterne og hattene. Og på Conny, der har sat sig ved siden af mig. På rækken foran mig sidder far og mor. Vi har endnu ikke rigtig set hinanden i øjnene. Jeg læner mig frem.

– Mor og far, hvisker jeg, – jeg ved ikke, om vi nogen sinde vil kunne lande dette her, det er ikke sikkert, der er mange eksempler på, at det ikke har været muligt for børn at tilgive deres forældre.

Men et lille skridt i den rigtige retning kunne vi måske tage, hvis vi fik at vide, om det var et tilfælde, at Ashanti her havde Hans' nummer og bestilte netop ham og os til at hente hende på Blågårds Plads.

Det er min far, der vender sig om, og han vrider sig.

– Jeres mor og mig, vi havde truffet hende under forberedelserne til det her. Vi tænkte begge, at hvis Hans skulle have en chance, så skulle det være med én som hende.

– Jeg er selvfølgelig rystet, siger jeg. – Over at vi igen har jer indblandet. Men jeg værdsætter ærligheden.

Der bliver stille i rummet. Den store Synode skal til at begynde. Så mange mennesker samlet, der danser ud og ind ad døren, som var det en åben ladeport. Conny tager min hånd. Jeg ser rundt på menneskene, på Hans og Ashanti, på Tilte, på Conny. På Pallas Athene, som man må glæde sig over sidder ned, før så jeg Tilte sige noget til hende, og det er tydeligt, at det har slået benene væk under hende.

Måske er det stemningen i rummet. Men pludselig kan jeg se elefanterne inde i dem alle sammen.

Det er smukke dyr. Men besværlige. Kræver helt sikkert meget pasning. Og tænk på mængden af foder.

Jeg mærker lykken ved at kende dem. Og taknemmeligheden ved selv bare at være en dreng på 14, der ikke har en elefant, men bare sine fodboldben, sin medfødte og højt opdrevne beskedenhed. Og en lille foxterrier. Jeg stryger Basker over pelsen.

– Basker, hvisker jeg. – Kan du mærke døren?

FINØVALSEN

Vi er aldrig vendt tilbage til Finø.

Selvfølgelig er vi rent teknisk kommet tilbage til øen, og bor her og har vores folkeregisteradresse og spiser og sover i præstegården. Men vi er ikke vendt hjem.

Det har noget at gøre med det, jeg før har talt om, at når man forandrer sig indeni, så forandrer omgivelserne sig også. Og omvendt.

Da vi kom tilbage fra København, var vi ikke mere helt de samme. Og den ø, vi kom tilbage til, var ikke mere nøjagtig Finø, som vi kendte den.

Jeg vil begynde med de oplagte forandringer, dem, man kan se med det blotte øje.

Alexander Finkeblod har forladt øen, han har fået en højere stilling i udlandet, og Ejnar Tampeskælver Fakir er genindtrådt som leder af Finø By Skole, foreløbig i en prøveperiode.

Hele skolen fulgte Alexander til færgen. Og det var ikke, fordi det var sidste chance til at give ham nådestødet og udfri ham af hans lidelser, det var for at sige pænt farvel. For Alexander var også forandret. Efter alt det, jeg har fortalt om her, er han aldrig blevet sig selv, som han var før. De sidste tre måneder, han var på skolen, talte han til eleverne, som om de var ganske almindelige mennesker, og ofte tog man ham i at være faldet i staver, midt i at undervise gik han hen til vinduet og bare stod og så ud over Mulighedernes Hav, som spejdede han efter noget, han engang havde fået et glimt af, men som nu var forsvundet, og som han ikke kunne glemme.

Desuden havde han haft Vera med tilbage, hun stod ved hans side med en fod på landgangen, da han fik øje på Tilte og mig og kom hen til os og gav os hånden. Det var, som om der var noget, han ville sige, men han fik det ikke frem, Vera kaldte på ham, og han vendte sig, og vi vinkede, og så var han væk.

Tilte bor ikke mere i præstegården. I august flyttede hun til Grenå og begyndte på kostgymnasiet, hvor Jakob Bordurio nu også går, til at begynde med boede de på Grenå Kollegium. Men ikke ret længe. Kun omkring en måned. Så flyttede de ind i en stor lejlighed med udsigt ud over stranden.

Fra sædvanligvis velunderrettet kilde forlyder det, at lejligheden er finansieret af Tiltes samarbejde med Pallas Athene.

Pallas Athene kom til Finø i sommer. Selv om man på øen er vant til det bedste, hvad biler angår – hestevogne og golfbiler og Mercedeser og Maseratier og Bermudas pansrede mandskabsvogn – så kiggede den brede befolkning alligevel, da den røde Jaguar svingede op foran præstegården og Pallas Athene steg ud, komplet med stiletter og rød paryk, men heldigvis uden hjelm.

Da hun og Tilte trak sig tilbage til Tiltes værelse, troede jeg først, jeg skulle med, Tilte og jeg har altid fulgtes i tykt og tyndt. Men denne gang rystede hun på hovedet. Selv om jeg kunne se, at også Pallas Athene undrede sig, det var jo trods alt mig, der havde fundet hende.

– Omkring Peter, sagde Tilte, som om hun talte om en person, der ikke var til stede, – ser man virkeligheden blive bøjet på mange forskellige måder. Men der er ingen mulighed for at løbe fra, at han kun lige er fyldt femten her i maj.

Så gik de i enrum.

Da de kom ud, lignede Pallas Athene en, der har set solen stå op og samtidig har fået sit banesår. Da hun sagde farvel, lød det ikke helt sammenhængende, derefter satte hun sig ud i Jaguaren og kørte bort.

Jeg stod ved køkkenvinduet og så efter hende, Tilte kom hen bag mig. Hun tog om mig, men Peter Finø er ikke til salg, i hvert fald ikke for falske kærtegn, jeg holdt mig rank og utilnærmelig.

– Det dér med at lægge hjertet i en æske, sagde Tilte, – det går

370

ikke. Selv om det er med et billede af børnene. Det forklarede jeg hende.

Tiltes stemme var fuld af det, de kristne mystikere kalder anger og omsindelse og forsøg på at formilde mig. Så jeg nedlod mig til at svare, man skal ikke støde en angrende synder fra sig.

– Du vil omskole hende, sagde jeg. – Til noget med rådgivning.

Tilte svarede ikke. Det var heller ikke nødvendigt. Selvfølgelig havde jeg ramt plet.

– Den har vi solgt én gang, sagde jeg. – Til Leonora.

– Det her bliver næste trin, sagde Tilte.

– Du vil have, at hun skal få kunderne til at tage deres partnere med. Til Abakosh. Hvor hun og Andrik så skal rådgive dem.

Tilte lagde sit hoved ind til mit.

– Jeg gav hende to *oneliners*, sagde hun. – Kærlighedens to hovedsætninger. Et: Tag altid din mand med, når du går på bordel. Og to: Lad hjertet blive siddende, hvor naturen har anbragt det.

I øvrigt har Tilte kun været tilbage to gange, siden hun flyttede, og den første var, da vi adlede Kalle Kloak. Tilte havde fået et brev fra hoffet med våbenskjold bagpå og et fra Dansk Adelsforening, og sammen cyklede vi ud til Finø Holm. Vi sad i køkkenet sammen med Kalle og Bullimilla, og først gav vi dem gardinerne tilbage, vi havde vasket og strøget dem og lagt dem sammen, når man beskæftiger sig med gennemgribende indre udvikling, er det vigtigt, at man så vidt muligt leverer den ydre verden tilbage i den stand, man modtog den. Så lagde Tilte brevet fra hoffet på bordet, så våbenskjoldet vendte opad.

– Peter og mig, sagde hun, – vi er protektorer for Finø Boldklub. Jeg vil bare i forbifarten nævne, at klubben inderligt ønsker sig en ny boldhal, den gamle er nedslidt og overbooket.

Kalle Kloak fugtede sine læber. Og jeg må indrømme, at jeg heller ikke vidste, hvor jeg skulle se hen, så jeg valgte at se genert ned i gulvet.

371

Kalle spurgte så med hæs stemme, hvad en ny hal ville koste, og Tilte sagde, at man kunne få dem fra seks millioner og op. Så spurgte Bullimilla, om det var med et cafeteria for seks millioner, og Tilte svarede nej, det var en absolut minimumsløsning.

– Kalle, sagde Bullimilla, – man kan ikke leve uden et cafeteria, de unge mennesker er i voksealderen, og køkkenet er enhver bygnings hjerte, så det her må ikke blive for lille.

– For syv millioner, sagde Tilte, – kan vi bygge med henblik på fremtiden og de kommende slægter.

Derefter lagde hun et papir foran Kalle. Med opbydelsen af en god del viljestyrke lykkedes det mig at kaste et blik på det, det var et gavebrev fra Kalle Kloak til Finø Boldklub, hun havde sat det formfuldendt op hjemmefra, det lød på syv millioner.

Da Kalle havde skrevet under med et udtryk, som om han i det her med at give penge ud var på kant med sin dybeste overbevisning, åbnede Tilte brevet fra Dronningen og det fra Dansk Adelsforening, det var en bekræftelse på, at man efter studier af de kirkebogsudskrifter, som var blevet fremsendt fra Finø By sogn, var nået til det resultat, at Kalle langt bagude nedstammede fra slægten de Ahlefeldt-Laurvig Finø med ret til at bære samme, og hjertelig tillykke og underskrevet af Dronningen.

Kalle besvimede. Det er første og eneste gang, jeg har set en voksen mand besvime, han vendte det hvide ud af øjnene og gled ned på gulvet.

Tilte og jeg foretog os ikke noget, mest fordi vi ikke mente, der var noget at stille op. Kalle Kloak er tøndeformet og som sagt gammel jord- og betonarbejder, han virker ikke som noget, man kan flytte uden i hvert fald en sækkevogn. Men Bullimilla løftede ham op i sine arme, som om han var et barn. Så blev hun stående et øjeblik med ham og så på Tilte og mig.

– Når vi indvier den nye hal, sagde hun. – Så kommer jeg og laver festmenuen.

Dette var første gang, Tilte var tilbage.

Jeg siger »tilbage«. Før Den store Synode og mors og fars anden forsvinden ville jeg have sagt, at Tilte ikke havde været hjemme. Men nu siger jeg ikke »hjemme« om præstegården og Finø. Jeg siger »tilbage«, og det er med vilje.

Det har noget at gøre med den uventede gæst i præstegården.

Jeg tager det helt langsomt, for det er vigtigt: Det var et større chok, end jeg havde troet det ville blive, at Tilte flyttede.

Jeg ved ikke, om der findes klinikker ligesom Store Bjerg, hvor man kan blive søsterafvænnet. Men det var egentlig det, jeg havde brug for. Vi var kommet hjem fra København, og Tilte og jeg havde forlangt, at vi fik hver sin skurvogn i præstegårdshaven, og dér ville vi bo. Vi fik det med det samme, det er én af forskellene på før og nu, efter vi er kommet tilbage, er der flere situationer, hvor vi stille og roligt fortæller mor og far, hvordan det er nødt til at være, og så bliver det på den måde.

Det var selvfølgelig for ikke at blive trampet ned af elefanterne. For det var vi blevet helt klar over. Mors og fars elefanter, det er ikke de indiske, der kan lære at sidde på skødet og løse kryds og tværs og stå på forbenene og logre med halen. Mors og fars er de afrikanske, som vandrer store distancer uden varsel, og som man kan komme på tålelig god fod med, men som aldrig bliver helt tilregnelige. Så derfor ville vi bo i skurvogn, for at være på afstand, hvis de skulle begynde at vandre.

Jeg må have forestillet mig, at det ville blive ved på den måde, med Tilte og mig i hver sin vogn, men tæt på hinanden. Selv om jeg i årevis havde vidst, at hun skulle af sted. Så da det skete, var det værre, end jeg havde troet.

Dér mærkede jeg ensomheden meget tydeligt.

Jeg er ked af, at jeg er nødt til her på falderebet at nævne noget, der på en måde er så trist. Men det er vigtigt.

Selvfølgelig havde jeg kendt ensomheden længe, måske altid, jeg synes, at den har været her, så længe jeg kan huske.

Jeg ved ikke, hvordan du mærker den, måske oplever enhver

ensomheden på sin måde. Min mor har engang fortalt, at for hende er det *Solitudevej*, der begynder at spille i baggrunden, når hun føler sig alene, selv om den musik også har noget med kærlighed og far og hende at gøre. For mig er ensomheden en person. Den har ikke et ansigt, men når den kommer, er det, som om den sætter sig ved siden af mig, eller bag mig, og det kan ske når som helst, også når jeg er sammen med andre, endda når jeg er sammen med Conny.

Jeg ser Conny igen. Nogle gange besøger jeg hende i København, hvor hendes venner stirrer på mig, som om jeg er en gåde, de ikke kan løse, og gåden er, hvad Conny skal med mig. Nogle gange kommer hun til Finø. Meget ofte gør det at være sammen med hende mig meget lykkelig.

Jeg ved ikke, om du har en kæreste. Hvis du ikke har, så er der noget, jeg får lyst til at sige. Det er, at det skal du nok få. Alle mine femten års livserfaring fortæller mig, at verden er indrettet sådan, at alle får en kæreste. Hvis ikke de sætter sig aktivt imod det. Så hvis du ikke har en kæreste og gerne vil have en, så skal du prøve at finde ud af, hvor inde i dig selv du sætter dig aktivt imod det. Og det er bygget på Tiltes og mine dybe studier.

Men selv når Conny var her, kom ensomheden nogle gange og satte sig bag mig. Den kom tydeligere, end den nogen sinde havde gjort før, og jeg forstod det ikke. Indtil den aften i præstegårdens køkken.

Det var i oktober, i efterårsferien, og oldemor var på besøg. Tilte var her også, og hun havde Jakob Bordurio med. Hans og Ashanti var kommet fra København, de bor sammen nu, i en lille lejlighed, tilsmilet af lykken som salmedigteren skriver, selv med naboerne har de det okay, selv om Ashanti slår på tromme og danser trancedanse og af og til foretager en rituel slagtning af en sort hane på altanen.

Conny sad ved siden af mig, far havde netop kørt den helstegte pighvar frem på en ladvogn, så sagde Ashanti: – Jeg er gravid, Hans og jeg venter barn.

Der blev denne her gravens stilhed, som jeg har udbredt mig grundigt om, og der var rig lejlighed til at se indad, hvis man ellers havde åndsnærværelse til det. Stilheden blev først afbrudt, da Ashanti sagde, at hun følte det blev en pige, og hun havde allerede bestemt sig for et navn, pigen skulle opkaldes efter vores mor, altså Clara, med det gode, gammeltestamentlige mellemnavn Nebudkanezar, der er *hot stuff* på Haiti, og så var der de to familienavne, Duplaisir og Finø, og så havde Ashanti mærket den lille sparke første gang nu, her, om bord på den lille Cessna under flyveturen til Finø, og hun ville gerne modernisere den forældede skik på Haiti med alt for lange navne, så den lille juvel skulle kort og fyndigt hedde Clara Nebudkanezar Flyvia Propella Duplaisir Finø.

Nu er vi jo, som du ved, hærdet med hensyn til navne på Finø, alligevel vil jeg sige, at der kom endnu en langstrakt pause efter Ashantis annoncering, alt hvad man kunne høre, var Baskers vejrtrækning, og selv den var lidt hen i retning af hyperventilation. Men derefter trak Tilte hende over i et hjørne og fortalte hende, at det var et smukt navn, men en anelse til den overdådige side, og det kunne risikere at gøre babyen til genstand for opmærksomhed fra de mørke kræfter og den sorte magi, der ulmer på Finø lige under den kristne overflade, og som let bliver jaloux på små børn med for yppige navne, så hvad med at nøjes med Clara Duplaisir Finø, og dér landede det.

Jeg har flere gange henledt din opmærksomhed på det her med, at de dramatiske begivenheder kommer i klumper, og også denne aften, for da Tilte og Ashanti var på plads, rømmede oldemor sig og sagde, der var noget hun ville sige, hun ville fortælle, at hun havde besluttet sig til, hvordan hun ville dø.

Her blev vi urolige. For de sidste gange oldemor har besøgt os, har hun ladet mig røre i kærnemælkssuppen, mens hun selv har ledet slagets gang fra kørestolen, så da vi hørte hende sige det her, mærkede vi alle frygten for det værste.

– Jeg har besluttet mig til, at jeg vil dø med en skoggerlatter, sagde oldemor, af den hjertelige slags. Det har jeg altid syntes var den flotteste måde at gå bort på. Og hvorfor fortæller jeg jer det? Det gør jeg, fordi jeg ikke regner med, at nogen af jer kommer til at opleve det. Og hvorfor gør I ikke det? Det er fordi jeg regner med at overleve jer alle, og det er inklusive lille Flyvia Propella. Og hvorfor regner jeg med det? Det er, fordi jeg har taget mig en ung og spændstig elsker. Og jeg vil gerne benytte lejligheden til at præsentere ham for familien.

Så går døren op, og ind kommer Rickardt Tre Løver, med sin ærkelut, og han går hen og sætter sig på skødet af oldemor.

Vi har ikke set det komme, ingen af os, heller ikke Tilte. Og jeg vil sige, helt ærligt, at der går et øjeblik, inden vi har genvundet fatningen og vores naturlige høflighed og kan skubbe de spørgsmål, der melder sig i en sådan situation, først og fremmest selvfølgelig spørgsmålet om, hvorvidt oldemor nu bliver adelig, ned under bordet.

Mens det hele hænger og svæver, kigger jeg hen på Tilte, og jeg kan se, at hun må arbejde med stoffet, for pladsen på oldemors skød har været hendes, så længe nogen i mands minde har kunnet huske tilbage.

Der er mange, og det gælder også mig selv, som ville mene, at vi nu har nået den øvre grænse for den mængde af forandringer, en familie kan klare på én aften. Men ikke så snart har vi samlet os nogenlunde, så siger far: – Jeg siger op som præst. Mor stopper som organist. Vi tager på pilgrimsrejse. Den starter i Wien. Hos Knize og på nogle af de store konditorier. Når vi kommer hjem, vil jeres mor åbne en lille fabrik. Jeg vil skrive en kogebog. Om spirituel madlavning.

På det sted ser Tilte og far hinanden ind i øjnene. Tilte og vi andre tager ikke fejl af fars lette og spøgefulde tone. Det her er dødelig alvor.

– Jeg lover jer, siger far langsomt, – at der i den kogebog ikke bliver så meget som, at Helligånden kommer til stede i underretterne.
terne.

Vi ånder alle ud. Jeg siger med vilje, at vi ånder ud og ikke at vi ånder lettet op. For med de afrikanske elefanter og så videre, så forstår du, at vi med forældre som vores aldrig vil kunne få nogen fuldstændig dækkende garanti.

Så siger far: – Hvad med en øl?

Langsomt og omhyggeligt stiller han foran hver af os en halv-liters flaske med Finø Bryggeris Specialbryg.

Jeg ved ikke, hvordan det er i din familie. Måske har du fået solbærrom i sutteflasken og hjemmebrændt 60 procent til din konfirmation. Men hos os har far og mor aldrig nogensinde til-budt mig eller Tilte eller Basker alkohol, det her er første gang, og man ved godt hvorfor. Det er, fordi at hver gang voksne trækker en prop op eller vipper en kapsel af, så hører de brølet fra afgrun-den inde i dem selv, og vælger at tro, at lyden kommer fra bør-nene. Så det her er dybt. Vi skænker op og ser rundt på hinanden og skåler og drikker, og vi ved alle, at vi dette øjeblik deltager i en nadver og et sakramente, der har fuldt så mange omdrejninger på turbinen som altergangen i Finø By Kirke.

Da er det jeg mærker, at der er endnu en gæst til stede, og at det er en person, der har sat sig bag mig. Det føles så livagtigt, at jeg vender mig rundt, men der er ingen, og så bliver jeg klar over, at det er ensomheden. Omgivet af gode venner, med Basker ved fødderne og Conny ved siden af mig, føler jeg mig alligevel fuld-stændig forladt og alene.

Jeg kan ikke blive i køkkenet. Jeg rejser mig lige så stille og går udenfor. Ganske langsomt går jeg ud mod, hvor byen holder op og skoven begynder. Natten er sort, og himlen er hvid af stjerner. Det er ikke mere den himmel, jeg engang skrev om i turistbro-churen, også den er forandret. Der er kommet flere stjerner. Det er, som om der er så mange, at de er ved at tage over. Som om nattehimlen er ved at skifte vægt, fra den fod, der er mørket, til den, der er lyset fra stjernerne.

Så lægger jeg armen omkring ensomheden, for første gang kan jeg mærke, at hun er en pige. Og for første gang nogensinde i mit liv holder jeg op med at trøste mig selv for at holde ensom-hedspigen væk.

Jeg ser ind i, at det, som nu er ved at ske, er det, jeg altid har frygtet mest. Jeg er ved at miste det hele og dem alle sammen. Det var det, jeg så komme i Connys lejlighed i Toldbodgade. Men nu er det stærkere og helt virkeligt. Nu er Hans væk, Tilte er væk, og oldemor er væk. Snart vil præstegården være affolket. Mor og far vil være væk.

Nu vil du måske sige, at Conny sandsynligvis vil være der. Men i dette øjeblik er den tanke ingen hjælp. For det, jeg mærker, det er, at den ensomhed, som jeg går her og holder om, mod den kan selv ens elskede ikke hjælpe en.

Det er ensomheden ved at være spærret inde i det værelse, der hedder en selv, det forstår jeg for første gang i mit liv. At man selv er et rum i fængslet, og det rum vil altid være forskelligt fra andre rum, og derfor vil det på en måde altid være alene, og det vil altid være inde i bygningen, for det er en del af den.

Jeg kan ikke forklare det bedre. Men det føles uoverkomme-ligt.

Jeg går med armen om den uoverkommelighed. Jeg holder hende ind til mig, og jeg trøster ikke mig selv, det kan jeg sige helt ærligt. Jeg mærker, hvor meget jeg holder af de andre bag mig i natten, af far og mor, Tilte og Hans og Basker og Conny og olde-mor og Jakob og Ashanti og Rickardt og Nebudkanezar Flyvia Propella, alle mine menneskeværelser.

Så sker der noget.

Det er på en måde ligesom på fodboldbanen. Når forsvaret kommer imod dig, så bliver du nemt hypnotiseret. Og du ser på modstanderne, på forhindringerne. Du ser ikke på åbningen imellem dem, på mellemrummene.

Det er det, jeg nu kommer til at gøre, det kommer af sig selv. Jeg flytter opmærksomheden. Fra det sorte i natten til lyset fra stjernerne. Jeg laver en skraldemandsfinte med min egen bevidst-hed. Min opmærksomhed er rettet én vej, mod ensomheden.

Men det er den anden side, jeg går til. Fra følelsen af ensomhed til det, der er udenom. Fra at være indespærret i mig selv, i de sorger og glæder, der udgør Peter Finø, og som ligger i alle menneskers liv som små flydende øer, fra det flytter jeg opmærksomheden til det, øerne flyder rundt i.

Det er bare det, jeg gør. Det er noget, enhver kan gøre. Jeg laver ingenting om. Jeg prøver ikke at få ensomheden til at gå væk. Jeg slipper den bare.

Den begynder at fjerne sig. Hun begynder at fjerne sig, og så er hun borte.

Det, der står tilbage, er på en måde mig. Men på en måde er det bare en meget dyb lykke.

Jeg hører trin bag mig, det er Conny. Hun stiller sig tæt hen til mig.

– Vi er alle sammen værelser, siger jeg, – og så længe man er et værelse, er man fanget. Men der er en vej ud, og den går ikke gennem en dør, for der er ikke nogen dør, der er åbent, man skal bare få øje på åbningen.

Hun tager mit hoved i sine hænder.

– Der er nogle, der er så heldige at have intelligente og dybe kærester, siger hun. – Og så er der os andre, der må tage, hvad vi kan få.

Så kysser hun mig. Og så vender hun sig, og går tilbage mod præstegården.

Jeg må indrømme, at jeg er en anelse rystet. Både af det ene og det andet. Så jeg bliver stående. Der er øjeblikke, hvor en mand er nødt til at være alene.

Det er begyndt at regne, en ganske let støvregn. Det er, som om regnen har taknemmelighed med sig. Uden at jeg skal kunne sige, om det er noget, man opererer med på Danmarks Meteorologiske Institut. Jeg føler en overvældende glæde. Den er så kraftig, at den ikke kan holdes nede. Hverken af det forhold, at hele min familie er i opløsning. Eller af, at min elskede, efter at jeg har øst ud af min visdom, bare har givet mig et kys og en af de kvindelige bemærkninger, der får mænd til at ligge søvnløse og vende sig i sengen indtil daggry. Hvorefter hun er svævet tilbage til pighvarren.

Jeg løfter hænderne mod stjernehimlen. Og så begynder jeg at danse.

Det er en langsom dans. Ikke noget fra ordrebogen hos Ifigenia Bruhns Danseinstitut, den her kommer indefra, og den kræver min fulde koncentration. Det må være derfor, der går et stykke tid, inden jeg ser Kaj Molester.

Han står i porten ind til deres hus. Jeg standser op. Vi ser hinanden ind i øjnene.

– Jeg er i færd med at danse Finøvalsen, siger jeg, – en dans i hvilken jeg udtrykker min store taknemmelighed over at være i live.

Man kan sige mange, mange ting om Kaj Molester Lander, og det er der også folk der gør, mig selv iberegnet. Men han er alment beundret for sin stresshåndtering. Også nu. Hans ansigt er udtryksløst.

– Den dans, siger han, – er den privat, eller kan alle være med?

Nåde er et af de ord, man skal tage på med fløjlshandsker og kun, når mindre ikke kan gøre det. Alligevel vil jeg sige, at jeg mener, at det ord er det eneste, der helt dækker det faktum, at tilværelsen er indrettet sådan, at selv typer som Kaj Molester kan gøre sig håb om at få afbrudt deres livs naturlige nedadgående retning af en korsvej. Og for enden af den ny vej, der et øjeblik åbner sig, ligger sarte, risikable, men også forfinede muligheder.

– Bare hæng på, siger jeg.

Han løfter armene, regnen er taget til. Ganske langsomt, under den lysende nattehimmel, træder Peter Finø og Kaj Molester Lander Finøvalsen.

Tak til Lisbeth Lawaetz Clausen for puslespillets hjertebrik.

Tak til ansatte på mit forlag Rosinante&Co, og ganske særligt til min forlægger, Jakob Malling Lambert, for indfølende, idérig og insisterende hjælp til både at holde på trykblyanten og skalpellen.